Oscar best

BIANCA PITZORNO

# ASCOLTA
# IL MIO CUORE

OSCAR MONDADORI

© 1991 Arnoldo Mondadori Editore S.p.A, Milano

Prima edizione Contemporanea ottobre 1991
Prima edizione Oscar bestsellers febbraio 2004
Seconda edizione Oscar bestsellers marzo 2004
Sesta ristampa gennaio 2007

ISBN 978-88-04-53022-0

Questo volume è stato stampato
presso Mondadori Printing S.p.A.
Stabilimento NSM - Cles (TN)
Stampato in Italia. Printed in Italy

www.librimondadori.it
ragazzi.mondadori.com

# Ascolta il mio cuore

*Questo è un libro che riunisce realtà e fantasia. Nel senso che tutte le cose che vi sono raccontate sono avvenute per davvero. Ma non tutte nello stesso anno, nella stessa classe e alle stesse persone.*

*Sono stata io a ricucirle insieme, per combinare una storia che rispondesse sotto forma di romanzo alla domanda che mi fanno spessissimo i miei giovani lettori: «Come andavano le cose a scuola quando eri piccola?»*

*Forse alcuni dettagli della storia potranno sembrarvi strani. Ma bisogna tenere conto che dal tempo in cui frequentavo le Elementari sono passati molti anni, e la vita dei bambini era alquanto diversa da quella di oggi. Tanto per cominciare non c'era la televisione. Poi era finita da poco la guerra. I poveri mancavano di tutto, e anche le famiglie cosiddette "benestanti" non avevano tutte le comodità e gli oggetti utili e inutili che oggi riempiono le nostre case. In compenso, proprio perché i poveri erano cosí disperatamente poveri, le famiglie benestanti avevano molte domestiche, cameriere e bambinaie.*

*A scuola le classi erano composte tutte da maschi o tutte da bambine. Le pochissime classi "miste" venivano considerate come esperimenti moderni e molto audaci.*

*I banchi erano sempre doppi, e il compagno di banco era una figura molto importante. Inoltre i banchi, che erano di legno massiccio, avevano una ribalta che si poteva alzare e*

7

abbassare e che, oltre a contenere i libri e la cartella, serviva anche a nascondere molti segreti e a far baccano quando veniva lasciata ricadere con forza.

Non esistevano ancora né le penne biro né i pennarelli, e le penne stilografiche erano riservate agli adulti piuttosto ricchi. Il resto della gente scriveva intingendo il pennino nel calamaio pieno d'inchiostro. I pennini si infilavano in cima alla penna e si potevano cambiare. Avevano molte forme: a goccia, a campanile, a forma di mano con l'indice puntato. C'era chi era affezionato a una certa forma e chi invece preferiva averne di tutte le qualità. Spesso l'inchiostro gocciolava sul quaderno, macchiandolo. Per asciugarlo, anche in situazioni normali, si usava la carta assorbente.

I soldi valevano molto piú di adesso. Con 20 lire si poteva comprare un quaderno, con 100 un astuccio completo di penna e matite colorate.

Nelle Scuole Elementari maschi e femmine portavano il grembiule lungo fino al ginocchio, che copriva completamente gli abiti. Bambini e ragazzi usavano infatti i calzoni corti, anche nei mesi piú freddi dell'inverno.

La preparazione degli scolari veniva valutata fin dalla prima elementare non con giudizi, ma con una serie di voti che andavano dallo zero al dieci. Il sei voleva dire appena sufficiente. Al di sotto del sei c'era una vasta gamma di ignominia. Ma anche agli alunni piú bravi poteva capitare la disavventura di prendere un tre o un quattro. Se l'insegnante giudicava che un compito o un'interrogazione fossero proprio una frana, non si limitava a dare zero. Dava "zero spaccato". Cosí come i risultati migliori meritavano "dieci e lode".

Ogni Scuola Elementare pubblica aveva il suo Patronato Scolastico, una specie di organizzazione di beneficienza statale che riforniva gratuitamente i bambini piú poveri di scarpe, libri, quaderni, matite, ricostituenti, e che organizzava per loro la Refezione, cioè un pasto gratuito consumato nei locali della scuola.

Per i ragazzi piú grandi non c'era ancora la Scuola Media unica. Finite le Elementari, gli scolari piú poveri di solito smettevano di studiare, perché la licenza di quinta elementare era il titolo di studio minimo richiesto dalla legge.

Poiché in teoria non era consentito lavorare prima dei 14 anni, qualche ragazzino povero si iscriveva alle Scuole di Avviamento, che appunto avviavano ad alcuni mestieri umili e mal pagati che potevano essere iniziati subito dopo i quattordici anni.

I bambini che da grandi sarebbero andati al Liceo e poi all'Università, finite le Elementari si iscrivevano alla Scuola Media.

I giocattoli erano molto piú semplici di quelli di oggi, e solo pochi venivano indicati orgogliosamente dal costruttore come "infrangibili", soprattutto perché non erano stati ancora inventati né la plastica né gli altri vari materiali sintetici.

Cosí come non c'erano i panni da gettare via per i bambini piccoli. Non c'erano i supermercati, né i grandi magazzini, né gli hamburger né la Coca Cola.

In compenso c'erano piú sale cinematografiche, e nelle piccole città di provincia, allo spettacolo del pomeriggio, purché fossero in due o in tre, i bambini potevano andare senza essere accompagnati da un grande.

Ma ciò che dava sapore alla vita, ciò che procurava felicità o disperazione, rabbia o entusiasmo, non erano le cose materiali, gli oggetti, i divertimenti, le comodità o la loro mancanza.

La cosa piú importante, allora come oggi, erano i rapporti tra le persone. E nel caso dei bambini, i rapporti con i coetanei da un lato, e dall'altro col mondo spesso incomprensibile degli adulti.

È questo il motivo per cui nelle pagine seguenti incontrerete un numero cosí abbondante di personaggi, ognuno dei quali importantissimo nella vita delle tre protagoniste.

L'autrice

*Poiché molti degli episodi che leggerete provengono dai miei ricordi personali, mi sembra giusto dedicare questo libro alle persone che sono state importanti per la mia infanzia, e a quelle che più avanti mi hanno aiutato a crescere. Sono tanti, come i personaggi di questa storia (e non li nomino neppure tutti).*

*Comincerò dai miei zii preferiti*

ETTORE, NINO, PEPPINO, PINO E STEFANO,

*affettuosissimi esemplari di una razza in via di estinzione;*

*a* MARISA CAREDDU

*che è stata valorosamente al mio fianco negli anni di lotta contro l'Arpia;*

*alle sue tre belle figlie*

SILVIA, SARA E SIBILLA,

*che ci hanno sentito raccontare mille e mille volte queste storie;*

*a* CHIARA COLLINI

*lei sa perché;*

*ai maestri "buoni" che mi hanno fatto fare la pace con la scuola*

MARCELLA NIGRA, MARGHERITA SECCHI, MANLIO BRIGAGLIA, GIUSEPPE BUDRONI;

*e infine*

*al Maestro dei Maestri*

ANTONIO FAETI.

# SETTEMBRE

# Capitolo primo
*Dove facciamo la conoscenza di Prisca,*
*una delle tre eroine di questa storia.*
*E della sua tartaruga.*

Quando era piccola, Prisca si era sempre rifiutata di imparare a nuotare con la testa sott'acqua, come pretendevano suo padre e suo nonno. Era convinta che il mare, attraverso i buchi delle orecchie, potesse entrarle nel cervello. E un cervello annacquato, si sa, funziona male. Forse che il nonno, quando lei non capiva al volo qualcosa, non le diceva spazientito: — Ma ti è andato in brodo il cervello?

Per lo stesso motivo Prisca non voleva mai tuffarsi dalla barca o dal molo, come facevano suo fratello Gabriele e gli altri bambini. E, naturalmente, c'era sempre qualche dispettoso che mentre lei nuotava tranquilla con il mento sollevato, le arrivava zitto zitto alle spalle, le metteva una mano sulla testa e la cacciava sotto.

Quanti pianti si era fatta! Di paura, ma soprattutto di rabbia impotente. Tanto piú che quando andava a protestare dalla madre sotto l'ombrellone, quella, invece di difenderla o consolarla, la sgridava: — Non sai stare agli scherzi. Sei troppo permalosa. In fondo cosa ti hanno fatto? Finirai per diventare lo zimbello della spiaggia.

Poi era cresciuta e aveva capito che l'acqua non può assolutamente entrare nel cervello. Né attraverso le orecchie, né attraverso gli altri buchi che abbiamo in faccia. Glielo aveva spiegato, mostrandole anche un disegno scientifico su un libro di medicina, il dottor Maffei, zio della sua amica Elisa.

13

— Dalla bocca e dal naso l'acqua potrebbe entrarti semmai nei polmoni, oppure nello stomaco — le aveva spiegato — ma nel cervello assolutamente no. — Era un pensiero rassicurante.

Perciò adesso che aveva nove anni Prisca si tuffava con la bocca serrata, stringendosi il naso con due dita, e aveva imparato a nuotare con la testa mezza sotto. Sapeva fare anche "il morto" in modo perfetto, completamente immersa: non solo le orecchie, ma persino gli occhi, aperti, anche se bruciavano un po'. Fuori restavano solo le narici, un millimetro appena sopra il pelo dell'acqua.

Questo l'aveva imparato da Dinosaura, la quale, essendo una tartaruga di terra (nome scientifico: *Testudo graeca*), non aveva le branchie ma i polmoni, e quindi doveva per forza respirare aria. Era una tartaruga di terra, ma quando Prisca la portava alla spiaggia e la metteva sotto l'ombrellone, Dinosaura la seguiva in acqua e se ne stava a galleggiare vicino alla riva, col guscio giallo e marrone totalmente immerso e solo le narici fuori, muovendo impercettibilmente le zampe. Naturalmente non faceva "il morto". È noto a tutti che le tartarughe detestano stare a pancia all'aria e che se capita di incontrarne una in quella posizione bisogna farle subito il favore di ribaltarla in modo che possa camminare.

Una volta che Dinosaura faceva il bagno a quel modo, la corrente l'aveva portata al largo, lontanissimo, fino a farla sparire. Prisca aveva pianto e pianto, perché pensava di averla perduta per sempre.

Invece l'indomani, alle sette del mattino, un agente della Finanza era venuto a bussare a casa Puntoni. Riportava Dinosaura, e Ines, ch'era andata ad aprire, riferí che il giovanotto non sapeva se ridere o essere arrabbiato, perché la tartaruga, dalla gran paura di trovarsi sballottata in mani estranee, era stata presa da un attacco di diarrea e gli aveva fatto una gran cacca bianco-verdastra sui pantaloni della divisa. Alle tartarughe succede sempre cosí quando si emozionano: Prisca ed Elisa lo avevano sperimentato a loro spese.

Dove stava di casa Dinosaura il finanziere lo aveva capito

dalla targa, che era anche il motivo per cui la tartaruga era stata salvata dalle acque e non era finita in Spagna.

Verso le cinque di mattina i finanzieri erano al largo sulla motovedetta in cerca di contrabbandieri, quando avevano visto nell'acqua la tartaruga che nuotava sforzandosi di avvicinarsi alla riva, ma la corrente la spingeva indietro, verso il mare aperto. Si erano accorti subito che non si trattava di una tartaruga qualunque, perché aveva la targa come un'automobile e, pieni di curiosità, l'avevano ripescata con la reticella dei pesci.

Quella della targa era stata una brillante idea di Ines, la cameriera piú giovane di casa Puntoni. Ines si era accorta che lí al mare, poiché la casa che prendevano tutti gli anni in affitto era al pianterreno, Dinosaura spesso e volentieri usciva e se ne andava a spasso per le vie del paese, col rischio che qualcuno, credendola una tartaruga selvatica, la prendesse e se la portasse via.

Allora Ines aveva preso un rotolo di cerotto rosa, del tipo piú robusto, ne aveva ritagliato un rettangolo e glielo aveva applicato sulla parte posteriore del guscio. Prima ci aveva scritto sopra «Dinosaura Puntoni. Lungomare Cristoforo Colombo 29. Di fianco al bar Gino». Lo aveva scritto con la matita copiativa, premendo forte. — Cosí anche se si bagna non sbiadisce — aveva detto.

Prisca era piena d'ammirazione per il senso pratico di Ines.

La mamma e Gabriele invece si erano fatti mille risate e le avevano trattate da sceme. — Una tartaruga targata come un'automobile! Chi ha mai visto un'idiozia simile?!

E invece ecco che, proprio grazie alla targa, il finanziere aveva capito che Dinosaura faceva parte della famiglia Puntoni e l'aveva riportata a casa. È pur vero che ne aveva approfittato per fare la corte a Ines, che però non lo aveva voluto, perché non le piacevano gli uomini in divisa. — Ho sempre l'impressione che stiano lí lí per arrestarmi — si era confidata con Prisca. Ines era nata in un paese di montagna dell'interno i cui abitanti, anche quando non facevano niente di male, non riuscivano proprio ad andare d'accordo con "la Giustizia", come venivano chiamati lassú i carabinieri.

Adesso Dinosaura era in città. Possedeva un bellissimo terrario costruitole da Prisca e da Elisa con la supervisione di Gabriele, ma appena poteva entrava in casa, andava in camera della padroncina e si nascondeva sotto il letto.

Quando Antonia, la cameriera piú anziana, entrava per fare le pulizie, e come al solito aveva ai piedi le vecchie ciabatte senza tallone, Dinosaura usciva dal suo nascondiglio con una velocità insospettabile per una tartaruga e la azzannava ai tendini di un calcagno. Stringeva e non mollava la presa se non quando Antonia, urlando per la sorpresa e per il dolore, se la scrollava dal piede e la scagliava contro il muro all'altro lato della stanza. Dinosaura carambolava come una palla da biliardo, ma non si lasciava impressionare, e la volta successiva non perdeva l'occasione di tendere alla domestica il solito agguato. Quelle due si odiavano a morte e Prisca non riusciva a capire perché.

## Capitolo secondo
*Dove Prisca si preoccupa all'idea di fare conoscenza con la nuova maestra.*

Era il 23 di settembre e l'indomani sarebbero ricominciate le scuole.

In casa di Prisca c'era la tradizione che – anche se erano tornati da un pezzo in città – la vigilia del rientro a scuola il papà si prendesse una giornata di vacanza dallo studio legale e portasse con l'automobile tutta la famiglia al mare per l'ultimo bagno della stagione. Andavano sempre alla Spiaggia dei Ginepri, che era tranquilla e riparata dal vento.

Cosí adesso Prisca se ne stava nell'acqua a pancia all'aria, muovendo appena appena i piedi per restare a galla. Dalla riva le giungevano gli strilli di gioia di Filippo, che Ines lanciava in aria per riacchiapparlo al volo, e i colpi del pallone di Gabriele contro le rocce. Lei guardava il cielo, le piccole nuvole sfilacciate, il volo dei gabbiani. Strizzava gli occhi per non farsi abbagliare dal sole e pensava a tante cose.

Pensava al suo amore, naturalmente. Ormai era consapevole di saper nuotare cosí bene che, in caso di un naufragio, se LUI avesse rischiato di affogare, lei avrebbe potuto afferrarlo per la barba e trarlo in salvo, guadagnandosi la sua eterna gratitudine. Elisa diceva sempre che questa era un'idea stupida, perché, comunque, LUI sapeva nuotare molto meglio di Prisca e non aveva nessun bisogno di essere salvato. — Ma se fosse mezzo svenuto perché l'albero maestro della nave gli è crollato sulla testa? — L'aveva vista tante volte una scena del genere, al cinema e anche nei fumetti.

Poi pensava alla scuola e si sentiva un po' preoccupata perché sapeva che quell'anno avrebbero avuto una nuova maestra, e l'indomani l'avrebbe vista per la prima volta. Chissà che tipo era?

Erano molti giorni ormai che ci pensava, piena di curiosità e di apprensione. Gabriele la prendeva in giro: — Tutte le classi in quarta cambiano insegnante. — Lui stava per andare alle Medie e invece di un solo nuovo maestro avrebbe avuto una quantità di professori, uno per ogni materia. — Cosa faresti tu al mio posto? — chiedeva beffardo a Prisca. — Ti cagheresti sotto per l'emozione come la tua tartaruga?

Gabriele si divertiva a usare queste parole volgari con la sorella, che poi, senza pensarci, le ripeteva davanti ai grandi, magari a tavola quando c'erano ospiti, e si guadagnava uno scappellotto, oltre alla fama di maleducata e impertinente. Lui invece stava attentissimo a non usarle mai quando c'era un grande che potesse sentirlo, e tutti lo reputavano un ragazzino quieto ed educatissimo.

"Gabriele può dire quello che vuole!" pensava Prisca. "Io sono preoccupata lo stesso. Perché non è che sono solo io a non conoscerla, questa nuova maestra. Non la conosce nessuno. Neppure di vista."

Infatti non si trattava di un'insegnante che era sempre stata alla Sant'Eufemia e che quell'anno toccava a loro per il normale avvicendamento delle classi. No. Questa veniva da fuori.

Circolavano molte voci tra le mamme sul conto della nuova maestra. Si sapeva che fino all'anno prima aveva insegnato all'Ascensione, l'unica Scuola Femminile privata della città, tenuta da raffinatissime suore francesi e frequentata dalle bambine delle famiglie piú ricche e pretenziose.

Si diceva che fosse molto esigente in fatto di studio, moderna nei metodi d'insegnamento (usava persino il giradischi per fare lezione di musica!), ma severissima per la disciplina. — Però le sue alunne prendono sempre i voti piú alti all'esame di ammissione alle Scuole Medie — aveva detto la nonna materna di Elisa. — Chissà come la troverà indietro, la nostra povera bambina!

— Per Elisa non mi preoccupo, e neppure per le sue compagne — aveva ribattuto la nonna paterna. — Hanno tutte una preparazione eccellente per la loro età.

Prisca invece si preoccupava, eccome. Anche perché la nuova maestra si era già preannunciata con una stranezza. Aveva fatto sapere a tutte le famiglie, tramite la segreteria della scuola, che per le sue alunne non voleva il solito nastro blu al collo ed eventualmente fra i capelli.

La divisa della Sant'Eufemia era molto semplice: grembiule nero per tutti e al collo fiocco blu per le femmine e rosso per i maschi. Invece nella sua classe la maestra Argia Sforza – si chiamava cosí – voleva un nastro speciale, rosa a pallini celesti, che si trovava solo – era lei che aveva dato quest'indicazione – dal merciaio di viale Gorizia.

Prisca ebbe un sussulto che le fece andare un po' d'acqua dentro il naso, ricordando che quel nastro lei ancora non ce l'aveva, perché sua madre, rimanda che ti rimanda, aveva aspettato a comprarlo fino a quel pomeriggio.

"Speriamo che il merciaio sia ancora aperto quando torniamo in città" pensò.

Il merciaio era aperto, ma purtroppo aveva esaurito il nastro rosa a pallini celesti. — Cosa vuole, signora Puntoni, quest'anno siete venute in troppe a chiedermelo. Non avevo una scorta cosí abbondante. È da avant'ieri che non me ne resta neppure un centimetro. Ne ho ordinato una nuova partita, ma ci vorranno almeno una decina di giorni prima che arrivi.

— Ecco! Perché non l'hai comprato la settimana scorsa come la nonna di Elisa?! Se non avevi tempo, perché non hai mandato Ines o Antonia? — disse Prisca alla madre scoppiando in lacrime. — Io senza il fiocco a scuola non ci vado.

— Ma cosa vuoi che succeda? — chiese la signora Puntoni, alla quale dava molto fastidio che Prisca si mettesse a piangere e a frignare davanti agli estranei.

— La maestra mi sgriderà. Mi metterà una nota sul diario proprio il primo giorno di scuola. Io senza fiocco non ci vado.

— Oh, non farla tanto lunga! Ti scriverò una giustificazione.

— Non ci vado, non ci vado e non ci vado!

La signora Puntoni sospirò. Le avrebbe mollato volentieri un ceffone, ma le seccava farlo in presenza del merciaio.

— E va bene! Vuol dire che mi alzerò presto e ti accompagnerò io a scuola. Cosí vedrò in faccia questa famosa maestra e la pregherò di scusarti. Le dirò che è stata colpa mia.

— Ti va bene cosí? — chiese il papà, che prima di cena doveva ancora passare a dare un'occhiata in studio e aveva fame.

— Sí — rispose Prisca. Ma tenne il broncio per tutta la serata.

## Capitolo terzo
*Dove facciamo conoscenza con la seconda eroina di questa storia, anche lei preoccupata per lo stesso motivo.*

Anche Elisa, nonostante la nonna Mariuccia le avesse comprato con grande anticipo il nastro rosa a pallini celesti, era in ansia per l'incontro dell'indomani. Era talmente preoccupata che a cena non riuscí a mandare giú un solo boccone.

— Diventerai magra come un'acciuga e il primo soffio di vento ti porterà via — pronosticò con aria truce la tata Isolina guardando il piatto ancora pieno.

— Pensa a tutti quei poveri bambini dell'Africa e dell'India che non hanno da mangiare... — aggiunse in tono di rimprovero lo zio Casimiro.

— Non c'è bisogno di andare tanto lontano. Pensa che questa bella cotoletta andrà a finire nel barattolo di Domenico — ribadí la tata.

Domenico era il "mendicante ufficiale" di casa Maffei, quello che tutti i pomeriggi veniva dall'estrema periferia, dove abitava in una grotta, a ritirare gli avanzi del pranzo, e li metteva in un vecchio barattolo di latta col manico di fil di ferro. Elisa aveva un vero terrore di Domenico, che era vecchio e sporco. D'estate e d'inverno il mendicante indossava un lungo cappotto fatto di coperta militare, rigido per la sporcizia, che a ogni passo gli batteva contro le caviglie nude. Aveva i piedi pieni di croste avvolti in stracci luridi e camminava curvo, appoggiandosi a un bastone. Con la tata, che gli portava gli avanzi sul pianerottolo, era gentile, sottomesso, quasi untuoso. Ma un giorno che un altro mendicante aveva osato salire le scale di casa Maffei, Domenico lo aveva aspettato al varco e lo aveva cacciato colpendolo col suo bastone e coprendolo di terribili insulti, bestemmie e maledizioni.

Al pensiero di Domenico e del suo barattolo con tutti gli avanzi mescolati insieme, Elisa sentí che lo stomaco le si annodava ancora di piú.

— Su, sforzati! Almeno un boccone. Fa' un fioretto alla Madonna! — insisteva la tata.

— Sí! Un fioretto a Sant'Isolina, piuttosto! — sbottò lo zio Leopoldo. — Ma lasciatela in pace! Un po' di digiuno non ha mai fatto male a nessuno — e guardò Elisa, speranzoso di strapparle una risata con la rima. Ma Elisa guardava nel piatto e si mordeva le labbra.

— Anche i cavalieri medioevali passavano in digiuno e preghiera la vigilia dell'investitura — divagò lo zio Casimiro. — "Veglia d'armi", si chiamava. Stavano tutta la notte a pancia vuota inginocchiati sul nudo pavimento...

— Tu e i tuoi cavalieri medioevali! — protestò la nonna Mariuccia. — Cosí la fate agitare ancora di piú. Tesoro, non c'è niente di cui preoccuparti. Vedrai che la nuova maestra ti piacerà moltissimo. Vattene a letto, adesso. La tata ti porterà un bicchiere di latte caldo col miele.

— Vuoi che venga a leggerti un capitolo de *I Misteri della Giungla nera*? — propose lo zio Casimiro in segno di pace.

— Sa leggere benissimo da sola. Non è piú una bambina piccola — lo rimbeccò lo zio Leopoldo.

Era vero. Elisa aveva sul comodino una bella edizione illustrata de *La Piccola Principessa*, prestatale da Rosalba, e ogni sera ne leggeva qualche pagina. Era arrivata al punto che Sara Crewe diventa povera e la perfida direttrice del collegio la manda a vivere in soffitta. Non vedeva l'ora di riprendere in mano il libro per vedere cosa sarebbe capitato adesso.

Cosí, una volta a letto, si immerse nella lettura e scordò completamente il problema della nuova maestra.

**Capitolo quarto**
*Dove le nostre due eroine affrontano
il primo giorno di scuola.*

— Sei emozionata? — chiese a Elisa la nonna Mariuccia mentre varcavano il cancello ed entravano nel cortile affollato della scuola. — Vedrai che andrà tutto bene.

— Tu adesso però vattene! — rispose la nipote, che si vergognava di arrivare a scuola accompagnata come una piccola di prima. — Guarda! C'è Prisca! Vado a raggiungerla.

— Vengo anch'io, cosí saluto la signora Puntoni.

Prisca, oltre a non avere il fiocco regolamentare, aveva i ricci bruni spettinati, il colletto bianco di traverso, la martingala del grembiule penzoloni su un fianco, e nel brevissimo tratto da casa a scuola aveva trovato il tempo di farsi uno sbaffo d'inchiostro sul naso.

Sua madre invece era elegantissima, come al solito, senza un capello fuori posto, il rossetto senza sbavature, i guanti, le scarpe, la borsetta e il cappellino di paglia intonati al tailleur di lino rosa.

Salutò la nonna Mariuccia e disse in tono di scusa: — Mi creda, signora Maffei, quando è uscita di casa mia figlia non era cosí in disordine. Ma le bastano pochi minuti per ridursi come una monella di strada. Io non so piú cosa fare. Mi vergogno di uscire con lei.

— Puoi sempre camminare a due passi di distanza e far finta di non conoscermi — suggerí Prisca.

— La sente! Fa anche la spiritosa. Speriamo che questa nuova maestra non sia una mollaccona come la signorina Sole e riesca a metterla in riga.

"Speriamo di no" pensò Elisa. Prisca le piaceva esattamente cosí com'era. Era la sua amica del cuore e non l'avrebbe cambiata con nessun'altra. Neppure con Rosalba, che era buona, simpatica, affettuosa e fedele, tanto che lo zio Casimiro l'aveva ribattezzata "il fido Kammamuri".

Prisca naturalmente era Sandokan, ed Elisa aveva esitato a lungo fra Yanez e Tremal Naik, decidendosi infine per quest'ultimo solo a causa della tigre Darma. Quanto a Darma, la parte toccava a Ciccio, il gatto della tata, che era vecchio e grasso e aveva paura persino delle mosche. Se si fosse trovato davvero nella giungla nera, sarebbe saltato in braccio a Elisa e si sarebbe rifiutato di scendere.

La folla di bambini e genitori le spingeva su per la scalinata di marmo, verso il grande portone.

— Su, nonna, vattene adesso! — supplicò Elisa impaziente.

— Vado, vado — disse la nonna Mariuccia un po' offesa. — Me lo racconterai a pranzo com'è questa nuova maestra. E, mi raccomando, al ritorno dritta a casa, senza fermarti a giocare per la strada.

La signora Puntoni seguí le due bambine nell'atrio, facendosi strada a fatica tra la calca. Gli scolari galoppavano per i corridoi alla ricerca delle proprie aule, urtandosi, ridendo e chiamandosi a gran voce.

— Guarda! C'è Marcella! Ecco Viviana e Fernanda! Ciao, Giulia! — strillava Prisca riconoscendo le compagne degli anni passati.

Era bello rivedere le compagne dopo le vacanze. Anche

quelle meno simpatiche, come Sveva e Alessandra. Anzi, sembrava che l'estate avesse cancellato tutti i litigi, i dispetti, le rivalità, tutti i difetti delle "nemiche".

Sí, perché fin dalla prima elementare c'era stata guerra tra la bancata centrale e quella di destra. Al centro sedevano Prisca, Elisa, Rosalba e altre bambine loro amiche, tutte brave scolare, ma alcune cosí vivaci e rumorose che la maestra Sole, con una sfumatura di tenerezza, le chiamava "i miei Maschiacci", nome che poi era rimasto a indicare tutta la bancata. A destra i banchi erano equamente divisi fra quelle che Prisca e Rosalba avevano battezzato "Gattemorte" e "Leccapiedi", sempre impegnate, senza distinzione, a formare gruppi e gruppetti rivali, a darsi delle arie, a rompere i segreti, a fare la spia. Tutte, tranne la terribile Sveva Lopez del Rio, che era troppo superba per ricorrere a questi espedienti, ma in compenso era violenta e prepotente, e sedeva nel primo banco insieme a Emilia Damiani, che era la sua vittima e aveva sempre le braccia blu per i pizzichi e le gomitate.

La bancata di sinistra, che non era cosí omogenea e non aveva capi riconosciuti, di solito si manteneva neutrale ed era perciò denominata "la Conigliera". Ma nei momenti piú accesi della guerra si schierava col centro. Non bisogna credere però che questo soccorso portasse un grande vantaggio alla bancata amica, perché quella di destra poteva contare all'occorrenza su un'alleata ancora piú potente nella persona della maestra, ingannata dal comportamento subdolo delle Gattemorte e delle Leccapiedi.

La maestra, quella vecchia s'intende, la signorina Sole, non prendeva sul serio le ostilità e le scaramucce tra le sue alunne. Pensava che fossero una cosa normale, e da parte sua si sforzava di essere giusta perché era affezionata a tutte quante. — Sono fortunata — diceva alle colleghe. — Ho una bella classe. Tutte bambine per bene, educate, seguite dalle famiglie. Non mi danno alcun problema.

Nonostante qualcuna delle bambine fosse di famiglia molto modesta, come Luisella, che era figlia di una sartina a ore, o come Anna, che era figlia del bidello, a mezzogiorno andavano tutte a mangiare a casa, e nessuna frequentava la Refezione offerta agli alunni piú poveri dal Patronato Scolastico. Il che per la maestra era un bel vantaggio, perché non doveva fare alcun turno di sorveglianza nel seminterrato rimbombante delle urla e maleodorante di cattiva cucina.

Non c'era da meravigliarsi se la D godeva fama di essere la migliore sezione femminile della scuola, e si diceva in giro che la nuova maestra avesse accettato il trasferimento dall'Ascensione solo a patto di avere quella e non un'altra quarta.

Oggi, tra la folla, le alunne della IV D si distinguevano fra tutti gli altri scolari per via del fiocco rosa a pallini celesti. Ma ce n'erano quattro o cinque che, come Prisca, avevano il collo nudo. Molte erano accompagnate come lei dalla madre, e alcune portavano un mazzo di fiori nella mano libera dalla cartella.

"Ecco le Leccapiedi che si preparano a corteggiare la nuova maestra" pensò Prisca, e si rese conto che non era cambiato niente, che l'impressione di pace provata un attimo prima era apparente e illusoria, e che le ostilità stavano per ricominciare. Tanto valeva che fosse lei ad aprire la guerra. — Leccapiedi! — ripeté a voce alta in tono di disprezzo, guardando ostentatamente dalla loro parte.

Una delle madri la sentí e disse alla figlia: — Che bambina maleducata! Chi è?

La signora Puntoni arrossí. — Belle figure mi fai fare! Lo sai chi è quella? La moglie del giudice Panaro! Tuo padre ha una causa importantissima con suo marito.

Prisca incassò lo scappellotto senza fiatare, perché Ursula la stava guardando e lei non voleva dare a quella Gattamorta la soddisfazione di vederla soffrire.

Però, nonostante la sua spavalderia, era emozionatissima. Man mano che si avvicinavano all'aula sentiva il cuore accelerare i suoi battiti. Prese la mano di Elisa e se la poggiò sul petto. Elisa sentí BUM BUM BUM...

— Smettila! Lo fai apposta per farmi spaventare — protestò.

— Certo che per essere la nipote di un cardiologo sei proprio ignorante — rispose l'amica. — Non ti ricordi che la signorina Sole ci ha spiegato che i movimenti del cuore, come quelli dei polmoni e dello stomaco, sono involontari? Non è possibile farlo apposta.

A quel punto arrivò di corsa Rosalba, inseguita da un vecchietto in camice grigio che le teneva la cartella, e che non era suo nonno, come pensavano in molti, ma il magazziniere di suo padre e si chiamava signor Piras.

— Ha visto che sono arrivata in tempo?! Se ne vada in negozio, adesso — disse ansimando Rosalba che, come Elisa, detestava farsi vedere accompagnata. Il signor Piras non si fece pregare. Mollò a terra la cartella e girò sui tacchi, perché doveva ancora spazzare il negozio con la segatura prima di sollevare la saracinesca.

Le tre amiche si salutarono con entusiasmo, come se fosse un secolo che non si vedevano, e invece erano state insieme a giocare da Elisa solo due giorni prima. Svoltarono l'angolo ed ecco, in fondo al corridoio, sulla porta della loro vecchia aula, la nuova maestra che le aspettava.

## Capitolo quinto
*Dove facciamo conoscenza*
*con la nuova maestra.*

La maestra Sforza era di media statura, rotondetta e piú anziana di quanto si aspettassero. O forse lo sembrava perché era tutta grigia. Aveva i capelli ondulati color grigio ferro e gli occhiali cerchiati di metallo. Indossava una gonna grigia e una giacca di maglia grigia. Anche la sua faccia, pensò Elisa, sembrava grigia, nonostante la macchia violenta del rossetto color ciclamino.

Però quando la maestra riconobbe Ester Panaro che si avvicinava per mano alla madre stringendo il suo mazzolino di fiori, la faccia le si trasformò, illuminata da un grande sorriso color ciclamino ("La prima Leccapiedi ha fatto colpo!" pensò Prisca drizzando le antenne).

25

Sempre sorridendo, la signora Sforza accolse tutti i genitori e fece loro mille complimenti. Sorridendo ascoltò le scuse delle madri di quelle che, come Prisca, non avevano il nastro regolamentare rosa a pallini celesti.

— Non fa niente, signora. Sí, capisco. Certo, la colpa è del merciaio... Non si preoccupi. Per qualche giorno chiuderò un occhio. Però, mi raccomando, appena sarà possibile... Sono proprio contenta di avere con me la sua bambina. Arrivederci! E vada tranquilla. Non c'è nessun problema.

— Hai visto com'è gentile? — sussurrò la signora Puntoni alla figlia. — Valeva proprio la pena di buttarmi giú dal letto cosí presto! Sei sempre la solita esagerata.

La maestra stringeva calorosamente le mani dei genitori, carezzava la testa delle bambine ravviando loro i capelli. Elisa cominciò a sentirsi sollevata.

Ma quando furono nel banco Prisca le disse sottovoce: — Non mi piacciono le mani della maestra. Non saprei dire perché... le hai guardate bene? Sono bianche e molli, come se dentro non ci fossero ossa. La sua carezza era viscida come quella di un serpente.

Elisa non poteva pronunciarsi, perché lei la carezza non l'aveva ricevuta. Lei la maestra si era chinata a baciarla in fronte stampandole un bel segno color ciclamino. Lei sola, aveva spiegato, perché era un'orfana. Probabilmente lo sapeva perché c'era scritto sulla pagella e forse anche sul registro: «Maffei Elisa Lucrezia Maria, del fu Giovanni e della fu Gardenigo Isabella.»

I genitori di Elisa erano morti entrambi sotto i bombardamenti quando la loro prima e unica figlia aveva solo due anni. Elisa non era morta perché a quel tempo non viveva con loro, ma era sfollata in campagna assieme alla tata e alla nonna Mariuccia. Ma non era rimasta sola al mondo come le protagoniste dei romanzi lacrimosi che piacevano tanto a Rosalba. Anzi, aveva tanti di quei parenti che erano scoppiate delle liti furibonde per decidere chi dovesse prendersi cura di lei. Le rivali piú accanite erano le due nonne.

Quella materna, Lucrezia Gardenigo, sosteneva di essere

la piú adatta perché abitava in una villa col giardino e aveva tre cameriere e un autista. Quella paterna, Mariuccia Maffei, diceva che se "i due ragazzi" le avevano affidato la piccola durante lo sfollamento, era perché la ritenevano piú adatta ad allevarla.

Era andata a finire che, non riuscendo a mettersi d'accordo, avevano deciso di affidarsi alla sorte, e lo zio Leopoldo aveva sfidato ai dadi il nonno Anastasio. La sorte aveva deciso per la famiglia della nonna Mariuccia, ed Elisa, come abbiamo visto, era rimasta a vivere con lei, con la vecchia tata Isolina e con i tre zii, Casimiro, Leopoldo e Baldassarre, fratelli del suo papà. Quando lo zio Leopoldo era in vena di tenerezze e di coccole, si prendeva Elisa in grembo per baciarla dietro l'orecchio, e per gioco fingeva di essere geloso e le diceva: — Tu sei mia e di nessun altro. Ricordati che ti ho vinta ai dadi e non ho intenzione di accettare altre sfide.

## Capitolo sesto
*Dove entrano in scena*
*due nuove alunne.*

I genitori se n'erano tutti andati. Le bambine si erano sedute nei banchi, occupando per lo piú lo stesso posto dell'anno precedente e aspettavano in silenzio.

Ed ecco, pochi secondi prima che suonasse l'ultima campanella, due nuove alunne entrarono timidamente nell'aula. Alle altre bastò un'occhiata per accorgersi che si trattava di due bambine povere, di quelle che abitavano nei vicoli della città vecchia, o in periferia, dove la città si confondeva con la campagna. E non solo per il fatto che avevano al collo, invece di quello rosa a pallini celesti richiesto dalla signora Sforza, un normalissimo fiocco blu un po' stinto.

Quando, circa un mese prima, la nonna Mariuccia aveva dovuto chiamare la sartina a ore per farle cucire due nuovi grembiuli per Elisa che durante l'estate era cresciuta di quattro centimetri, davanti al colore della stoffa aveva ricominciato con la solita lamentela: — Mi si stringe il cuore a mandarla in giro vestita di nero come un'orfanella dell'Ospizio.

Elisa le aveva viste, le orfanelle, con le loro mantelline nere, in fila dietro a qualche funerale. Cantavano in latino e sembravano tristissime. Ma appena la suora che le accompagnava girava gli occhi da un'altra parte, cominciavano a ridacchiare, a farsi le smorfie, a darsi gomitate e calci negli stinchi, e se si accorgevano che lei le stava guardando le mostravano la lingua. Elisa si era chiesta molte volte come mai nessun parente avesse reclamato il privilegio di prendersele in casa. Ma forse avevano giocato a dadi con l'Ospizio e avevano vinto sempre le suore.

Però lo zio Baldassarre, ogni volta che la nonna si lamentava per il colore del grembiule, interveniva a prendere le difese di quella spartana divisa scolastica. — Col grembiule nero bambini e bambine appaiono e si sentono tutti uguali. Non c'è differenza tra i ricchi dai begli abiti nuovi, puliti e alla moda, e i poveri tutti stracciati. Il grembiule copre ogni differenza e non possono nascere invidie o rivalità. Abbiamo lottato tanto per avere l'istruzione gratuita e obbligatoria; una scuola elementare unica, uguale per tutti... Il grembiule nero è il simbolo di questa uguaglianza e dobbiamo esserne fieri!

Lo zio Baldassarre era proprio ingenuo, pensò quel giorno Elisa, guardando le due nuove arrivate. Lei e le sue amiche erano in grado di riconoscere a prima vista una bambina povera da altri mille dettagli.

E poi, tanto per cominciare, non era vero che i grembiuli fossero tutti uguali. Ce n'erano che sembravano vestine da ballo, come quelli di Sveva o di Ester Panaro, di stoffa lucida, con la gonna arricciata, piegoline e volant, il colletto di pizzo inamidato e un fazzoletto sempre pulito nel taschino. E ce n'erano di logori, rattoppati, con gli angoli delle tasche penzoloni e il colletto freddo e duro di celluloide, che non c'era bisogno di lavare perché si poteva pulire in qualsiasi momento con la gomma delle matite. Inoltre le bambine povere avevano solo e sempre lo stesso grembiule, mentre le altre ne avevano due per il cambio, e qualcuna anche tre, magari di modello diverso.

Poi c'era la pettinatura: si capiva benissimo che i capelli di quelle bambine non erano stati tagliati né messi in piega dal parrucchiere. Non erano freschi di sciampo né lucidi, anzi spesso erano unti o arruffati o incrostati di vecchio sudiciume. E guardando piú in basso, c'erano le calze, sbilenche e rammendate, i sandali malamente tagliati in punta per fare spazio a due dita cresciute troppo, oppure le scarpe offerte dal Patronato Scolastico, di finta pelle dura come cartone, rinforzate con le bullette di metallo.

C'era l'odore, molto eccitante e un po' selvatico, e la quantità di parolacce e imprecazioni che le bambine povere erano in grado di insegnare alle altre, e la loro straordinaria abilità nel saltare alla corda e nel giocare a piastrelle o a "palla a muro". E poi, di solito, le bambine povere, come i loro coetanei maschi, erano ripetenti. Come Annina Demuro, che era stata con loro in prima elementare, ma poi era stata bocciata per due volte e quest'anno avrebbe frequentato ancora la seconda, magra e lunga in mezzo a tutte quelle bambinette che avevano appena smesso di fare le aste.

### Capitolo settimo
*Dove la maestra
si comporta in modo strano.*

Anche le due nuove arrivate erano ripetenti. L'anno prima erano state viste in corridoio nella fila della IV H.

Evidentemente erano capitate a loro perché la sezione D era la meno affollata tra le quarte, come testimoniavano i molti banchi vuoti in fondo all'aula.

Tra i Conigli spuntò qualche sorriso di saluto e di incoraggiamento. Ma le due bambine non potevano entrare in classe perché la maestra le aveva bloccate sulla soglia e, guardandole severamente, chiedeva: — Cosa ci fate qui voi due?

— Giú in segreteria ci hanno detto di venire in IV D.

— Non è possibile. Avrete capito male.

La bambina piú alta insistette timidamente: — La segretaria ha detto proprio D.

Ma la signora Sforza, con un tono molto diverso da quello che aveva usato finora con le altre, protestò: — Non permetterti di contraddirmi, villana! Se ho detto che hai capito male, avrò i miei motivi.

— Ma...

— Niente ma! D'altronde è evidente che non hai molto comprendonio, visto che l'anno scorso ti hanno bocciata.

Le altre bambine seguivano questo dialogo con grande interesse e Prisca cominciava a dimenarsi sul banco.

La maestra fece chiamare il bidello, il quale però guardò nei suoi foglietti e disse: — Non c'è nessun errore. Queste due bambine sono iscritte proprio in IV D.

— Non è possibile! — ripeté la maestra risentita. — Vada a informarsi meglio in Direzione. Mi avevano garantito...

— Ma scusi! — saltò su Marcella Osio dal suo banco, che era il primo della fila dei Conigli, quello piú vicino alla porta. — Ma scusi, non fa prima a chiedergli come si chiamano e a guardare se nel registro c'è il loro nome?

Il nome delle due nuove alunne c'era: si chiamavano Guzzòn Adelaide e Repovik Iolanda. La maestra, quando lo lesse, ci restò malissimo.

— Be'? E come mai non avete il nastro rosa a pallini celesti? — chiese aggressiva, con una voce dura.

— Non ce n'era piú dal merciaio... — balbettò Guzzòn Adelaide.

— Bisognava pensarci in tempo — disse la maestra tagliente.

Le due bambine si strinsero nelle spalle.

— Benissimo. Allora mi farete il piacere di tornarvene a casa e di non rimettere piede in classe fino a quando non vi sarete procurate il nastro regolamentare! Fuori!

Iolanda e Adelaide chinarono la testa e si avviarono in silenzio verso le scale.

Prisca si agitava sul banco come un'anguilla. — Ascolta il

mio cuore! — bisbigliò afferrando la mano di Elisa e premendosela sul petto. — Sta per scoppiare.

BUM BUM BUM.

— Non farmi paura! — supplicò Elisa. Conosceva l'amica e sapeva che non era capace di resistere davanti alle ingiustizie.

Prisca infatti si era già alzata e si dirigeva a grandi passi verso la porta.

— Dove vai Puntoni? È ancora presto per il gabinetto. E poi si chiede il permesso.

— Non vado al gabinetto, vado a casa — disse Prisca col viso rosso e congestionato. — Tornerò quando mi sarò procurata il nastro rosa.

— Ma cosa ti salta in mente? Ferma lí! Non hai sentito quello che ho detto a tua madre?

Le mani bianche e grassocce erano umide e molli, ma avevano una forza insospettata. Prisca fu afferrata per le spalle e riportata di peso nel banco. La maestra ordinò a Marcella di chiudere la porta.

— E adesso cominciamo la lezione! — disse con un bel sorriso, come se non fosse successo niente.

### Capitolo ottavo
*Dove la maestra assegna un tema*
*poco gradito da Elisa.*

— Prendete i vostri quaderni — disse la signora Sforza, dopo aver fatto l'appello (e aver evitato di chiamare Guzzòn e Repovik, per non sentirsi rispondere "Assente!"). — Per cominciare faremo un tema che mi aiuterà a conoscervi meglio.

"Faremo?" venne da pensare a Elisa. "Anche tu lo farai?" e le scappò un sorrisetto leggero, che però non sfuggí all'occhio d'aquila della maestra.

— Cosa c'è da ridere, Maffei? Vuoi cominciare il primo giorno di scuola con una nota?

31

Elisa arrossí e chinò la testa sul quaderno. Prisca aggrottò le sopracciglia.

La maestra si avvicinò alla lavagna: — Il titolo del componimento è questo — disse, e scrisse col gesso in bella calligrafia: *La professione di mio padre*.

Elisa inghiottí un groppo che le si era fermato in gola. Gli occhi le pizzicavano dalla voglia di piangere. La signorina Sole aveva sempre evitato con cura di dare temi su quell'argomento. Ma anche la signora Sforza lo sapeva che lei non ce l'aveva piú il padre, e neppure la madre. Non l'aveva forse baciata, lei sola fra tutte, perché era un'orfana? E adesso cosa avrebbe scritto? E cosa avrebbe scritto Luisella, che anche lei non aveva il papà? A proposito, chissà perché lei non era stata baciata. Forse perché aveva perso solo il padre, e la mamma l'aveva ancora.

Elisa sentiva le lacrime premere sotto le palpebre e pizzicare il naso, ma non voleva dare alla maestra la soddisfazione di vederla piangere. Le ricacciò indietro eroicamente, tirando su col naso.

— Maffei! Se sei raffreddata usa il fazzoletto! — la sgridò la signora Sforza, alla quale evidentemente non sfuggiva il minimo sospiro.

— Non fare la scema! Inventa! — le sussurrò Prisca con una gomitata. — Scrivi, per esempio, che tuo padre fa il re d'Inghilterra, oppure che è un famoso assassino, o un inventore pazzo, o un attore del cinema, o quello che ti salta in mente.

Elisa scosse la testa. Non era capace. E poi le era venuto addosso uno scoramento cosí grande che non era piú in grado di concentrarsi.

— Fa' finta di scrivere, allora! Il tema te lo faccio io. Parlerò di tuo zio Leopoldo — bisbigliò Prisca.

— Puntoni, silenzio! Cosa sono queste chiacchiere? Un'altra parola e ti cambio di posto — abbaiò la maestra.

Ma Prisca non la stava ad ascoltare. Come sempre, quando c'era da scrivere, si era dimenticata di tutto quello che la circondava e aveva cominciato a riempire il foglio con gran furia. Man mano che scriveva, le tornava il buonumore e verso la fine il viso le si illuminò d'un sorriso beato.

Terminò prestissimo e passò il foglio a Elisa perché lo ricopiasse. C'era scritto:

*Io il papà non ce l'ho più, perciò parlerò del suo fratello gemello, lo zio Leopoldo.*

*Mio zio Leopoldo di professione fa il cardiologo. Il cardiologo è un medico che cura il cuore ammalato della gente, e se per caso un cuore si è rotto, lui lo aggiusta. Mio zio invece i cuori non li aggiusta: lui li rompe, o meglio li spezza. Ma non lo fa apposta, però. E poi non li spezza tutti. Solo quelli delle donne giovani e belle. Sono tutte innamorate di lui. Fingono di essere ammalate, di avere le palpitazioni, per andare nel suo ambulatorio a farsi curare. E così si ammalano sul serio e si ritrovano col cuore spezzato, perché lui non le ricambia. Però lo zio è così affascinante che lo stesso quelle stupide non possono fare a meno di amarlo.*

*Mio zio è bellissimo. Ha gli occhi celesti, è calvo ed ha la testa lucida e abbronzata. La faccia si vede poco, perché ha una gran barba castana, con i baffi di colore assortito. È alto e robusto come un pugilatore, e fortissimo. Questo gli è molto utile quando qualche ammalato sviene e bisogna trasportarlo in braccio all'Ospedale.*

*Mio zio vive con mia nonna, con me e con i suoi due fratelli. Saremmo una famiglia felice, ma queste donne bellissime che lo corteggiano non ci lasciano mai vivere in pace. Ci riempiono la casa di lettere, di fiori e di baci Perugina. Minacciano di uccidersi sul nostro pianerottolo e la nonna si scoccia, perché il sangue le fa schifo, e pulirlo con lo straccio le fa ancora più schifo. Io cerco di consolarla: «Non è detto che si taglino la gola. Magari si avvelenano, che è una morte pulita.»*

*Queste innamorate spiano mio zio col cannocchiale dalle case di fronte e gli mandano messaggi amorosi con la cerbottana o con i piccioni viaggiatori. Scrivono CARO LEOPOLDO di qua e CARO LEOPOLDO di là. AMORE MIO TI ADORO, NON VIVO CHE PER AMARTI. Si può essere più sceme?*

*Mio zio se ne infischia di tutte loro. Lui è innnamorato della mia migliore amica che è una famosa scrittrice e ha solo nove anni, perciò non si possono sposare. Ma lui ha giurato che l'aspetterà. Quando lei compirà quindici anni si sposeranno, io sarò la damigella d'onore che regge lo strascico e vivremo tutti felici e contenti.*

*Questa è la professione di mio zio.*

Elisa Maffei, IV D

— Ma sei matta? — disse sottovoce Elisa dopo aver letto la brutta copia. — Non posso consegnarlo, un tema cosí.

— Perché no? È bellissimo — rispose Prisca ferita nell'orgoglio.

— Maffei! Puntoni! Cosa avete da confabulare? Silenzio! — tuonò la maestra.

Allo scadere del tempo Elisa portò alla cattedra un quaderno pieno di cancellature dove aveva scritto:

*Mio padre è morto, quindi non esercita nessuna professione. Sta al cimitero assieme a mia madre. La nonna Mariuccia li va a trovare tutti i giorni. Ogni tanto porta anche me.*

La maestra raccolse tutti i quaderni e se li portò a casa per correggerli. Non che si aspettasse delle sorprese. Sapeva tutto delle famiglie delle sue alunne perché si era informata nelle settimane precedenti. Sapeva che fra i papà c'erano il Prefetto, un giudice, un notaio, due avvocati, due grossi proprietari terrieri, un industriale, un farmacista, due professori universitari, un dentista, un chirurgo, un giornalista, due ricchi commercianti, e questi erano quelli che davano "il tono" alla classe e la rendevano molto simile a quelle dell'Ascensione.

C'erano anche, e la signora Sforza non riusciva a capire come mai il Direttore avesse fatto questa sgradevole mescolanza, un falegname, un ortolano, un meccanico, un bracciante agricolo, un bidello e una sartina a ore. Quest'ultima era la madre di Luisella, che era orfana di padre, anche se la maestra si era ben guardata dal baciarla sulla fronte.

Comunque anche le figlie di questi genitori cosí insignifican ti erano bambine educate e in ordine, studiose e intelligenti.

Quanto a Elisa Maffei, era un caso speciale, perché i suoi nonni materni erano nobili, ricchi e influenti, mentre la famiglia paterna con la quale viveva era piú modesta. Però i tre zii erano rispettivamente architetto, cardiologo e ingegnere.

"Proprio una bella classe!" pensò la signora Sforza tor nandosene a casa. Una classe quasi perfetta

## Capitolo nono
*Dove facciamo un passo indietro*
*e scopriamo l'origine dell'amicizia*
*fra le nostre due eroine.*

Prisca ed Elisa erano amiche da sempre. Erano amiche quasi da prima ancora di nascere.

— Il vostro — sentenziava lo zio Casimiro — è un tipico caso di amicizia ereditaria.

Infatti il padre di Prisca, da ragazzo, era stato compagno di scuola del padre di Elisa e dello zio Leopoldo, che erano gemelli. Anche da grandi i tre erano rimasti amicissimi, e quando il papà di Elisa era morto gli altri due avevano giurato che si sarebbero occupati dell'orfana come se fosse stata una loro figlia. Per questo lo zio Leopoldo aveva giocato la famosa partita a dadi. Ma anche l'avvocato Puntoni doveva dare il suo contributo all'educazione dell'orfana. Quindi, oltre che amiche, in un certo senso Prisca ed Elisa erano anche sorelle.

Fortunatamente sin dal primo momento che si erano incontrate – una aveva due settimane, l'altra tre mesi – si erano trovate reciprocamente simpatiche ed erano subito andate d'accordo, cosa che non sempre capita alle sorelle.

— Pensa che guaio se tu fossi stata una di quelle bambine odiose con le quali non si può fare altro che litigare! Oppure una gattamorta bugiarda e spiona — diceva qualche volta Elisa.

— E pensa se tu fossi stata un tipo superbo e prepotente come Sveva — rispondeva Prisca. — Ti avrei dato tanti di quei calci e di quegli schiaffi! I grandi non mi avrebbero certo potuta costringere a diventare tua amica.

Le due bambine passavano insieme quasi tutti i pomeriggi. Qualche volta Elisa andava a casa di Prisca, qualche volta era Prisca ad andare in casa Maffei.

Da Elisa stavano piú tranquille, perché in casa Puntoni c'era sempre una gran baraonda. Tanto per cominciare Gabriele invitava spessissimo i suoi amici, e tutti quei maschi, per il fatto di avere due anni di piú, le trattavano dall'alto in basso, le stuzzicavano, guastavano i loro giochi, le prendevano in giro... Da soli, Prisca e il fratello andavano abbastanza d'accordo, e Gabriele era gentile e servizievole. Ma quando c'erano gli amici si vergognava e faceva anche lui il bullo.

Poi c'era Filippo, che era un amore, come tutti i bebè, ma che aveva appena imparato a camminare e metteva le mani dappertutto, rompendo, strappando, distruggendo i libri e le cose di Prisca, rovesciandosi gli oggetti pesanti addosso, cacciandosi in ogni sorta di pericoli.

In teoria era Ines che doveva badargli. Ma quando in casa c'erano le due amiche, glielo portava in camera.

— Mi guardate il pupo per cinque minuti, che devo andare al gabinetto?

Dopo di che spariva e i cinque minuti diventavano un'ora.

— Si è chiusa in bagno a leggere l'ultimo numero di "Grand Hotel" — diceva Prisca, che per nulla al mondo però l'avrebbe denunciata a sua madre.

Ma intanto Filippo aveva rovinato tutti i loro giochi, aveva fatto la pipí inzuppandosi calze e scarpe, si era arrampicato venti volte sulle sedie e sul letto, e altrettante volte era caduto.

Alle urla del bambino che Prisca ed Elisa non riuscivano a calmare, Ines arrivava di corsa.

— Per carità, che non lo senta la signora! — e gli premeva una moneta sul bernoccolo perché non si gonfiasse. Ma la cura non sempre funzionava.

In casa Maffei invece le due amiche potevano giocare e fare i compiti in santa pace. Elisa aveva una bella camera dove i grandi non entravano mai senza aver prima bussato e chiesto: — È permesso? — E se Elisa rispondeva: — Un attimo — aspettavano fuori fino a quando non la sentivano dire: — Avanti! — cosa che impressionava molto le sue amiche.

Ogni volta Prisca, finiti i compiti, proponeva di fare una visita alla camera dello zio Leopoldo (ovviamente quando lui non c'era). Ci entrava in punta di piedi come in una chiesa. Sfiorava con un dito il cuscino del letto. "Qui poggia la testa quando dorme." Era gelosissima di tre signori il cui ritratto era appeso in capo al letto del dottor Maffei. Erano messi in fila, di profilo, tutti e tre con uno strano cappuccio in testa e sul cappuccio una corona d'alloro.

Elisa, che li conosceva fin da piccola e che aveva chiesto mille volte loro notizie, la informava: — Si chiamano Dante, Petrarca e Boccaccio. È gente molto antica. Tutti e tre facevano gli scrittori.

— Anch'io sono una scrittrice! — diceva Prisca invidiosa. E pensava: "Però il mio ritratto lo zio Leopoldo in camera non se lo appende."

## Capitolo decimo
*Dove Prisca scopre la sua vera vocazione.*

L'amore per lo zio Leopoldo e la decisione di fare la scrittrice erano nati contemporaneamente nel cuore di Prisca. Le cose erano andate cosí. Tutti gli anni, a fine dicembre, alcune ditte farmaceutiche, per fare pubblicità alle loro medicine, insieme agli auguri mandavano al dottor Maffei una quantità di agende per l'anno seguente: agende di lusso, rilegate in pelle o in tela dai colori brillanti, con le scritte impresse in oro sul dorso e sulla copertina.

Naturalmente lo zio Leopoldo poteva usarne solo una. Le altre le distribuiva ai parenti e agli amici, ma non gli era mai passato per la testa che tale mercanzia potesse piacere a una bambina, tanto piú che Elisa non aveva mai dimostrato il minimo interesse al riguardo. Ma un giorno – era la vigilia di Capodanno – Prisca andò col padre a trovare lo zio Leopoldo nel suo ambulatorio per fargli gli auguri.

Prisca, che allora frequentava la seconda elementare, aveva appena fatto una scoperta folgorante: si era accorta, dopo tanti "pensierini" scemi sulla mamma e sulla primavera, che scrivendo una dopo l'altra frasi abbastanza lunghe che riguardavano e sviluppavano lo stesso argomento, ne veniva fuori una storia. Era facilissimo. Era cosí facile che Prisca aveva pensato: "In fondo cosa ci vuole a scrivere un libro? Potrei farlo anch'io, lo scrittore."

Ma non era andata piú in là, perché aveva solo dei quaderni a righe di seconda con la copertina nera, che non somigliavano per niente a un libro. E poi in quel periodo era fermamente decisa a fare il torero... da grande, naturalmente. Ne aveva visto uno al cinema con Ines ed era rimasta molto colpita dal suo bellissimo vestito e dal modo elegante con cui faceva sventolare davanti al muso del toro il drappo rosso. Sapeva persino che si chiamavano *traje de luz* (il vestito) e *muleta* (il drappo rosso).

— Ma sei tutta scema! — le aveva detto Gabriele quando aveva saputo di questa decisione. — Ti sei appena iscritta all'Ente per la Protezione degli Animali, e poi vuoi fare il macellaio nell'arena!

— Il torero!

— Perché? Cosa credi che sia un torero, se non un macellaio col vestito luccicante?

"Ma io non li ucciderò, i tori" pensava Prisca. "Io me li farò amici. Li farò solo giocare e correre e saltare e tutta la gente mi batterà le mani e mi lancerà dei fiori."

— E poi, le donne a fare il torero non ce le vogliono — aggiungeva Gabriele dispettoso.

"Be', vuol dire che cambierò sesso" pensava Prisca. Elisa

le aveva mostrato, su una rivista medica dello zio Leopoldo, la foto di un camionista svedese che si era fatto fare un'operazione ed era diventato una bellissima ragazza. "Se fossi maschio potrei anche fare il mozzo su una nave mercantile e andarmene in giro per il mondo" pensava Prisca. "Ma come farei con i miei diciassette bambini?"

Infatti, a furia di sentire sua madre che si lamentava per tutto il daffare e il fastidio che procurano i bambini piccoli (non diceva "voi", ma di chi altro poteva parlare?), a furia di sentirla, per farle dispetto Prisca aveva deciso di mettere al mondo diciassette figli, otto maschi e nove femmine. Ne aveva già scelto i nomi cercandoli fra quelli piú strani del calendario, ed era sicura che sarebbero stati buonissimi e che allevarli non le sarebbe costato né fatica né denaro.

"Va be'! Vuol dire che prima mi sposerò e avrò i miei diciassette bambini, e solo dopo cambierò sesso e farò il torero."

Era un pensiero consolante avere quella doppia possibilità grazie al progresso della scienza.

Ma torniamo a quella vigilia di Capodanno nell'ambulatorio del dottor Maffei.

Quando vide la pila di agende messe da parte per essere regalate (erano circa una decina), Prisca sentí come una scossa elettrica. Le sembrava che dai bei volumi colorati uscisse un richiamo, come il canto delle sirene che volevano attirare Ulisse in fondo al mare.

«Riempimi! Riempimi!» gridavano le pagine bianche dal taglio dorato. «Prendi la penna e coprimi di parole!» Prisca era come ipnotizzata. Eccoli, i libri da scrivere! Già belli e rilegati, come quelli degli scaffali, ma con l'interno vuoto, bianco, in attesa di essere riempito di parole e di disegni.

E in quel preciso momento decise che non avrebbe piú fatto il torero, e neppure il mozzo, ma la scrittrice. Cosa che, fra l'altro, non le avrebbe impedito di avere i suoi diciassette bambini. Guardava le agende con tale desiderio che lo zio Leopoldo se ne accorse.

— Ti piacciono? — le chiese. — Prendile pure! Tanto io non le uso.

Cosa poteva fare Prisca per ricambiare tanta generosità? Si innamorò dello zio Leopoldo.

Innamorarsi a sette anni e mezzo non è facile, ma Prisca sapeva come fare, perché lo aveva visto tante volte al cinema e sui fotoromanzi di Ines.

Naturalmente non lo disse a nessuno. Meno che mai allo zio Leopoldo. L'unica a venirne informata fu Elisa.

— Guai a te se lo racconti a qualcuno! — le ordinò Prisca. — È un amore segreto.

Elisa rispettò la consegna, ma dopo un mese la notizia era diventata ugualmente di dominio pubblico, perlomeno in casa Puntoni. Era difficile non accorgersi del fatto che Prisca aveva riempito la sua camera di fotografie del dottor Maffei. Ne aveva incollate persino sul diario e sui quaderni di scuola.

In primavera, quando tra l'erba ai piedi degli alberi cittadini spuntavano piccolissime margherite bianche, Prisca le coglieva e, di nascosto, le metteva sul parabrezza della macchina del suo amore. Le infilava sotto un tergicristallo perché il vento non le portasse via. Avrebbe voluto compiere grandi imprese per conquistare l'ammirazione del suo amore.

Una mattina, appena sveglia, si alzò a sedere sul letto e si mise a gridare: — Mamma, mamma! Mi fa male il cuore! Forse sto morendo.

— Non dire stupidaggini! Hai un aspetto magnifico. Sei bianca e rossa come una mela — le disse la madre. — Chi ha mal di cuore è pallido e ha le labbra blu.

— Eppure ho un dolore forte qui nel petto. Ahi! Ahi! Che male! — strillava Prisca.

Andò a finire che, senza neppure vestirla, la involsero in una coperta, la caricarono in macchina e si precipitarono all'ambulatorio dello zio Leopoldo.

— Cosa c'è, piccolina? — chiese il cardiologo.

— Zio Leopoldo, ascolta il mio cuore. Ascolta come batte forte.

Batteva forte davvero, ma senza far male. Era l'emozione

di stare seduta in pigiama su quel lettino con l'orecchio dello zio Leopoldo sulla schiena.

— Non è niente, non è niente... Un po' di tachicardia nervosa — disse il medico dopo averla auscultata a lungo con lo stetoscopio.

— Sei sempre la solita esagerata! Che spavento che ci hai fatto prendere! — disse seccata la mamma.

## Capitolo undicesimo
*Dove facciamo la conoscenza della terza eroina*
*di questa storia.*

Anche negli anni che seguirono lo zio Leopoldo, senza che nessuno glielo ricordasse, invece di distribuire in giro le agende che non usava, le mise da parte per Prisca.

Cosí la giovane scrittrice poté riempire pagine e pagine di storie e di disegni. Anche i disegni li faceva lei, tranne quando le sembravano troppo difficili. In questo caso chiedeva aiuto a Rosalba, che era capace di disegnare qualsiasi cosa senza ricalcare e anche senza avere davanti un modello da copiare. La signorina Sole non sapeva niente di questa attività. Però apprezzava molto i temi di Prisca e le dava bellissimi voti in italiano. L'ultimo tema che Prisca aveva fatto in terza le era piaciuto talmente che le aveva dato dieci e lode.

— Lo farei pubblicare nel giornalino della scuola, però non posso neppure leggerlo a voce alta alla classe — le aveva detto chiamandola da parte. — Vere o inventate che siano, hai scritto cose troppo personali e la tua compagna potrebbe aversene a male.

Il componimento, che era lungo quasi come un romanzo, parlava della famiglia di Rosalba. Il titolo veramente era *La mia famiglia*, ma Prisca era stufa di scrivere del papà, della mamma, di Gabriele, di Filippo, di Dinosaura... Li aveva già messi dentro a tanti di quei temi che non sapeva piú cosa dire di loro.

Cosí aveva deciso di descrivere la famiglia Cardano, che

41

conosceva da tanti anni perché lei e Rosalba erano amiche fin dall'asilo. Il tema diceva cosí:

*Il padre di Rosalba possiede un negozio di abbigliamento, che appartiene alla sua famiglia da piú di cent'anni. Sulla porta c'è un'insegna con su scritto:*

## CARDANO
## L'ELEGANZA A PORTATA DI MANO

*Il padre di Rosalba passa tutto il giorno dietro al banco del negozio. Ha molti commessi, una cassiera e un magazziniere che si chiama signor Piras. La madre di Rosalba fa la pittrice. Se ne sta a casa seduta davanti al cavalletto di fianco alla finestra del soggiorno e dipinge quadri a olio. Non cucina mai.*

*All'ora di pranzo e di cena, quando esce dal negozio, il signor Cardano passa dal salumaio a ritirare i pacchetti con la roba da mangiare già cotta che sua moglie ha ordinato per telefono. La signora Cardano non fa neppure le pulizie. Siccome non hanno la cameriera, alla domenica va da loro il signor Piras e le pulizie le fa lui, che tanto ci è abituato dal negozio. Durante la settimana la signora se lo fa prestare dal marito anche per fargli fare le commissioni o per fargli accompagnare i figli da qualche parte. Rosalba dice sempre: «Come faremo senza il signor Piras!»*

*Rosalba ha due fratelli piú grandi. Si chiamano Leonardo e Michelangelo, perché sua madre invece che dei santi è devota di quei due pittori antichi. Il nome di Rosalba invece l'hanno preso da una pittrice veneziana che dipingeva coi pastelli ritratti di dame e cavalieri tutti incipriati e di bambini con una ciambella in mano.*

*Il signor Cardano non ha l'automobile, ma Rosalba ha il permesso di prendere un taxi tutte le volte che è in ritardo. Anche se non ha i soldi, perché tanto i tassisti la conoscono e poi passano in negozio e si fanno pagare dalla cassiera.*

*Lei e i suoi fratelli hanno anche un conto aperto dal droghiere Santini e dalla pasticceria Manna. Conto aperto vuol* dire che possono entrare a fare colazione o merenda senza pagare. Non è proprio che non paghino. Dicono: «Segni sul conto.» E alla fine di ogni mese il padre va a pagare lui e dice: «Ma quanto mangiate! Mi costate un patrimonio! Mi manderete in rovina!» Però Rosalba dice che se incaricassero il signor Piras anche delle colazioni e delle merende, forse lui si stuferebbe e finirebbe per licenziarsi.

Silvana Boi, la sartina che va a cucire dalla nonna di Elisa, ci ha detto che secondo lei la signora Cardano è una madre snaturata e che se suo marito fosse un vero uomo l'avrebbe già riempita di bastonate per costringerla a occuparsi della casa e dei figli, invece di stare sempre con i pennelli in mano. Ci ha detto che il signor Cardano non la picchia perché è innamorato di lei in modo vergognoso, a causa della sua grande bellezza, e che è schiavo dei suoi capricci. Lo sanno tutti in città.

A me la signora Cardano non sembra poi cosí bella. E quando vado nel loro negozio per comprarmi il cappotto nuovo, guardo bene il papà di Rosalba, ma non riesco a immaginarlo carico di catene come uno schiavo.

Silvana Boi canta sempre una canzone che dice: "Le sue catene son fatte di fior!" Allora ho pensato che forse, quando nessuno li vede, la signora Cardano lascia i pennelli e lega il marito come un salame con dei rami di quelle rose troppo aperte dall'odore dolciastro che dipinge sempre, e lui si punge tutto con le spine, e soffre, soffre, ma non si lamenta perché è pazzo d'amore. Rosalba dice che sono una scema a pensare queste cose e che i suoi genitori non hanno mai fatto niente del genere.

Dimenticavo una cosa importantissima. Tutti gli anni, le due settimane prima di Natale, CARDANO, L'ELEGANZA A PORTATA DI MANO mette da parte tutti i vestiti e si trasforma in un negozio di giocattoli, l'unico della città. Sulla vecchia insegna ne appendono una tutta colorata e dorata di cartapesta che dice:

AL PARADISO DEI BAMBINI

*Ed è vero, perché noi passiamo ore e ore col naso incollato alle sue vetrine e poi corriamo a casa a fare la lista dei regali da chiedere a Gesú Bambino (anche noi grandi che non ci crediamo piú).*

*La cosa piú bella di Rosalba è che non si dà nessuna importanza per questi privilegi, come fanno invece per molto meno certe bambine della classe, di cui non scrivo il nome per non fare la pettegola.*

*Insomma, la famiglia Cardano mi è proprio simpatica e mi piacerebbe che fosse la mia. O almeno che fossimo parenti.*

*Prisca Puntoni, III D*

Quando la madre di Prisca aveva letto questo tema, prima aveva riso fino alle lacrime. — Non hai peli sulla lingua quando devi raccontare i fatti degli altri, tu!

Poi si era offesa: — Vorresti che fosse la tua famiglia, eh? Non siamo abbastanza originali per te? Sei proprio un'ingrata.

Possibile che non riuscisse a capire che quando una scrive si deve concedere qualche licenza poetica?

# OTTOBRE

## Capitolo primo
*Dove la maestra comincia a mostrare*
*di che pasta è fatta.*

La scuola era cominciata da una decina di giorni e ancora il merciaio di via Gorizia non aveva ricevuto la nuova fornitura di nastro rosa a pallini celesti.

Prisca, Flavia, Marina e Fernanda continuavano a presentarsi in classe a collo nudo senza nessun inconveniente, ma Repovik Iolanda e Guzzòn Adelaide avevano preso alla lettera l'ordine della maestra e non si erano piú fatte vedere.

"Forse si sono spaventate a morte e non torneranno piú" pensava Elisa. In un certo senso le invidiava.

Anche se con loro era tutta sorrisi e non aveva piú usato quel tono di voce aggressivo e tagliente, la signora Sforza aveva fatto subito rimpiangere a tutta la classe la vecchia maestra e il suo modo di fare bonario e familiare.

— È troppo severa! Troppo! — si lamentava Elisa con la nonna Mariuccia. — Non ci lascia neanche fiatare. Non ci lascia muovere nel banco, neppure per sgranchirci una gamba addormentata, neppure per grattarci il naso quando abbiamo un prurito tremendo.

La nonna Mariuccia sospirava: — Povere bambine!

— E le mani? Persino le mani siamo obbligate a tenerle come dice lei! — protestava Prisca indignata.

Dovevano tenerle "in prima", cioè poggiate con le palme aperte sul banco, le dita ben distese, oppure "in seconda", incrociate dietro la schiena.

— Dritte con quella schiena! Dritte! Come se aveste un vo-cabolario in bilico sulla testa!

Oltre a ciò, la signora Sforza trovava da ridire sul modo in cui Elisa teneva la penna, e a Rosalba, che era mancina, aveva legato la mano sinistra allo schienale del banco con la cintura del grembiule perché non la potesse usare.

— Mi meraviglio come i tuoi genitori e la signorina Sole abbia-no sopportato questo vizio da persona incivile... Non combine-rai niente di buono nella vita se non imparerai a usare la destra.

— Ma Leonardo da Vinci... — aveva protestato Rosalba.

— Sentitela, la presuntuosa! Leonardo da Vinci, addirittu-ra! Ti dò un bel tre in disegno e un altro in condotta, cosí impari a obbedire senza discutere.

Anche Prisca, per la prima volta nella sua vita, si era vista dare un bel tre, e per colmo d'ignominia, proprio in italiano.

Il secondo giorno di scuola, subito dopo l'appello e la pre-ghiera, la maestra l'aveva chiamata alla cattedra e le aveva mostrato il quaderno col famoso tema sulla professione del padre. Prisca il suo l'aveva svolto cosí:

*Io non so quale sia la professione di mio padre. Gliel'ho chie-sto tante volte, ma lui ha risposto che è meglio che noi bambi-ni non c'impicciamo nei fatti dei grandi. E che se la Polizia fa una retata a casa nostra e ci interroga, se non sappiamo, non rischiamo di dire cose compromettenti.*

*Mio padre di solito lavora di notte. Una volta l'ho spiato mentre usciva e ho visto che aveva una mascherina nera in faccia, un sacco vuoto sulle spalle e in mano un mazzo di chiavi false e un grimaldello. Aveva anche i guanti.*

*Un'altra volta, dopo che è tornato dal lavoro, ho aspettato che si addormentasse e sono andata a guardare cosa c'era nel sacco. C'erano molti gioielli, mazzi di biglietti di banca, can-delabri d'argento e, proprio in fondo, c'era una mano mozzata, ancora tutta gocciolante di sangue, con un anello prezioso in-filato su ciascun dito, compreso il pollice.*

*Due giorni dopo il papà ci ha portato tutti a fare un bellissi-mo viaggio in America.*

*Mi piacerebbe tanto sapere qual è la professione di mio padre, cosí da grande la potrei fare anch'io.*

*Prisca Puntoni, IV D*

— Cosa sono queste stupidaggini? — aveva chiesto severamente la maestra.

Prisca, sconcertata, non aveva saputo cosa rispondere. Secondo lei il tema era bello e ben fatto, originale e senza errori d'ortografia.

— Ma tu non sei figlia dell'avvocato Puntoni? — aveva insistito la maestra.

— Sí.

— E allora perché hai scritto tutte queste scemenze, invece di dire che tuo padre fa l'avvocato?

— Io faccio sempre temi di fantasia.

— E la fantasia non ti manca! Però questa volta io avevo chiesto un tema realistico. Dovevi scrivere la verità.

— Mio padre dice che non dobbiamo andare a raccontare in giro i fatti privati della nostra famiglia.

La maestra sospirò. — Scommetto che a casa tua non ti controllano le letture. Scommetto che ti lasciano leggere quei romanzacci polizieschi inglesi e americani...

— Veramente è mia mamma che è abbonata al Giallo Mondadori.

— La tua mamma è un'adulta. I bambini non devono leggere libri da grandi.

— Infatti io non li leggo i gialli della mamma. Io e Gabriele leggiamo Mandrake e Fantomas.

La maestra sospirò piú forte. — Mi dispiace Puntoni, ma da oggi si cambia musica, ed è meglio che noi due c'intendiamo subito. Qui, quella che comanda sono io. Se vi assegno un compito di fantasia e vi invito a "immaginare che", puoi scrivere quello che ti pare, purché non vada fuori tema. Ma se vi chiedo di osservare e di descrivere la realtà, mi farai il piacere di obbedire senza tante storie. E perché non te ne dimentichi, a questo capolavoro assegno un bel tre.

Tre in italiano! Il suo primo voto sul registro di quarta era un tre in italiano!

Prisca non aveva trovato neppure le parole per protestare. Era tornata al banco col cuore che le batteva cosí forte da farle ronzare le orecchie e da toglierle il respiro, mentre le Leccapiedi sghignazzavano coprendosi la bocca con una mano.

Ma la maestra aveva esclamato un — Silenzio! — cosí perentorio che le aveva tutte immobilizzate al loro posto.

Nei primi giorni la signora Sforza non fece altro che interrogare, e interrogare e interrogare. — Prima di cominciare il programma di quarta voglio rendermi conto del vostro livello di preparazione.

Non nascondeva la propria sfiducia nei metodi della signorina Sole e cercava di coglierle in castagna con domande difficilissime. Ma loro di solito erano pronte a rispondere, perché la vecchia maestra, con i suoi modi da chioccia affettuosa, le aveva preparate alla perfezione su tutto il programma. Non a caso la D era considerata la miglior sezione femminile della scuola!

Nonostante le bambine delle bancate dei Conigli e dei Maschiacci fossero preparate e pronte a rispondere, i voti migliori toccavano sempre alle Gattemorte e alle Leccapiedi, che con le loro smorfie, le loro smancerie, i loro inchini e la loro cieca obbedienza erano già riuscite a ingraziarsi la maestra. Ma, stranamente, anche Sveva Lopez del Rio, che non solo era ignorante come una capra, ma non rinunciava al suo modo di fare superbo e arrogante neppure con la signora Sforza, aveva già la sua bella collezione di sette e di otto, dati "a titolo d'incoraggiamento".

Quanto a Prisca, nonostante quel primo battibecco, la signora Sforza non poteva fare a meno di riconoscere che era intelligente e conosceva alla perfezione non solo il programma di terza, ma anche molte cose in piú. Ma siccome doveva trovare per forza qualcosa da criticare, non perdeva l'occasione di dirle: — Leggi troppo!

— Non è mica un difetto! — aveva osservato una volta Rosalba.

— Chi ti ha interpellato? — aveva risposto severamente la

maestra, e le aveva messo un "meno" in condotta sul registro. ("Meno" non era ancora una insufficienza, ma la somma di quattro "meno" abbassava di un voto la media.)

Poi era tornata a rivolgersi a Prisca: — Leggi libri inadatti alla tua età, che ti riempiono la testa di idee strane. Dovresti applicarti di piú alle materie scolastiche.

Un giorno – Prisca era sicura che lo aveva fatto apposta per farle dispetto – la maestra aveva fatto una lezione spiegando l'origine del suo nome.

— È una parola latina, il femminile di un aggettivo, *priscus*, che significa "antico", "d'altri tempi". Il suo diminutivo, sempre in latino, è Priscilla. Anzi, mi meraviglio che i tuoi genitori non ti abbiano chiamato Priscilla, che è molto grazioso e piú adatto a una bambina.

Prisca si era arrabbiata moltissimo. Se c'era un nome che lei detestava, quello era Priscilla. Le dava l'idea di una bambina stupida, frivola e saltellante, tutta pizzi, fiocchi e capricci, come ne aveva visto nei film americani. Le veniva la pelle d'oca solo al pensiero di potersi chiamare cosí.

Da quel momento le Leccapiedi, quando volevano prenderla in giro e farla arrabbiare, le cantavano dietro: — Priscilla, Priscilla!

## Capitolo secondo
*Dove assistiamo alle Grandi Manovre.*

Ma l'iniziativa della signora Sforza che i Maschiacci e i Conigli detestavano piú di tutte le altre era quella che lo zio Casimiro, quando Elisa gliene aveva parlato, aveva definito col termine militare "le Grandi Manovre".

Fin dal primo giorno, subito dopo aver ritirato i componimenti e averli riposti nella cartella, la maestra aveva guardato severamente la classe e aveva detto: — Fra circa un'ora suonerà la campanella di fine lezione. Vi avverto che non solo dentro quest'aula, ma anche nei corridoi, per le scale e nell'atrio della scuola, siete tenute alla massima disciplina.

Fino al momento in cui varcherete il portone esterno, siete sotto la mia responsabilità ed esigo che non mi facciate sfigurare davanti alle altre classi.

Poi le aveva allineate contro il muro e le aveva fatte mettere in fila in ordine d'altezza con estrema pignoleria.

— Pressapoco è una parola che nel mio vocabolario non ha diritto di cittadinanza. Vi conviene non dimenticarlo mai.

Per esigenze di simmetria molte amiche del cuore furono separate senza pietà. Fra queste Prisca ed Elisa, che però, per fortuna, capitarono l'una davanti all'altra, in modo da potersi toccare e parlare sottovoce in caso di bisogno.

— E adesso andremo in corridoio e ci eserciteremo a marciare in bell'ordine. Vi avverto che esigo il silenzio piú assoluto. Non voglio sentir volare una mosca, intese?

Al suono della campanella gli altri bambini della scuola si precipitavano insieme fuori dell'aula e, in file allegre e disordinate, percorrevano i corridoi e le scale. Sull'ultimo gradino rompevano le righe e si riversavano nell'atrio in una folla urlante.

La IV D arrivava sempre per ultima, perché aveva impiegato un'eternità a formare la fila. Le bambine non uscivano tutte insieme dai banchi, ma una coppia dopo l'altra, muovendosi solo al battito di mani della maestra (che si era scritta sul registro, per non dimenticarsene, i nomi nell'ordine della fila appena formata). Poi avevano attraversato corridoi e scale in silenzio perfetto, dritte, con la schiena rigida, segnando il passo a tempo e senza voltare la testa per guardarsi attorno.

Arrivate in fondo alla scala non rompevano le righe come gli altri, ma proseguivano in fila compatta, fendevano la calca e all'ALT della maestra si fermavano proprio al centro dell'atrio. A quel punto era inevitabile che tutti si girassero a guardarle, gli altri scolari e gli adulti che erano venuti a prendere i piú piccoli, incuriositi dalla manovra e dai nastri speciali che le bambine portavano al collo.

Ogni volta, a sentirsi tutti quegli occhi addosso, Prisca credeva di morire dalla vergogna e desiderava che il pavimento si spalancasse per inghiottirla e sottrarla al seguito di quell'obbrobrio. Quel giorno poi che aveva scorto fra il pubblico lo zio Leopoldo, il suo cuore aveva cominciato a battere cosí forte che le aveva mozzato il fiato impedendole di cantare. Sí, perché a quel punto la maestra, senza scomporsi, anzi tutta fiera di quello spettacolo, si allontanava di tre passi e ordinava con voce stentorea: — Fronte destr!

In silenzio perfetto le bambine ruotavano di un quarto di giro. La maestra alzava una mano col dito puntato verso l'alto e faceva un cenno con la testa.

Le bambine tiravano il fiato e cantavano:

*Finisce un giorno di duro lavoro;*
*domani un altro comincerà.*
*Grazie, maestra, per il tesoro*
*che ci donasti di scienza e bontà.*

Era una canzone composta personalmente dalla signora Sforza ai tempi dell'Ascensione, che tutte avevano dovuto ricopiare sul quaderno e imparare a memoria.

— Saluto! — ordinava la maestra appena le bambine avevano terminato di cantare. Ventotto teste si chinavano in silenzio. Ventotto fiocchi rosa a pallini celesti (anzi i primi giorni ventiquattro) scomparivano sotto ventotto menti che toccavano ventotto fossette del collo.

Le madri delle Leccapiedi contemplavano la scena ammirate e intenerite. Non c'era dubbio che la classe delle loro bambine si distinguesse da tutte le altre della scuola!

— Fronte sinistr! Marsh! — ordinava la maestra. La fila si incamminava verso il portone, varcava la soglia e solo allora si rompeva, inghiottita dalla folla degli altri scolari.

### Capitolo terzo
*Dove la maestra deve scegliere*
*tra la simmetria e il decoro.*

La scuola era cominciata da dodici giorni quando il merciaio di via Gorizia mandò ad avvertire che aveva finalmente ricevuto la nuova partita di nastro rosa a pallini celesti. Cosí l'indomani tutte le alunne della IV D, nessuna esclusa, poterono presentarsi in classe col collo adorno del fiocco regolamentare.

Ma la soddisfazione della maestra per l'armonia visiva finalmente ricomposta fu guastata dal ritorno di Repovik Iolanda e di Guzzòn Adelaide. La sorpresa della signora Sforza al rivedersi davanti le due bambine dei vicoli fu cosí evidente che Prisca sussurrò a Elisa: — Non se lo aspettava, che sarebbero tornate! Era sicura di essersene liberata per sempre!

Ma questa volta era difficile rimandarle indietro, perché oltre ad essere adorne anch'esse del fiocco rosa, Iolanda e Adelaide erano accompagnate dal bidello che portava la giustificazione dei genitori timbrata dalla segreteria, e inoltre un biglietto perentorio del Direttore che invitava la maestra ad accogliere in classe le due bambine.

Appena il bidello fu uscito cominciarono i problemi.

Prima di tutto, dove far sedere le nuove arrivate?

Nonostante fossero ripetenti, e quindi di almeno un anno piú vecchie delle altre, Adelaide e Iolanda erano di statura molto bassa e, a rigor di logica, avrebbero dovuto sedere in uno dei primi banchi. Ma... — Chi tardi arriva male alloggia! — sentenziò la maestra. — Non posso certo chiedere alle vostre compagne di spostarsi per cedervi il posto!

Gli unici banchi liberi erano quelli in fondo alla classe. Ce n'era uno in fondo alla bancata dei Conigli, uno in fondo a quella dei Maschiacci e due in fondo a quella delle Leccapiedi, come risultava dalla piantina che la maestra si era fatta fin dai primi giorni e che teneva infilata tra i fogli del registro.

Tutte si aspettavano che per amor di simmetria la maestra mandasse le due nuove a sedere nella bancata delle Leccapiedi, dietro a Ester e a Renata, che già ostentavano un'aria scontenta e schifiltosa.

Invece, con grande soddisfazione delle Leccapiedi e meraviglia delle altre, la maestra le mandò nell'ultimo banco della fila dei Conigli. E non solo. Benché avesse appena

54

| | | | | | |
|---|---|---|---|---|---|
| MARCELLA OSIO | ROSALBA CARDANO | SIMONA ZELTI | ROBERTA SILVETTI | SVEVA LOPEZ d.R. | EMILIA DAMIANI |
| CHIRURGO | COMMERCIANTE | GIORNALISTA | NOTAIO | PROPRIETARI TERRIERI | |

| | | | | | |
|---|---|---|---|---|---|
| LUCIANA RIZZO | MARISA PREMOLI | GIULIA CATTANI | VIVIANA ARTOM | ALESSANDRA MANDAS | CAMILLA RANIDDA |
| GALLERIA D'ARTE | HOTEL EXCELSIOR | COMMERCIANTE | PROF. UNIVERSITA' | PROF. UNIVERSITÀ | FARMACISTA |

| | | | | | |
|---|---|---|---|---|---|
| ANGELA COCCO | LUCIA MELE | PRISCA PUNTONI | ELISA MAFFEI | URSULA USINI | FLAVIA LANDI |
| ORTOLANO | FALEGNAME | AVVOCATO | CARDIOLOGO | AVVOCATO | INDUSTRIALE |

| | | | | | |
|---|---|---|---|---|---|
| AGATA FIORI | PAOLA MARRADI | MARINA SERRELI | FERNANDA GHIRO' | ESTER PANARO | RENATA GOLINELLI |
| MECCANICO | VERDURAIO | PREFETTO | DENTISTA | GIUDICE | INGEGNERE |

| | | | | | |
|---|---|---|---|---|---|
| ANNA PIU | LUISELLA URAS | LAURA BONAVENTE | GISELLA ZANCA | | |
| BIDELLO | SARTINA | VICESINDACO | PASTICCERE | | |

PIANTA DELLA IV D FATTA DALLA SIGNORA SFORZA

55

detto di non voler far spostare nessuno, trasferí Luciana e Marisa nella bancata delle Leccapièdi e fece scorrere gli altri Conigli in avanti, in modo da lasciare un banco vuoto fra loro e le due nuove arrivate.

Certo, sarebbe stato piú semplice liberare il penultimo banco spostando Anna e Luisella, ma non poteva mettere le figlie di un bidello e di una sartina insieme alle bambine delle migliori famiglie della città!

Piccole com'erano, Adelaide e Iolanda scomparivano dietro alle spalle di Anna e di Luisella, e certo non riuscivano a vedere la lavagna. Ma non protestarono. Anzi, sembravano pienamente soddisfatte del loro isolamento.

Ma nella fila delle Grandi Manovre, la cui simmetria era stata curata con tanta attenzione, non era possibile metterle negli ultimi posti, perché invece di passare inosservate avrebbero attirato su di sé gli sguardi di tutti gli spettatori.

Alla maestra non restò altro da fare, per non rovinare la cerimonia dell'uscita, che cercare il punto giusto dove inserire le due nuove, a seconda della loro altezza, anche se questo significava spostare le altre e ricomporre la fila (e scrivere un nuovo elenco sul registro, al cui ordine la signora Sforza teneva moltissimo).

Ma qui venne fuori una cosa molto spiacevole.

La piú piccola in assoluto era Marcella Osio, figlia del celebre chirurgo, che era un anno avanti e che, in quei primi giorni aveva aperto con onore la fila in coppia con Sveva Lopez del Rio, che apparteneva a una ricca famiglia di proprietari terrieri, di antica nobiltà spagnola.

Ma Guzzòn Adelaide, con le sue gambette rachitiche, risultò piú bassa di entrambe. La simmetria voleva che fosse lei e non Sveva ad aprire la fila assieme a Marcella. Lei, col suo grembiule pieno di strappi e di macchie e con le sue lunghe trecce antiquate da bambina di campagna.

Potevano formare la coppia rappresentativa della classe due bambine cosí diverse? E cosa avrebbe pensato il professor Osio, se gli fosse capitato di venire a prendere la figlia all'uscita di scuola?

Ma la maestra aveva fatto troppi discorsi sull'ordine e la simmetria per potersi adesso smentire davanti alle alunne. Tanto piú che Marcella Osio aveva già preso per mano Guzzòn Adelaide e non intendeva mollarla senza una valida ragione. Era felicissima di aver trovato una compagna ancora piú bassa di lei. La maestra dovette inghiottire il rospo, ma si capiva benissimo che era arrabbiata e che la cosa non sarebbe finita là.

Però, benché non avessero partecipato alle esercitazioni preparatorie delle Grandi Manovre, Iolanda e Adelaide si sforzarono talmente di imitare le altre da non fornirle il pretesto per nessun rimprovero. Adelaide poi era aiutata dal fatto che Marcella la teneva stretta per mano e in tal modo le trasmetteva i movimenti e il ritmo giusti senza bisogno di parole.

La signora Sforza era furiosa con le due nuove arrivate anche per un altro motivo. Essendo poverissime Adelaide e Iolanda, terminate le lezioni, si fermavano a consumare nel refettorio della scuola quel pasto gratuito che probabilmente, come diceva Sveva con disprezzo, per loro era l'unico pasto della giornata.

E questo significava che anche la signora Sforza, come le altre maestre, doveva fare i suoi turni di sorveglianza alla Refezione, cosa che detestava piú di ogni altra.


### Capitolo quarto
*Dove impariamo che chi si lava*
*va in Paradiso.*

Il giorno seguente la maestra, subito dopo l'appello e la preghiera, disse alla classe senza tanti preamboli: — La pulizia del corpo è lo specchio di quella dell'anima. L'ordine e il decoro degli abiti sono il primo segno del nostro rispetto per gli altri. A cominciare da stamattina controllerò tutti i giorni come vi uniformate a questa prima e fondamentale regola di civiltà. In piedi!

Le bambine scattarono, ben dritte e senza girare la testa per guardarsi attorno come avevano imparato nei giorni precedenti.

— Mani sul banco, con le dita ben distese e allineate! — ordinò la maestra, scendendo dalla cattedra con un righello da disegno, di quelli da cinquanta centimetri.

— Se ha il coraggio di toccarmi, giuro che glielo strappo di mano e glielo spezzo sulla testa — bisbigliò alla compagna di banco Sveva Lopez, che sapeva di avere le unghie rosicchiate in modo indecente.

— Silenzio!

E lentamente la maestra cominciò a fare il giro delle bancate, esaminando le alunne una per una.

Controllava che le unghie, il collo, i denti, le orecchie fossero puliti. Che i grembiuli fossero in ordine, senza bottoni penzoloni; le scarpe lucide, le calze tese, i capelli ravviati a dovere, con la scriminatura ben dritta.

Col righello sollevava i capelli sulla nuca per scoprire il collo, o una eventuale riga nera sul colletto della camicia. Sfiorava le labbra per ordinare di aprire la bocca e mostrare i denti. Indicava una calza allentata, una macchia sul grembiule, un ciuffo di capelli in disordine.

— Le mancanze piú leggere — disse — saranno punite con due o tre colpi di righello. Per quelle medie ci sarà una nota sul registro. Per quelle gravi una nota sul registro e l'espulsione dalla classe.

L'ispezione non avvenne con lo stesso ritmo lungo tutte le bancate. Quella delle Leccapiedi la maestra la percorse a passo svelto, sorridendo come per scusarsi. Lí non c'era bisogno di sollevare il righello e meno che mai di abbassarlo per colpire. Un'occhiata fu sufficiente a far raddrizzare un nastro rosa spostato di un millimetro. Le unghie rosicchiate di Sveva si notavano a tre metri di distanza, ma la maestra diplomaticamente fece finta di non vederle.

Anche la bancata dei Maschiacci provocò pochi problemi. Il righello si sollevò in continuazione, diffidente, ma colpí di rado, cosí come poche furono le note sul registro. Prisca si prese tre colpi sulle dita macchiate d'inchiostro, ma niente nota. — Puntoni, sei proprio incorreggibile! — rise anzi la maestra.

I dolori incominciarono quando la signora Sforza arrivò alla bancata dei Conigli. La percorse lentamente, molto lentamente, godendo di vederle tutte col fiato sospeso. Tranne Marcella e Rosalba, le altre bambine avevano ognuna qualcosa che non andava, e il righello ebbe un gran daffare a sollevarsi, indicare, colpire.

— L'ordine e la pulizia del corpo sono lo specchio di quelli dell'anima — ripeteva la maestra. — Con delle anime cosí malmesse, come farete a presentarvi in Paradiso? Dovrete per forza andare all'Inferno. È quello il posto per delle sporcaccione come voi.

La maggior parte delle bambine rimproverate non batté ciglio davanti a questa minaccia di dannazione. Ma Anna, la figlia del bidello, scoppiò a piangere disperata.

— Nella mia classe non tollero moccicioni! — disse la signora Sforza infastidita. — Va' fuori! Vatti a lavare la faccia e non tornare prima della ricreazione.

Man mano che l'insegnante si avvicinava all'ultimo banco, tutta la classe tratteneva il fiato. Non ci voleva molto per accorgersi che Iolanda e Adelaide non erano né pulite né in ordine. Cosa avrebbe detto e fatto la maestra? Quante volte avrebbe colpito il righello? Oppure le due sudicione sarebbero state, ancora una volta, scacciate dalla classe?

Ma con gran meraviglia di tutte le scolare il righello non colpí neppure una volta. Anzi, non sfiorò neppure le due bambine.

Infatti, arrivata a circa un metro di distanza da loro, la maestra si bloccò, storcendo la faccia in una smorfia di disgusto.

— Che profumo di viole! — esclamò sarcastica. — Che olezzo di rose! Voi due, da quanto tempo non vi fate un bagno?

Silenzio. Le due bambine la guardavano imbarazzate.

"Al loro posto morirei di vergogna" pensò Elisa.

— Allora? Da quanto tempo? — incalzava la maestra.

Iolanda, che era la piú coraggiosa, balbettò: — A Ferragosto il padrino ci ha portato alla spiaggia...

— Ah, ah! Sentitela! Acqua di mare! A Ferragosto la signorina è andata alla spiaggia! E la vasca, sudiciona? La vasca? Quand'è l'ultima volta che ci sei entrata?

— Signora maestra, non ce l'hanno la vasca quelle due — disse Sveva Lopez del Rio in tono di disprezzo.

— Avranno la doccia — intervenne quella stordita di Emilia Damiani.

— Sí! Figurati! Ma quanto sei scema, Emilia! — la rimbeccò Sveva.

— Silenzio! — disse la maestra. — Se non hanno né vasca né doccia, il fatto non mi riguarda. Io esigo che le mie alunne, tutte le mie alunne, si lavino, non importa come. — Poi si rivolse ad Adelaide: — E tu, Raperonzolo, si può sapere da quanto tempo non ti fai uno sciampo a quelle belle trecce bionde? Puzzi come una capra.

Adelaide si mise a piangere sommessamente. Aveva la faccia sporca, incrostata di moccio, e le lacrime vi lasciavano due righe lucide, come bava di lumaca.

— Vi avverto — disse la maestra in tono severo — che d'ora in poi si cambia musica! Per oggi voglio essere indulgente. Ma da domani, se non arriverete tirate a lucido come due monete nuove di zecca, ve la farò vedere io!

### Capitolo quinto
*Dove Guzzòn Adelaide*
*cambia pettinatura.*

Per andare a scuola Elisa e Rosalba facevano la stessa strada. Uscivano alle otto meno venti, benché il percorso fosse molto breve e la prima campana suonasse soltanto alle otto e un quarto. Ma a loro piaceva fare la strada con calma, e magari arrivare quando il bidello non aveva ancora aperto il portone e c'era ancora un po' di tempo per giocare in cortile con le altre bambine mattiniere come loro.

E poi dovevano fermarsi alla pasticceria Manna, dove Rosalba, in piedi accanto al banco, faceva colazione con una tazza di cioccolata e un cannoncino alla crema. — Ne vuoi un morso? — offriva generosamente, porgendo la pasta all'amica. Elisa non si faceva pregare. Accettava anche un sorso di cioccolata. Poi con due baffi di schiuma marrone, le due amiche proseguivano la strada. Se era una bella giornata, invece di fare il percorso piú breve, lo allungavano un po' per attraversare i giardini pubblici, dove a quell'ora stavano innaffiando e, nella stagione giusta, c'era sempre la possibilità di trovare una coccinella sulle siepi di pitosforo o un bel bruco peloso, giallo e marrone, caduto dai rami di una quercia.

Il mattino successivo alla prima ispezione della maestra Sforza sull'ordine e la pulizia, Elisa e Rosalba stavano appunto attraversando i giardini pubblici, quando videro accanto alla vasca dei pesci rossi due figure familiari.

— Guarda! Ci sono Adelaide e Iolanda! — esclamò Elisa.
— Ma cosa stanno facendo?

Le due bambine povere avevano poggiato per terra le cartelle e si sporgevano sull'acqua tendendo qualcosa di bianco verso lo zampillo.

— Attenzione a non cascare a mollo! — gridò Rosalba. — Si può affogare anche se l'acqua è bassa.

— Cosa fate? — chiese Elisa avvicinandosi.

— Ci stiamo lavando — disse Iolanda un po' vergognosa.

— Sennò... sennò la maestra... — aggiunse Adelaide a mo' di spiegazione.

Rosalba le squadrò da capo a piedi con sguardo critico.

— Vi aiutiamo noi — propose.

Bagnarono un fazzoletto, lo strizzarono e cominciarono a fregare con forza colli, orecchie, guance...

Era divertente quasi come giocare alle bambole, e presto tutte e quattro cominciarono a ridere, a spruzzarsi l'acqua addosso, a dire scemenze come si fa solo tra amiche.

Quando, mezz'ora dopo, la classe scattò in piedi per l'ispezione, Elisa gettò un'occhiata compiaciuta all'ultimo banco di sinistra. Le facce di Iolanda e di Adelaide erano belle lustre, un po' arrossate per il gran fregare. Le orecchie erano pulite fuori e dentro e anche i colli, le mani, le ginocchia. La maestra poteva essere soddisfatta.

Ma la signora Sforza, arrivata a un metro di distanza dalle due bambine, anche questa volta si arrestò storcendo il naso. — Che olezzo di rose! Che profumo di viole! — esclamò. — Oggi vi siete lavate la faccia come il gatto. Ma credete che basti una leccatina in superficie?

Elisa allora si rese conto che, se le facce erano pulite, i grembiuli, le calze, i capelli erano quelli di sempre.

— Cosa vi ho promesso ieri, carine? Ve lo siete già dimenticato? — chiese la maestra minacciosa.

— Scusi, signora, ma non è colpa loro se la bambinaia... — saltò su Emilia Damiani, che odiava l'acqua e tutte le sere veniva immersa a forza nella vasca dalla vecchia tata.

— Ma quanto sei scema, Emilia! Figuriamoci se quelle due hanno la bambinaia! — la rimbeccò sprezzante Sveva Lopez.

— Appunto perché non ce l'hanno devono imparare a farsi piú responsabili del loro aspetto — disse la maestra.

Prisca strinse forte la mano di Elisa, conficcandole le unghie nel palmo. Rosalba alzò la ribalta del banco e la lasciò ricadere con forza. BAM!

— Cosa succede? — chiese la maestra fulminandola con lo sguardo.

— Secondo me oggi sono abbastanza pulite — disse Rosalba in tono di sfida.

— Ah, sí? Davvero? Credi di intendertene piú di me, Cardano? Allora vieni ad aiutarmi. Vieni qui, ho detto!

Sconcertata, Rosalba uscí dal banco e si avvicinò.

— Per esempio, queste belle trecce bionde ti sembra che siano abbastanza pulite? — chiese la maestra, sollevando col righello una treccia di Adelaide. — Ti sembra che abbiano un buon profumo? Annusale, su! Annusale da vicino!

Adelaide cominciò a tremare. Rosalba annusò e disse: — Un profumo squisito.

— Davvero? Allora senti, visto che non ti fa schifo toccarle, me le reggi un attimo sollevate, per favore?

Rosalba, perplessa, obbedí. La maestra, velocissima, poggiò il righello, tirò fuori dalla tasca un paio di forbici e con due colpi decisi – ZAC! ZAC! – tagliò le due trecce alla radice.

— Grazie, Cardano. Se vuoi, portatele a casa per ricordo. Scommetto che la tua amica Guzzòn te le regala. Puoi metter su un allevamento di pidocchi. — Poi guardò Adelaide, che era rimasta impietrita, con gli occhi che le si riempivano silenziosamente di lacrime. — E tu, Profumo di Viole, cos'hai da frignare? Non voglio moccicioni nella mia classe. Va' fuori a lavarti la faccia. Anzi, visto che ci sei, va' a casa a far ammirare a tua madre la nuova pettinatura.

L'indomani Adelaide comparve in classe con i capelli rapati quasi a zero, come un maschio, o come se avesse la rogna, e con un livido sotto l'occhio destro.

— Cos'è stato? — si informò Rosalba all'ora di ricreazione.

— Sua madre l'ha picchiata — spiegò Iolanda. E aggiunse aggressiva: — Potevi stare zitta, tu, ieri, con la maestra! Chi ti aveva chiesto di impicciarti?

— Ma come? — esclamò Prisca scandalizzata. — Invece di venire a protestare con la maestra, se la sono presa con lei che non ha fatto niente? Non è giusto.

— Diciamolo a tuo papà — propose Rosalba. — Lui è abituato a difendere la gente.

Ma l'avvocato Puntoni non volle neppure ascoltare il racconto della figlia.

— Prisca, te l'ho detto fin da quando hai cominciato ad andare all'asilo. Non voglio lamentele, non voglio accuse, non voglio pettegolezzi. Devi imparare a cavartela da sola. Andare a scuola serve anche per questo.

"Lo sapevo!" pensò Prisca. "Dai grandi non bisogna mai aspettarsi niente."

Era cosí arrabbiata che prese una delle sue agende e cominciò a scrivere.

63

# Capitolo sesto
*Dove si vedono i pericoli
dell'eccessiva pulizia.*

C'era una volta un signore, il signor Mario, la cui moglie morí, lasciandolo vedovo con tre bambini, due femmine e un maschio.

La figlia maggiore, che si chiamava Rosetta, dovette abbandonare la scuola per restare a casa ad accudire i fratelli, che avevano cinque e tre anni. Rosetta ne aveva undici e non era molto brava a pulire le stanze, cucinare, fare il bucato e tutte le altre cose necessarie. Soprattutto non era capace di tenere in ordine i bambini, che se ne andavano in giro spettinati, con le scarpe di colore diverso, la biancheria sopra il cappotto, le mani appiccicose di marmellata e un candelotto di moccio che pendeva dal naso. Però erano sempre di buonumore perché Rosetta li faceva giocare, gli raccontava bellissime storie, gli cantava canzoni e gli lasciava mangiare tutto quello che volevano.

Ma il signor Mario la sera, quando tornava dal lavoro, si arrabbiava moltissimo al vederli cosí sporchi e sgridava la povera Rosetta dicendole: «Non costringermi a darvi una matrigna!»

Ma Rosetta piú di cosí non riusciva a fare, e allora il padre si risposò. La matrigna era una fanatica dell'ordine e della pulizia. Appena arrivata rinchiuse i tre bambini nel ripostiglio delle scope e ce li lasciò per tre giorni senza mangiare e senza bere, mentre lei metteva sottosopra la casa per scopare, lavare per terra, lucidare i pavimenti, i mobili e i vetri e inseguire il piú minuscolo granello di polvere.

Quando la casa fu cosí pulita che sembrava un ospedale, la matrigna fece uscire i bambini e li portò in bagno, dove aveva riempito la vasca d'acqua bollente. Ce li cacciò dentro, anche se loro urlavano perché l'acqua li scottava, e li fregò cosí forte con uno spazzolone duro che insieme allo sporco gli levò via anche un po' di pelle. Poi li vestí con dei pigiami bianchi sterilizzati e li rapò a zero perché secondo lei i capelli trattenevano il sudiciume.

I due piccoli piangevano disperati e a Rosetta si stringeva il cuore al pensiero di non poterli difendere da quella megera.

Quando il signor Mario tornò dal lavoro li trovò già a letto, legati con delle cinghie perché non si potessero alzare e andarsene in giro scalzi sporcandosi la pianta dei piedi.

Rosetta naturalmente si lamentò della matrigna, ma il padre le disse: «Ben ti sta! Te la sei voluta tu! La matrigna ha tutta la mia approvazione. Erano anni che non vi vedevo cosí puliti!»

Per i tre poveri orfanelli la vita divenne un inferno. La matrigna non li lasciava uscire per paura dei microbi, e neppure giocare, e neppure mangiare normalmente, perché si sarebbero sporcati la bocca e il tovagliolo.

Per nutrirli preparava un pastone molto liquido, dal sapore schifoso e lo metteva in una pentola che appendeva al lampadario. Poi dalla pentola faceva pendere tre tubi di gomma con tre rubinetti. I bambini dovevano sedersi sotto e mettere l'estremità del tubo in bocca, e solo allora la matrigna apriva il rubinetto, in modo che neppure una goccia di quella poltiglia potesse finire fuori.

I due piccoli piangevano e piangevano e Rosetta, dal dolore di non poterli aiutare, si ammalò.

All'inizio la matrigna decise di curarla con un metodo di sua invenzione. Cioè mettendola nella vasca da bagno sei volte al giorno e non dandole piú da mangiare, perché uno stomaco vuoto è anche pulito, e se è pulito vuol dire che è sano.

Rosetta però non migliorava, anzi arrivò al punto che stava per morire. Allora il signor Mario si mise una mano sulla coscienza e telefonò al dottore.

Venne il dottore, che si chiamava Poldo Leo, e vide che non solo Rosetta era moribonda, ma che anche gli altri due bambini stavano per ammalarsi.

Allora fece uscire la matrigna, con la scusa di mandarla a comprare certe medicine, caricò i tre orfanelli sulla sua macchina e se li portò a casa, nascondendoli in soffitta. Poi tornò, giusto un attimo prima che la matrigna rincasasse.

«Che guaio!» le disse il dottore. «Li avevo messi tutti e tre dentro alla vasca per lavarli, perché la cura migliore è la pulizia, e mi si sono sciolti nell'acqua come tre saponette troppo usate.»

«Purché non mi abbiano otturato lo scarico!» disse la ma-

*trigna, contenta di essersi liberata di quei tre impicci. Ce l'ave-*
*va a morte con loro perché sapeva che il signor Mario l'aveva*
*sposata per accudire i figli e non perché era innamorato di lei.*

*Il signor Mario quando tornò dal lavoro si disperò, si mise a*
*piangere e a gridare e minacciò la moglie, dicendole che se*
*non recuperava i tre bambini dalle tubature l'avrebbe cacciata*
*di casa. Lei allora pensò: "Se mi faccio piú bella che posso e lo*
*stordisco facendolo innamorare sempre di piú, la smetterà di*
*pensare a quei tre mocciosi e dopo un poco li dimenticherà."*

*Andò dal dottor Poldo Leo (che in segreto aveva fatto guari-*
*re Rosetta e continuava a tenere nascosti i tre bambini, la-*
*sciandoli sporcare quanto volevano) e gli chiese: «Dottore,*
*non avrebbe uno sciampo che mi faccia diventare i capelli*
*lunghi, biondi, ricciuti e splendidi come il sole?»*

*«Sí, che ce l'ho, signora! E glielo dò volentieri, in memoria*
*di quei poveri bambini ai quali lei voleva tanto bene.»*

*«E non avrebbe una lozione per il corpo che mi faccia di-*
*ventare alta, snella, elegante; prosperosa dove ci vuole, e la*
*pelle me la renda vellutata come la buccia di una pesca, bian-*
*ca e morbida come un petalo di magnolia?»*

*«Sí che ce l'ho, signora! Ho un bagno schiuma che fa mira-*
*coli. E glielo dò volentieri, sempre in memoria di quei poveri*
*bambini.»*

*Rosetta, nascosta dietro a un divano, se la rideva contenta*
*perché sapeva cosa c'era in realtà nelle due boccette che la ma-*
*trigna cacciava avidamente nella borsa.*

*La matrigna tornò a casa, e trovò il signor Mario che pian-*
*geva nella camera dei bambini.*

*«Va' là, piagnucolone!» gli disse passando. «Non starci a pen-*
*sare, ché non serve a niente! Domani chiameremo l'idraulico e*
*faremo fare una ricerca. Intanto, andiamocene a cena in un po-*
*sticino romantico, cosí ti distrarrai. Io vado a prepararmi.»*

*Andò in bagno, riempí la vasca e ci versò i sali da bagno,*
*che subito fecero una bella schiuma. Si spogliò e si immerse*
*nell'acqua. Sentí un leggero bruciore sulla pelle. "Stanno già*
*facendo il loro effetto!" pensò tutta contenta. "Adesso mi lavo i*
*capelli con lo sciampo miracoloso." E si rovesciò sulla testa il*

contenuto della boccetta, cominciando a fregare e a massaggiare. Anche lo sciampo fece una grande schiuma e la matrigna sentí un pizzicorino non molto piacevole, ma pensò che fosse una cosa normale.

Quando ebbe finito di fregare e massaggiare prese la doccia e si sciacquò la testa. Ma quale non fu la sua meraviglia, anzi il suo orrore, quando vide che l'acqua portava via non solo la schiuma, ma anche tutti i capelli, ciocca dopo ciocca, lasciandola completamente calva.

Spalancò la bocca per urlare, ma lo sguardo le cadde in basso, e vide che la pancia le stava diventando enorme e stava prendendo uno strano colore verde pisello. Sempre piú inorridita si accorse che tutto il suo corpo si stava gonfiando ed era già cosí grosso che si era incastrato nella vasca e non si poteva piú muovere. La pelle era diventata ruvida, bollosa, come quella di un rospo, verde maculata di marrone.

Di fianco alla vasca c'era uno specchio. La matrigna si guardò e vide che era diventata un enorme mostro calvo, gonfio e gibolloso. Cacciò un altissimo urlo e svenne.

All'urlo accorse il signor Mario, che quando vide com'era ridotta la moglie, non seppe far altro che prendere il liquido corrosivo per sturare i lavandini e rovesciarglielo addosso.

Gorgogliando, quel grosso corpo schifoso si rattrappí, si restrinse, diventò sempre piú piccolo e molliccio, sempre piú sottile e scolorito, fino a quando, come una biscia d'acqua, scomparve dentro al buco di scarico della vasca.

«Questi sono i guai che capitano a chi si lava troppo!» sospirò il signor Mario. E siccome si sentiva un po' scombussolato, andò dal dottor Poldo Leo per farsi dare un calmante.

Quando ebbe raccontato la fine che aveva fatto la moglie, i tre bambini sbucarono tutti contenti da dietro il divano e gli buttarono le braccia al collo.

Il dottore disse: «Signor Mario, ho l'onore di chiederle la mano di sua figlia Rosetta! Quando compirà quindici anni ci sposeremo.»

E cosí vissero tutti felici e contenti, e si lavarono sempre molto poco e con grande prudenza.

# NOVEMBRE

NOVEMBRE

# Capitolo primo
*Dove si parla della nonna Mariuccia*
*e dei suoi morti.*

— Vuoi scommettere che domani la maestra ci darà il solito componimento sul giorno dei Morti? — disse Elisa scocciata.

Già avevano dovuto studiare a memoria alcune lacrimevolissime poesie sull'argomento, e bisognava vedere che faccia triste e compunta facevano le Leccapiedi, quando andavano alla cattedra a recitarle!

Tutti gli anni, alla fine d'ottobre ricominciava la stessa storia. I brani del libro di lettura, le lezioni, i dettati, erano pieni di croci desolate, di orfani e di vedove col velo nero, di crisantemi, di funerali, di tombe e di cipressi.

Elisa non capiva perché ai morti si dovesse pensare solo una volta all'anno. La nonna Mariuccia al cimitero ci andava tutti i giorni. Ci andava al pomeriggio, dopo aver aiutato la tata a rimettere ordine in cucina. Si vestiva, si metteva il cappellino nero fermato alla nuca con un elastico passato sotto la crocchia, e diceva: — Esco. — Tutti sapevano dove era diretta.

Il cimitero era lontano, su in collina, appena fuori città. Gli zii, che non volevano che la madre si stancasse, si erano messi d'accordo con un vicino di casa perché la venisse a prendere e la riportasse in motocicletta. Avevano fatto una specie di abbonamento.

Non bisogna credere però che la nonna Mariuccia, col suo vestito nero a semini bianchi, i guanti di filo e la grande

71

borsetta col fermaglio d'argento, montasse a cavalcioni sul sellino di dietro cingendo la vita del gentile accompagnatore. No, perché la moto del signor Vladimiro (tale era il nome del vicino) era fornita di un bel sidecar, il quale, per chi non lo sapesse, è una specie di barchetta di lamiera attaccata al fianco della moto e fornita di ruote, con dentro un sedile imbottito per il passeggero.

La nonna aveva una paura matta della velocità. Si teneva aggrappata con le mani al bordo del sidecar e strillava in continuazione: — Stia attento a quella curva! Rallenti! Freni! Aiuto, c'è un autocarro che ci vuole sorpassare!

Per fortuna il signor Vladimiro (che era sposato con la tabaccaia dell'angolo, ma a sentire Silvana Boi da giovane era stato innamorato della nonna Mariuccia) aveva un carattere pacifico e non si innervosiva.

Quando la moto cominciava a salire per la collina, dalla strada, non piú asfaltata, si alzava un gran polverone e la nonna cominciava a tossire. Ma il tormento non era che all'inizio, perché subito dopo c'era una serie di curve e, per quanto lentamente il signor Vladimiro si sforzasse di prenderle, alla nonna veniva la nausea e doveva scendere dal sidecar per vomitare. Cosa che faceva con grande dignità, frizionandosi la fronte e le mani, quando aveva finito, con un fazzolettino inzuppato di Violetta di Parma.

Ciò avveniva ogni volta, piú o meno nello stesso tratto di strada, sia all'andata che al ritorno.

Ogni tanto anche Elisa si univa alla spedizione, e quando era piccola, per paura che in qualche curva la velocità la sbalzasse fuori dal sidecar, la nonna, invece di farsela sedere al fianco, la sistemava accucciata per terra tra i suoi piedi e la teneva ben stretta con le ginocchia. Elisa schiacciava il naso contro il parabrezza di celluloide e non vedeva quasi niente della strada, ma la passeggiata le piaceva lo stesso moltissimo.

Arrivati al piazzale del cimitero, il signor Vladimiro le salutava: — Ci vediamo alle sei e mezzo. — E se ne andava per i fatti suoi. La nonna Mariuccia si scrollava di dosso la polvere, si ravviava i capelli col pettine inumidito alla fontanella dei fiori, raddrizzava il colletto a Elisa e chiedeva: — Oggi chi salutiamo per primo?

Aveva una quantità di morti da andare a trovare: i suoi genitori e quelli del marito morto (che poi erano i bisnonni di Elisa); il povero nonno Terenzio, le sorelle, l'amica del cuore dei tempi di scuola, la maestra di musica di quand'era signorina e cantava le romanze, il vecchio padrone di casa, il salumaio dell'angolo, che, poveretto, era morto d'infarto solo due anni prima, nonostante tutte le raccomandazioni e le cure dello zio Leopoldo.

E, naturalmente, c'erano "i due ragazzi", Giovanni e Isabella, ai quali era riservata la visita piú lunga.

Elisa pensava che il cimitero fosse un posto incantevole, molto romantico e pieno di mistero.

C'erano vialetti ombrosi pavimentati di muschio, alberi vecchissimi dai gran tronchi nodosi. Tra il verde biancheggiavano statue di belle donne dai capelli lunghi e spettinati, di bambini vestiti di pizzo (pizzo di marmo, s'intende) o alla marinara, di angeli dalle grandi ali. C'erano intere famiglie di marmo i cui membri si abbracciavano e piangevano senza nessun riguardo attorno al letto di qualcuno addormentato. E poi c'erano scheletri con un lenzuolo in testa che minacciavano i passanti con la falce.

Elisa non aveva paura perché sapeva che erano finti e non si potevano muovere. Sulla spalla di uno scheletro un uccellino aveva fatto tranquillamente il nido. Sulla falce di un altro strisciavano lentamente le lumache, ed Elisa pensava che al prossimo carnevale si sarebbe mascherata anche lei da fantasma, mettendosi in testa un lenzuolo per far spaventare la tata Isolina.

Mentre la nonna se ne stava seduta su questa o su quella tomba a chiacchierare con i suoi morti, lei se ne andava in giro a leggere le frasi scritte sulle lapidi. Ce n'erano di cosí buffe che doveva assolutamente ricopiarle su un foglio per darle a Prisca, che magari le avrebbe poi messe in un romanzo.

Per ultima la nonna visitava la tomba dei due ragazzi, e

allora chiamava Elisa e la mostrava alle due foto sotto vetro.

— Sta bene, vedete, la vostra piccolina. Era un po' di tempo che non veniva. Guardate com'è cresciuta! Me ne occupo io. E poi ci sono gli zii e la tata. Non c'è niente da preoccuparsi — diceva.

Quand'era piccola, Elisa pensava che i genitori potessero davvero vederla da quei medaglioni tondi come due oblò di nave, e faceva ciao con la mano. Loro naturalmente non rispondevano, e allora lei si arrabbiava e faceva l'offesa. Adesso le veniva da sorridere al pensiero di quanto fosse ingenua a quel tempo!

Però non avrebbe mai scritto queste cose in un tema, perché le sembravano troppo personali e non aveva voglia che un estraneo le venisse a sapere. Non le aveva neppure raccontate a Prisca, per timore che andassero a finire in qualche racconto.

## Capitolo secondo
*Dove anche Prisca va al cimitero.*

Prisca invece al cimitero ci andava solo il 2 di novembre, con Gabriele, i genitori e il nonno, tutti vestiti a festa. Sua madre per l'occasione, anche quando la stagione era in ritardo e faceva ancora caldo, indossava un elegantissimo mantello nero col collo di volpe e un cappellino nero con la veletta.

Durante il tragitto in macchina gli adulti chiacchieravano del piú e del meno in tono normale, ma appena varcato il cancello di ferro assumevano un'espressione di circostanza, triste, composta e molto dignitosa.

Loro non avevano molti morti da visitare. Solo la nonna paterna, che si chiamava anche lei Prisca Puntoni.

La nonna Prisca era morta da piú di quarant'anni, quando il papà era appena nato. Cosí il nonno aveva cercato subito un'altra moglie che si occupasse del figlioletto e si era risposato con la nonna Teresa (che non andava al cimitero con loro perché diceva che quella morta lí non era affar suo).

Prisca pensava che evidentemente il nonno non era cosí follemente innamorato della prima moglie, altrimenti sarebbe rimasto fedele alla sua memoria (almeno per qualche anno, se non per sempre), e per accudire il neonato avrebbe preso una bambinaia.

Invece di quella antica Prisca Puntoni il nonno doveva essersene dimenticato in fretta. Non la nominava mai, e in quell'unico giorno dell'anno in cui le portava un mazzo di fiori se ne stava a contemplarne la foto con aria perplessa, come chiedendosi: "Ma questa faccia io l'ho conosciuta davvero? Ma è esistito veramente un tempo in cui ero sposato con lei?"

Però le aveva fatto fare una bellissima statua, anzi, come diceva la nuora vantandosi con le amiche, un "gruppo marmoreo" dal miglior scultore della città.

A Prisca il gruppo piaceva moltissimo e ogni anno si fermava a guardarlo a lungo, in tutti i particolari, come se lo vedesse per la prima volta. C'era una culla di marmo col cuscino, le coperte, il velo e tutto, e dentro alla culla c'era un bambinetto grasso e nudo che cercava di trattenere per un lembo della camicia da notte una bellissima ragazza che se ne volava in cielo, senza ali, però, come aspirata da un risucchio d'aria. E sulla base della culla erano incise queste parole:

**PRISCA PUNTONI**
FANCIULLA VIRTUOSA,
MOGLIE DEVOTA E SOAVISSIMA,
LASCIÒ QUESTA VALLE DI LACRIME
APPENA GUSTATE LE DOLCEZZE DI MADRE.
VISSE XXII ANNI,
E PIÚ NON VIVE, SE NON NEL RICORDO
DELLA DESOLATA FAMIGLIA.

Quell'anno, come al solito, a Prisca fece una grande impressione vedere il proprio nome scolpito nel marmo. Ma piú ancora le fece impressione vedere che le lettere erano un po' sbiadite rispetto all'anno precedente: quanto ci voleva perché si cancellassero del tutto?

"Anche di me non resterà altro che questo?" le venne da pensare. "Basteranno pochi anni perché tutti quelli che mi volevano bene mi dimentichino?"

Cominciò mentalmente a fare un elenco: anche i genitori, Gabriele, Ines, Elisa, anche lo zio Leopoldo, anche i suoi diciassette figli? Era un pensiero insopportabile. Cos'era nata a fare, allora, se del suo passaggio non doveva restare alcuna traccia?

Poi fu colpita da un'idea improvvisa. Eh, no! C'era, eccome, qualcuno che l'avrebbe ricordata per sempre nei secoli. I suoi lettori! Cosí come lei ricordava Louisa May Alcott, che chissà da quanto tempo era morta, e per giunta in America. La sua fama di scrittrice sarebbe durata per sempre. Anche a lei avrebbero fatto una statua, col quaderno e la penna in mano, ma non al cimitero: nella piazza principale della città. Un monumento come quello di Vittorio Emanuele. Scuole, ospedali, strade, piazze sarebbero stati intitolati al suo nome, e sulla casa dov'era nata avrebbero messo una targa.

Rassicurata, carezzò col dito le guance del bambino di marmo, che somigliava stranamente a Filippo.

Il papà e il nonno si erano messi a fare un po' di pulizia sulla tomba. Strappavano le erbacce, raschiavano via il muschio secco, cambiavano l'acqua dei vasi... La mamma non poteva aiutarli per non sporcarsi il mantello, e cosí si era messa a fare conversazione con la signora Franchi della tomba accanto. Prisca vide passare nel vialone la signora Sforza al braccio di un signore che doveva essere suo marito. La vide salutare con mille salamelecchi la famiglia Lopez del Rio al gran completo. La vide fermarsi a parlare col papà di Viviana Artom, che era un signore antipaticissimo e si dava un sacco di arie perché era professore all'Università. Poi la signora Sforza incrociò un gruppo di donnette vestite di nero, fra le quali camminava Adelaide. Adelaide tirò per un lembo del vestito la donna piú anziana, e insieme salutarono la maestra inchinandosi quasi fino a terra. Ma la signora Sforza proseguí a testa alta fingendo di non vederle e Prisca si accorse, anche da cosí lontano, che Adelaide era rimasta malissimo. Fu allora che le passò per la mente un pensiero folgorante: "E se la maestra fosse anche lei una leccapiedi?"

## Capitolo terzo
*Dove Prisca vede qualcosa*
*che le fa molta impressione.*

Sul piazzale, all'uscita, Prisca vide tra la gente Repovik Iolanda e corse a salutarla. — Ciao! Io sono venuta a trovare la nonna Prisca. E tu?

Iolanda cominciò a contare, elencandoli sulle dita: — I miei fratelli Adriano, Luisa e Vincenzina...

— Ti sono morti tre fratelli? — chiese Prisca esterrefatta. — Quanti anni avevano?

— Boh... — rispose Iolanda — tre o quattro mesi... Anzi, no; Luisa sapeva già camminare... Tre anni, forse...

— E di cosa sono morti?

— Boh! Mamma dice che l'ha aiutata la Croce... — e continuò a elencare con la massima indifferenza: — Poi zia Carmela, zio Tore... Nonno però non l'abbiamo piú trovato.

— Come non l'avete piú trovato?

— Lo avevano tolto dalla tomba e ci avevano messo un altro. Mamma dice che l'hanno portato alla fossa comune.

Prisca non capiva. — La fossa comune?

— Vuoi vederla? — le chiese Iolanda sottovoce, in tono di complicità. — È qui vicino. Ci mettiamo un attimo.

E senza aspettare risposta la prese per mano e la riportò dentro al cimitero, dirigendosi verso una zona in fondo al vialone, che Prisca non conosceva.

Qui non c'erano vialetti ombrosi né statue. Le tombe erano semplici rialzi di terra con una croce di legno, come nei film del Far West. Al centro del campo c'era una bassa costruzione imbiancata a calce, simile a una grande cisterna, sormontata da una croce.

— Vieni! — disse Iolanda. Poi si fermò e la guardò fissa negli occhi. — Giura che non lo dici a nessuno!

— Giuro — disse Prisca.

— Che ti possa venire un accidente secco.

— Che mi possa venire un accidente secco.

Si guardarono intorno per controllare che non ci fosse nessuno e si avvicinarono alla costruzione. Su un lato c'era una porta di legno con su scritto:

## OSSARIO
### PORTA RISPETTO!
### NOI ERAVAMO COME VOI SIETE.
### VOI SARETE COME NOI SIAMO.

In alto la porta aveva un finestrino con una grata di ferro. Le due bambine, aiutandosi a vicenda, si arrampicarono e guardarono dentro.

"Non mi crederà nessuno se racconto che ho visto un cosí gran mucchio di ossa umane ammassate alla rinfusa" pensò Prisca. "Crederanno che me lo sono inventata."

— Mio nonno è là dentro — disse Iolanda con aria d'importanza.

— Qual è? — chiese Prisca.

— Boh! Non vedi come sono in disordine gli scheletri?

Fuori, sul piazzale, la mamma aspettava spazientita accanto all'automobile. — Dove ti eri andata a cacciare? Guarda! Ti sei sporcata il cappotto di bianco!

— Su, svelte, in macchina! — chiamò il nonno.

Erano quasi arrivati a casa quando Prisca, che fino a quel momento era rimasta in silenzio pensierosa, chiese: — Quand'è che portano le ossa della nonna Prisca nella fossa comune?

Il nonno frenò di colpo. — Che idee ti vengono in mente? Perché dovrebbero fare una cosa simile?

— Il nonno di una mia amica ce l'hanno già portato.

— Di una tua amica? — chiese la mamma, scandalizzata e incredula. — Di *quale* tua amica?

— Di Repovik Iolanda.

— Ah! Quella non è una tua amica, che razza di idea! È una tua compagna, e non devi assolutamente darle confidenza.

— Perché?

— Perché no. Ci manca che ti attacchi i pidocchi e ti insegni le parolacce.

— Non devi aver paura che portino via la nonna Prisca dalla tomba — disse conciliante il papà. — La tomba è nostra, da molte generazioni. Abbiamo pagato il terreno e ci possiamo restare fino alla fine dei secoli. Il nonno della tua compagna evidentemente era ospite di una tomba non sua nel campo dei poveri. L'ospitalità per legge dura solo nove anni, dopo di che bisogna lasciare libero il posto per un altro morto, e si va a finire nella fossa comune.

— Tanto quando uno è morto non si accorge di niente — disse Gabriele per consolare la sorella.

— Ma cosí! Tutti mescolati! E se uno nel Giorno del Giudizio prende per sbaglio la gamba di un altro? — protestò Prisca ricordando il gran disordine di quelle povere ossa.

— Ma che schifo! Basta con questi discorsi! — ordinò la mamma. — Non voglio piú sentirvi parlare di queste cose. Mi fate andar via l'appetito.

In effetti era già ora di pranzo e, per la festa dei Morti, Antonia doveva aver preparato dei dolci speciali.


### Capitolo quarto
*Dove Antonia si esibisce*
*nell'arte di raccontare.*

Antonia era una grande esperta, non solo di dolci, ma anche di storie terrificanti che parlavano di morti, di fantasmi, di anime dannate e via di seguito.

Quando erano piccoli, Gabriele e Prisca andavano matti per queste storie. Passavano interi pomeriggi in cucina ad ascoltare Antonia che stirava e raccontava, sbucciava i piselli e raccontava, e non ne avevano mai abbastanza.

— Ancora un'altra, per favore!

C'era la storia del cavallo nero della morte che nel cuore della notte galoppa tre volte attorno alla casa di qualcuno che è destinato a morire entro l'indomani. Perciò quando nel grande silenzio si sente il rumore cadenzato dei suoi zoccoli e il lugubre nitrito, bisogna che tutti gli abitanti di quella casa si preparino perché non si sa a chi potrà toccare.

Poi c'era Sant'Orsola che veniva ad avvertire i suoi devoti bussando con le nocche delle dita contro la porta. Un colpo voleva dire che c'era pericolo di una grave malattia o di un incidente. Due colpi che era opportuno andarsi a confessare, far testamento e mettere tutte le proprie cose in ordine. Ma se si sentivano tre colpi, non c'era scampo. La morte sarebbe arrivata prima della luce dell'alba e non restava altro che raccomandare l'anima a Dio.

C'era la storia di una vecchia che andava tutte le notti al cimitero a rubare i vestiti dei morti appena sepolti per rivenderli, e una volta aveva trovato un cadavere cosí decomposto che, tirando la calza, era venuta via l'intera gamba, e la ladra, per la fretta, temendo di essere scoperta, se l'era portata a casa. E la notte dopo, mentre lei stava a letto, il morto era venuto a riprendersi ciò che era suo. La vecchia dormiva in una stanza in cima a una scala. Nel buio aveva sentito il suono di un campanellino che il morto portava legato al collo e una voce d'oltretomba che diceva:

*Din din din! Mí che sono al quinto scalin.*
*Dammi la gamba e il mio calzin!*

E poi era al quarto scalino, e al terzo, al secondo, al primo finché entrava nella camera, mentre la ladra, impietrita dal terrore, non riusciva a muoversi dal letto e finiva per venire trascinata all'inferno cosí com'era, con la camicia da notte rammendata e il materasso al quale si era aggrappata per cercare di resistere alla forza straordinaria del cadavere.

E c'era quella di Giovannin Senza Paura, che per una scommessa con gli amici era andato al cimitero di notte a portare una zuppa di pane e finocchio a un morto appena sepolto. E quando il morto si era alzato dalla tomba, orrendo nel suo sudario, e aveva allungato verso di lui le mani adunche, Giovannino aveva detto premuroso porgendogli la scodella: — Soffia, che è calda. Se no, ti scotti!

Antonia aveva spesso le braccia e le gambe piene di grossi lividi scuri, e spiegava ai due bambini che erano i segni lasciati dalle dita dei morti che di notte andavano vicino al suo letto per darle dei pizzichi.

Prisca e Gabriele non erano mai sazi di queste storie.

— Ancora! Ancora un'altra! — supplicavano, con la schiena percorsa da un brivido molto eccitante e il cuore che batteva piacevolmente per una paura solo teorica, visto che era giorno, ed erano tutti insieme nella sicurezza della cucina.

Ma poi, la notte, non volevano spegnere la luce, si rifugiavano l'uno nel letto dell'altra, e quando finalmente si addormentavano, facevano degli incubi spaventosi e si svegliavano urlando dal terrore.

La mamma, quando aveva scoperto l'origine di tanta paura, aveva proibito severamente ad Antonia di riempire la testa dei bambini con quelle stupidaggini "incivili e superstiziose". Offesa, l'anziana domestica aveva promesso.

— Che mi si possa seccare la lingua se gli racconto piú niente!

Ma ormai il guaio era fatto. Quelle storie Prisca e Gabriele non le avrebbero dimenticate piú.

## Capitolo quinto
*Dove Prisca scrive*
*un racconto molto macabro.*

Quella sera, al momento di andare a letto, Prisca si rese conto che non aveva nessuna voglia di restare da sola in camera con la luce spenta. Era sicura che appena si fosse trovata al buio, tutti quegli scheletri sparpagliati che aveva visto al mattino nell'Ossario le sarebbero ricomparsi davanti. Anzi, forse ce n'era già qualcuno nascosto sotto il letto che l'aspettava per tirarle i piedi.

Sapeva benissimo che questo non poteva accadere in

realtà, e che tanta paura era soltanto un prodotto della sua immaginazione, eppure non riusciva a vincerla.

Perciò quando si fu messa il pigiama e si fu lavata i denti, invece di andarsene in camera sua, entrò da Gabriele, che stava preparando la cartella per l'indomani.

— Mi lasci dormire con te, stanotte?

— Neanche per sogno! Sei cresciuta troppo ormai e nel letto non c'è abbastanza posto. E poi, tiri certi calci!

— E se dormo nella poltrona?

— Ti alzerai con le ossa tutte indolenzite. Comunque, sono fatti tuoi.

La posizione infatti non era delle piú comode. Gabriele dormiva profondamente già da piú di un'ora e Prisca ancora si rigirava come un'anima in pena, anche perché era preoccupatissima di non lasciar ciondolare giú i piedi per paura che qualche mano gelata sbucasse da sotto la poltrona e glieli afferrasse. Alla fine accese la piccola lampada del comodino e si alzò. Andò a sedersi alla scrivania del fratello e rovistò nei cassetti alla ricerca di un foglio protocollo. Non aveva il coraggio di attraversare il corridoio per andare in camera sua a prendere una delle agende dello zio Leopoldo, però le era venuta in mente una bellissima storia e voleva scriverla subito prima di dimenticarsene la metà.

Accese la lampada da tavolo. Tanto Gabriele, quand'era addormentato, non lo avrebbero svegliato neppure le cannonate.

Prese la penna e cominciò a scrivere di getto:

*C'era una volta una nobile e ricca signora che si chiamava Arpia Sferza. Una notte d'inverno questa signora aveva trovato sui gradini della sua casa un cestino, e dentro al cestino c'era una bambina di pochi mesi, con un biglietto appuntato con una spilla al bavaglino: «Si chiama Anastasia: abbiatene cura!»*

*La signora stava per dare un calcio al cestino, per farlo ruzzolare giú dalle scale e cadere nella neve della strada, quando notò ai piedi della neonata un piccolo involto con un altro biglietto: «Per le spese che dovrete affrontare.» L'involto conteneva gioielli e pietre preziose di grandissimo valore.*

Cosí la signora Arpia Sferza decise di tenere la trovatella e di allevarla. Ma non la tenne come una figlia: appena la piccina fu in grado di stare in piedi le mise una scopa tra le mani e le fece fare la servetta. La signora Sferza aveva molti altri domestici, ma Anastasia, piccola com'era, doveva fare i lavori piú umili e faticosi.

Quando ebbe compiuto sette anni, si rese conto che non poteva andare avanti cosí per tutta la vita e decise di ribellarsi. A ogni ordine che le veniva rivolto rispondeva: «No. Non lo faccio.»

La padrona le dette degli schiaffi, poi la colpí con un righello, poi la frustò, poi la lasciò senza mangiare e le sequestrò le scarpe mandandola in giro scalza nella neve. Ma a ogni nuovo ordine, Anastasia continuava a rispondere ostinata: «No. Non lo faccio!»

Allora la padrona le disse: «Bene. Visto che probabilmente sei un'orfana, ti porterò al cimitero, dove ci penseranno i tuoi genitori a farti diventare piú docile. Ti ci lascerò per una notte intera e vedremo se domani mi risponderai ancora "No. Non lo faccio"»

Aspettò che fosse buio e la portò al cimitero. Voleva spingerla dentro, chiudere il cancello a chiave e andarsene, ma Anastasia le si aggrappò alla gonna con tanta forza che se la trascinò dietro. A quel punto il cancello si chiuse da solo con uno scatto secco. Erano tutte e due prigioniere nel cimitero.

Anastasia non aveva paura perché, tanto, peggio di come le era andata finora non poteva andarle. Ma la signora Arpia Sferza cominciò a battere i denti.

«Non ti allontanare!» ordinò alla bambina. «Resta sempre al mio fianco e tienimi per mano.»

Ma Anastasia si divincolò e corse verso una tomba sulla quale c'era un grande angelo di marmo con le ali spiegate. Quando la vide arrivare, l'angelo scese dal piedestallo e si chinò per prenderla in braccio.

«Tieniti forte» le disse «dovrò volare in alto per varcare il cancello. Dove vuoi che ti porti?»

«In una casa dove ci siano dei bambini simpatici che mi vogliano come sorella. Però prima passiamo a casa della signora Sferza a prendere ciò che resta del mio tesoro.»

L'angelo batté le grandi ali, provocando attorno un forte spostamento d'aria e spiccò il volo verso l'alto. Arpia Sferza lo rincorse per un tratto gridando: «Aspettate! Prendete anche me! Portatemi via da questo posto orrendo!» Ma figuriamoci se l'angelo la stava a sentire!

Appena fu rimasta sola, la signora Sferza si accorse che tutti i coperchi delle tombe stavano cominciando ad aprirsi lentamente. «Aiuto!» gridò, e cercò di arrampicarsi su un albero, ma non ci riuscí perché non era abbastanza agile e poi aveva le scarpe coi tacchi e la gonna stretta.

Allora si mise a correre lungo il viale, mentre dietro di sé sentiva dei passi che l'inseguivano TAP TAP TAP... Arrivò alla costruzione dell'Ossario e, non sapendo cosa fosse, anzi credendolo una casetta dove potersi nascondere, aprí la porta, si buttò dentro e cadde a capofitto su quel gran mucchio di ossa sparpagliate.

TAP TAP TAP... Dalla porta si affacciò la statua di una bella ragazza in camicia da notte, con i capelli sciolti e con un bambino nudo (anche lui statua) in braccio.

«Non uscirai di qui» le disse «fino a che non avrai rimesso in ordine queste ossa, ricostruendo completamente ogni singolo scheletro. Bada che se mancherà anche un solo ossicino microscopico, non ti lascerò uscire.»

Arpia Sferza si mise a piangere disperata. «Non ci riuscirò mai!»

«Voglio essere generosa» disse allora la statua. «Per tenere legate insieme le ossa di ogni scheletro potrai usare questo» e le lanciò come una palla un grande gomitolo di lana rossa.

Arpia Sferza ci mise un anno e mezzo a riordinare tutti quegli scheletri. Aveva quasi finito, però all'ultimo mancava una gamba intera.

«L'hai perduta? Che sventata che sei! Cercala bene!» diceva la statua della nonna Prisca. Ma lo faceva per prenderla in giro, perché sapeva benissimo che la gamba non c'era. Quello scheletro apparteneva a un mutilato, a un soldato che in guerra era stato ferito alla gamba destra e gliel'avevano dovuta tagliare. Il fatto era accaduto da qualche parte della Russia e la gamba era

*stata seppellita lassú. Dopo di che il soldato era tornato a casa*
*con le stampelle, e solo molti anni dopo era morto ed era stato*
*seppellito, con una gamba sola, in quel cimitero.*

*Arpia Sferza piangeva e diceva: «Ho guardato dappertutto e*
*non la trovo.»*

*Alla fine la statua le disse: «L'unica cosa che puoi fare se*
*vuoi uscire di qui è di dargliene una delle tue.»*

*«E io come farò?»*

*«Andrai in giro con le stampelle.»*

*Poi si impietosí: «Se tu cederai la tua gamba a quel povero*
*scheletro, te ne darò una delle mie. Tanto non mi servono, e*
*sotto la camicia da notte neppure si vede.»*

*Cosí, dopo un anno e mezzo, Arpia Sferza tornò a casa*
*magra, pallida, con i capelli che le erano diventati bianchi.*
*Camminava zoppicando e portava le gonne lunghe fino a*
*terra. Ma se qualcuno, per esempio al cinema, le dava un col-*
*petto sulla gamba destra per attirare la sua attenzione, si me-*
*ravigliava al sentirla cosí dura e fredda.*

Quand'ebbe finito di scrivere, Prisca, soddisfattissima ma
stanca morta, si stese per terra sullo scendiletto, si tirò addosso la vestaglia di Gabriele e, nonostante la durezza del
pavimento, si addormentò profondamente.

# DICEMBRE

DICEMBRE

# Capitolo primo
*Dove si fanno le liste per i regali natalizi.*

Puntuali come tutti gli anni, la notte fra il 9 e il 10 di dicembre le vetrine del padre di Rosalba si svuotarono di tutti i capi d'abbigliamento e si riempirono di giocattoli. In classe quella mattina le alunne della IV D si dimenavano sui banchi come tante anguille, impazienti che arrivasse mezzogiorno e che suonasse, con un'ora d'anticipo rispetto al solito, la campanella dell'uscita.

Quello era un giorno speciale per tutti i bambini della città. Non solo uscivano da scuola un'ora prima, ma avevano il permesso di arrivare a casa in ritardo per il pranzo.

Se avevano tanta fretta di correre a guardare subito le vetrine del Paradiso dei Bambini non era solo per curiosità. C'era il gravissimo problema delle prenotazioni.

Infatti dei giocattoli piú belli e costosi esposti in vetrina, nel negozio del signor Cardano se ne potevano trovare solo pochissimi esemplari. Qualcuno addirittura era un pezzo unico.

Il motivo di questa penuria Rosalba lo aveva già spiegato mille volte alle compagne che protestavano. — Gli scaffali del magazzino sono già pieni fino al soffitto degli abiti che dovranno tornare in negozio dopo l'Epifania. Mio padre non può ordinare dieci o venti pezzi dei giocattoli piú ingombranti. Il signor Piras non saprebbe dove metterli.

Perciò era fondamentale, quando si desiderava molto un

giocattolo di cui si sospettava ci fosse solo quell'esemplare esposto in vetrina, vincere gli altri pretendenti sulla velocità. Se un genitore veniva convinto infatti a recarsi immediatamente al Paradiso dei Bambini e a lasciare una caparra per "fermare" quella bambola, quel trenino, quel meccano, quella bicicletta, si poteva star certi che il signor Cardano non lo avrebbe venduto a nessun altro. Per evitare delusioni, il padre di Rosalba metteva sul giocattolo in questione un cartellino con scritto «Venduto», e a quel punto, se non avevi la certezza che erano stati i tuoi parenti a "fermarlo", gli potevi dire addio.

Certi grandi capivano questo problema. Elisa per esempio era sicura che, non appena avesse comunicato in casa la sua scelta, quello stesso pomeriggio la nonna Mariuccia o uno degli zii sarebbe andato al Paradiso dei Bambini a depositare la caparra per il suo regalo natalizio. Era lei piuttosto che perdeva tempo, perché non si sapeva decidere. Da un lato avrebbe voluto tutto, dall'altro aveva paura di far spendere troppi soldi agli zii.

Rosalba naturalmente era in una situazione privilegiata. Lei i giocattoli li vedeva addirittura in settembre sul catalogo, prima che venissero ordinati alle ditte produttrici. Ma non si azzardava piú a fare le sue scelte sulla base di un disegno. Una volta aveva ordinato una casa per bambole che sembrava bellissima, robusta, ben rifinita, ed era arrivato un arnese di cartone dai colori sbiaditi che era andato in pezzi dopo una settimana. Un'altra volta la scatola del Piccolo Chimico conteneva soltanto una serie di bottigliette vuote con le quali non era possibile alcun esperimento.

Però se li era dovuti tenere, perché suo padre le aveva detto: — Eh, no, signorina bella! Adesso è troppo tardi per cambiare parere.

Cosí aveva imparato ad aspettare che arrivassero dal continente i grandi pacchi dei giocattoli. Dopo di che aiutava il signor Piras a sballarli, e mentre lui riordinava, lei esaminava con calma la mercanzia con almeno tre giorni d'anticipo rispetto agli altri bambini della città.

Le compagne, che lo sapevano, cominciavano a corteggiarla fin dai primi di dicembre per avere delle anticipazioni. Ester Panaro le aveva addirittura offerto la sua collezione di figurine di attrici per convincerla a farla entrare in magazzino prima che le vetrine venissero allestite. Ma Rosalba si era rifiutata di fare questo che le sembrava un iniquo favoritismo. E a una Leccapiedi, per giunta!

Sveva Lopez del Rio invece non partecipava alla gara, anzi rideva sprezzante. — A me piacciono solo le cose molto, molto costose — diceva — e quelle, in questa città di pezzenti, nessuno le può pagare tranne i miei genitori. Quindi, che fretta c'è?

E con gran rabbia di Prisca e di Rosalba, succedeva proprio cosí. Non tanto perché i Lopez del Rio fossero davvero i piú ricchi in assoluto. Ma perché erano gli unici a viziare la figlia in modo cosí esagerato.

A Elisa dei privilegi di Sveva non importava molto, perché i suoi gusti erano completamente diversi e non le era mai capitato di vedersi soffiare un giocattolo desiderato da sotto il naso.

— Questa bambina ha dei gusti davvero economici — commentava ogni anno la nonna Mariuccia, incartando quello che sapeva essere il regalo preferito di Elisa e che non costava niente, perché veniva spedito in omaggio dalla ditta. Si trattava del catalogo di Frette, sul quale, nelle pagine dedicate alla biancheria intima, c'erano bellissimi disegni di signori, signore e bambini d'ogni età in mutande e maglietta. Elisa li colorava con i pastelli, li incollava su fogli di cartoncino e infine li ritagliava con gran cura, lasciandoci una base che, ripiegata, serviva da piedestallo. Dopo di che li poggiava su un foglio bianco e, seguendone i contorni con la matita, faceva loro dei vestiti per ogni occasione, che andavano anch'essi ritagliati, e si indossavano grazie a due alette ripiegate sulle spalle.

Elisa aveva già quattro o cinque vecchie scatole da scarpe piene di queste "famiglie" col loro corredo, ma ogni anno aspettava con ansia l'arrivo del nuovo catalogo.

Fra tutte le pagine preferiva quelle dedicate ai corredini da neonato, dove c'erano meravigliosi bebè disegnati in tutte le posizioni, svegli e addormentati, allegri o con la bocca spalancata nel pianto; qualcuno, avvolto nel lenzuolo di spugna, che si ciucciava un piedino nudo. Elisa ne andava matta e aveva contagiato con la sua passione anche Prisca.

— Siete proprio due belle stravaganti — diceva la signora Puntoni. — Preferire le bambole di carta a quelle di porcellana o di panno Lenci!

Ma quell'anno, ahimè, il pezzo piú raro e costoso della vetrina delle bambole era tale che anche loro due, come tutte le altre bambine della IV D, e probabilmente di tutte le scuole della città, non poterono fare a meno di lasciarci il cuore. Si trattava di una bambola di porcellana raffigurante una bambina di circa un anno, a grandezza naturale. Era bellissima, ma soprattutto aveva un meccanismo che, girando una chiave nascosta nella pancia sotto il vestito, le faceva agitare gambe e braccia, ruotare graziosamente la testa e dire con una voce lamentosa: — Mamma, ho sonno! Mettimi a dormire.

Rosalba, che l'aveva vista per prima mentre era ancora nella scatola, l'avrebbe voluta per sé, ma il padre le aveva detto: — Non siamo ancora diventati milionari! — La bambola infatti costava la bellezza di diecimila lire tonde.

Cosí, per evitare equivoci, il signor Cardano l'aveva esposta, contro le sue abitudini, col cartellino del prezzo appuntato sul vestito. E tutte le bambine della città avevano capito che il loro amore per Pretty Doll, tale era il nome della bambola, era destinato a restare non corrisposto.

Tutte tranne Sveva, che anzi provocava le compagne raccontando quello che avrebbe fatto quando sarebbe entrata in possesso della bambola straordinaria, cosa sulla quale non nutriva alcun dubbio. Già ne barattava i favori. — Se mi lasci copiare il problema, te la farò tenere in braccio per mezz'ora. Se mi regali il tuo fermacapelli a forma di gatto, ti permetterò di darle la corda per farla muovere. — Poi aggiungeva con sussiego: — Bisogna che faccia un po' di pulizia nel mio armadio dei giocattoli per farle posto. Per fortuna la maestra ci ha fatto preparare gli scatoloni per i bambini poveri. Mi dispiacerebbe buttarle via, le mie vecchie bambole, anche se ormai mi hanno stufato.

## Capitolo secondo
### *Dove si raccolgono i regali per i poveri.*

Questa degli scatoloni per i poveri era un'usanza nuova per la Scuola di Sant'Eufemia. La maestra Sforza l'aveva importata dall'Ascensione.

Il primo di dicembre si era rivolta alle alunne con un'aria insolita in lei, dolce e un po' mesta e aveva detto: — Bambine, fra poco meno di un mese è Natale. So che molte di voi hanno già preparato la lista dei regali che desiderano ricevere. So che tutte state pregustando gli abiti nuovi, e i dolci, e tutte le leccornie del cenone natalizio. Non dimenticate però che Natale è la festa della fratellanza e della generosità. Bisogna pensare ai regali per i bambini poveri, ed è meglio non aspettare l'ultimo momento. Cominciate fin da stasera a cercare nei vostri armadi, nei ripostigli, nei solai, i giocattoli che non usate piú. Chiedete alle vostre mamme di darvi gli abiti smessi, i maglioni, i berretti, le scarpe vecchie, e portateli qui a scuola. Prepareremo due grandi scatole di cartone: una per gli indumenti e una per i giocattoli, e cercheremo di riempirle fino all'orlo. Saranno la vostra offerta a Gesú Bambino, come i doni dei pastori alla grotta di Betlemme.

Questo discorso ebbe il potere di commuovere profondamente la maggior parte delle alunne. Certe, specie nella bancata delle Leccapiedi, avevano gli occhi lucidi.

E l'indomani cominciarono ad arrivare i regali per i bambini poveri. Senza che ci fosse stato nessun accordo, era sorta tra le scolare una nobile gara a chi ne portava di piú. La maestra segnava su un apposito quaderno ogni donazione e diceva benevola alla donatrice: — Brava! Il tuo piccolo sacrificio sarà ricompensato. Stai accumulando un tesoro in Paradiso!

In Paradiso dovevano avere un concetto davvero strano dei tesori, pensava Prisca. A lei sembrava che la maggior parte di quei regali facesse schifo. Il contenuto dei due scatoloni, crescendo di giorno in giorno, le ricordava il mucchio di spazzatura che avevano lasciato nella casa vecchia quando avevano fatto trasloco.

I piú abominevoli erano i regali portati da Sveva, che poi erano anche i piú numerosi. — Quell'antipatica ha davvero deciso di sgombrare gli armadi di casa da ogni vecchiume! — diceva Rosalba indignata.

Negli scatoloni si ammucchiavano non solo bambole senza gambe né capelli, con le facce ammaccate e scrostate, ma anche gambe e braccia di celluloide senza bambola. Orsacchiotti spelacchiati, ciechi, molli per aver perduto tutta la segatura. Giochi dell'Oca strappati a metà, tavole della dama senza pedine, carrozzine sfondate, tricicli senza ruote né manubrio, trottole con la molla bloccata...

Per non parlare dei vestiti, strappati, sporchi, consumati fino a sembrare fatti di ragnatele. C'erano scarpe spaiate e certi golfini che per i troppi lavaggi si erano induriti e rimpiccioliti in modo tale che solo una bambina di due anni li avrebbe potuti indossare.

— Quello che conta è il pensiero! — diceva con aria di sfida la maestra quando incrociava lo sguardo di disprezzo di Prisca.

— Se i pastori avessero portato robaccia del genere alla grotta di Betlemme, Gesú Bambino gliel'avrebbe tirata in testa — commentava Rosalba sottovoce.

Lei si era privata a malincuore di un bellissimo cavallo di cartapesta montato su ruote di quando era piccola. E siccome, per i troppi baci ricevuti, il cavallo era un po' scrostato sul muso e sulle orecchie, lo aveva fatto ridipingere dalla mamma con i colori a olio, cosí che adesso sembrava nuovo nuovo.

Prisca invece aveva portato un paio di scarpe di vernice nera col cinturino, modello "alla bebè", nuovissime.

— Sei proprio sicura di volerle mettere nello scatolone dei vestiti? — aveva chiesto la signora Sforza quando le aveva viste.

— Se le ho portate...

— È stata tua madre a dartele?

— Certo!

Invece non era vero. Lo aveva deciso da sola, senza consultarsi con nessuno. "Sono mie e posso farne quello che voglio" pensava.

Non era stata una decisione indolore. Quelle scarpe le piacevano moltissimo. Gliele aveva appena regalate la nonna Teresa perché le mettesse con l'abito di velluto rosso cupo quando il nonno la portava con sé al Teatro Civico per la stagione lirica. Piacevano molto anche a Ines, che la prima volta che gliele aveva viste ai piedi, aveva giunto le mani e aveva esclamato: — Se le avessi avute io, delle scarpe cosí, quand'ero bambina, sarei impazzita dalla gioia!

Ines da piccola, lassú al paese, andava in giro scalza. E scalza era arrivata in casa Puntoni, cinque anni prima, quando aveva preso servizio come bambinaia. Prisca ricordava perfettamente il suo arrivo, benché allora fosse soltanto una bambinetta che non andava ancora a scuola.

Era appena finita la guerra e nei paesi dell'interno, abitati dalle famiglie dei pastori e dei contadini che erano partiti per il fronte e ancora non erano tornati, c'era una miseria cosí grande che le madri portavano le figlie a lavorare in città ancora quasi bambine, non tanto per lo stipendio, che era basso, ma perché in una casa di gente benestante avrebbero mangiato tutti i giorni.

Ines aveva tredici anni, ed era arrivata accompagnata dalla madre, che era tutta vestita di nero, con le gonne lunghe e uno scialle nero in testa che la faceva somigliare alla strega di Biancaneve che Prisca e Gabriele avevano appena visto al cinema nei cartoni animati di Walt Disney (ce li aveva portati lo zio Leopoldo assieme a Elisa).

Ines invece era vestita di bianco. Indossava l'unico abito buono che avesse mai posseduto in vita sua, quello della

95

cresima, che aveva fatto tre anni prima, e che nel frattempo le era diventato corto e stretto e le tirava sotto le ascelle, perché le stava già spuntando il seno.

Erano venute in pullman dal paese ed entrambe erano scalze. Ma la madre portava in mano, tenendole per i lacci, due scarpe da bambina di pelle bianca, alle quali era stata tagliata con cura la punta. Altro bagaglio non ne avevano.

Gabriele e Prisca, che spiavano il loro arrivo dal pianerottolo, aggrappati ai ferri della ringhiera, le avevano viste entrare cosí nell'atrio dell'edificio.

Qui, prima di affrontare le scale e lo sguardo dei "signori", la madre si era inginocchiata e aveva infilato ai piedi della figlia le scarpette bianche, che nonostante il taglio della punta le erano troppo strette e la facevano zoppicare.

I due bambini si erano ritirati precipitosamente in casa e si erano sdraiati sotto il divano dell'ingresso per assistere, non visti, all'incontro fra la madre e la nuova bambinaia. E da quella posizione avevano visto, con grandissima meraviglia, che sotto al vestito di garza bianca inamidata Ines non aveva niente, neppure le mutande.

— È robusta. Sa fare tutti i lavori di casa. Però non si faccia scrupolo di picchiarla se si comporta male! — aveva detto la madre di Ines alla signora Puntoni. — Le spezzi la schiena col bastone, ché se si lamenta con me, le darò il resto.

Ines però si era subito comportata cosí bene che né la padrona né Antonia avevano mai dovuto alzare le mani su di lei. Appena partita la madre, Antonia l'aveva portata in bagno e l'aveva fatta immergere nella vasca piena d'acqua calda e di disinfettante. Poi l'aveva pettinata a lungo col pettine fitto alla ricerca di pidocchi, ma non ne aveva trovati. I capelli di Ines erano già bellissimi, neri e lucidi come l'ala di un corvo, lunghi fino alla vita.

Era stato chiamato il dottor Maffei che aveva fatto alla bambinaia una visita generale.

— Una bella ragazzina, sana come un pesce, anche se un po' denutrita — aveva sentenziato.

Allora la signora Puntoni aveva incaricato Antonia di uscire con Ines e di comprarle un paio di scarpe e della biancheria. Dalla sartina aveva fatto cucire due camici rosa, due celesti e quattro grembiuli bianchi. Le aveva insegnato a mettersi i guanti per servire a tavola e le aveva raccomandato di non parlare mai in dialetto né con Antonia né, soprattutto, con i bambini. E cosí Ines era entrata a far parte della famiglia Puntoni, che considerava la sua a tutti gli effetti, anche perché sua madre lassú al paese dopo pochi mesi si era ammalata ed era morta, e suo padre non era mai tornato dalla guerra.

Crescendo era diventata una bella ragazza, vanitosa e piena di corteggiatori, che toccava a Prisca e a Gabriele tenere a bada quando uscivano a passeggio con la carrozzina di Filippo. La padrona le regalava i suoi abiti smessi, che addosso a lei facevano una splendida figura.

Però le era rimasta una grande passione per le scarpe.

### Capitolo terzo
*Dove si parla ancora*
*delle scarpe di vernice nera.*

Era stata l'esclamazione di Ines a suggerire a Prisca la scelta del dono natalizio per i poveri. Certo, le dispiaceva privarsi delle sue scarpette, ma pensava che un regalo o fa "impazzire di gioia" chi lo riceve, oppure non serve a niente.

Sua madre non era dello stesso parere. Quando, due giorni dopo, vide Prisca pronta per andare a teatro col nonno, col vestito di velluto e le polacche di cuoio giallo con le stringhe ereditate da Gabriele, disse: — Ma cosa ti è saltato in mente? Corri a metterti le scarpe belle di vernice!

— Non le ho piú — disse Prisca.

— Come sarebbe a dire?

— Le ho regalate.

— Regalate? A chi?

— Ai bambini poveri.

97

— A *quali* bambini poveri?

— Non lo so. A quelli dello scatolone.

— Tu mi farai diventare matta! Cosa sarebbe questa storia dello scatolone?

Prisca spiegò di cosa si trattava e la mamma tirò un sospiro di sollievo.

— Domani dici alla maestra che ti sei sbagliata e ti fai ridare indietro le scarpe.

— Neanche per sogno! — disse Prisca indignata — un regalo è un regalo e non si può chiedere indietro.

— Tu le richiederai, eccome, invece! Ma cosa ti è saltato in mente? Un paio di scarpe nuovissime che ti andranno bene per tutto il prossimo inverno... E poi, cosa credi, che i bambini poveri abbiano bisogno di scarpe eleganti? Potresti portare quei vecchi mocassini di Gabriele che a te non stanno bene.

— Ma hanno le suole bucate!

— E allora? Chi li riceverà li farà risuolare.

Prisca pensò che a Ines da piccola quei vecchi mocassini non sarebbero piaciuti affatto.

— Non posso chiedere indietro una cosa che ho regalato — ripeté ostinata. Che figura avrebbe fatto davanti alle Leccapiedi? Sarebbe morta, piuttosto.

— Vuoi due ceffoni? — le chiese la madre, e senza aspettare risposta glieli dette. — Quando imparerai a obbedire senza discutere?

Prisca si mise a singhiozzare con tanto trasporto che le si gonfiò la faccia e il nonno dovette rinunciare a portarla a teatro, e sí che davano *Il Trovatore*, dove c'era una zingara che veniva bruciata sul rogo, e prima il figlio, che poi non era suo figlio, cantava un'aria che a Prisca faceva venire i brividi dal gran piacere.

Ma l'indomani fu la mamma che dovette umiliarsi a chiedere indietro le scarpe alla maestra.

— Guardi, signora Puntoni, le ho conservate con la loro carta velina nell'armadio. Ero certa che si trattava di un errore e aspettavo che sua figlia ci ripensasse, prima di metterle nello scatolone e di segnarle sull'elenco.

— Non so come ringraziarla. Lei ha già capito che Prisca ne inventa tante che è difficile starle dietro.

— Poco male. L'importante è che abbia cambiato idea in tempo.

Prisca era furibonda. "Io non ho affatto cambiato idea!" pensava. Adesso, ogni volta che le vedeva, quelle scarpe le facevano venire il malumore, e ogni occasione era buona per strascicarle sulla ghiaia o sfregarle una contro l'altra in modo da rovinare la vernice.

Quanto a Elisa, non aveva ancora portato alcun regalo, né vecchio né nuovo.

— Cosa aspetti, Maffei? — chiedeva ogni giorno la maestra. — Vuoi fare la figura dell'avara? Proprio tu, la nipote della signora Lucrezia Gardenigo?

Ma Elisa, a costo di far sfigurare la nonna Lucrezia, era ben decisa a non portare un bel nulla perché si era resa conto, sia pure in ritardo, di una cosa che Maschiacci e Conigli neppure sospettavano, ma che Leccapiedi e Gattemorte avevano capito perfettamente fin dal primo giorno.

Il contenuto dei due scatoloni, quei rottami ignobili per chi li dava e offensivi per chi li riceveva, non erano destinati ai soliti negretti dell'Africa o comunque a bambini poveri generici e sconosciuti, ma a due persone precise: a Iolanda e ad Adelaide.

— ... e a quel branco di scimmiotti luridi e mocciosi dei loro fratellini, perché per loro due sole c'è veramente troppa roba — sussurrava Sveva a Emilia Damiani, sghignazzando sotto la ribalta del banco. — Ti sembra che Profumo di Viole e Olezzo di Rose si meritino tutto quel ben di Dio?

Elisa, quando sorprese questa frase che confermava i suoi sospetti, avvampò e si sentí prudere le mani dalla gran voglia di dare un ceffone a Sveva. Ma, a differenza di Prisca, aveva paura degli scontri fisici e cosí se ne tornò al suo posto col cuore che le batteva forte per l'indignazione.

Decise che, se i regali erano davvero per Iolanda e Adelaide, lei non avrebbe scelto degli avanzi per scaraventarli alla rinfusa nei due scatoloni, ma avrebbe preso due bei giocattoli quasi nuovi, li avrebbe involti in una coloratissima carta da regalo col nastro d'oro e il rametto di pino e li avrebbe consegnati personalmente alle due compagne fuori della scuola. Sperando che, anche fatta in questo modo, la cosa non offendesse il loro orgoglio.

## Capitolo quarto
*Dove Adelaide porta un regalo per i poveri.*

Isolate in fondo alla bancata dei Conigli, neppure Iolanda e Adelaide avevano capito quello che si stava tramando ai loro danni. D'altronde, fin dall'inizio erano rimàste estranee e indifferenti all'operazione scatoloni. Era evidente che nessuno si aspettava che anche loro portassero qualcosa, quindi il fatto non le riguardava. Non mostravano neppure la minima curiosità per quello che portavano ogni giorno le compagne e che la maestra registrava diligentemente sul taccuino.

Anche loro, come tutte le bambine della città, passavano ore e ore a fare la corte a Pretty Doll, col naso schiacciato contro le vetrine del signor Cardano. Non si facevano alcuna illusione. Non erano stupide e sapevano perfettamente che quella meraviglia, cosí come tutti gli altri giocattoli esposti, loro potevano solo permettersi di sognarli. Ma, sognare per sognare, meglio sognare Pretty Doll che i rottami ammaccati dello scatolone.

Poi, il 12 di dicembre, successe un fatto imprevisto.

Era il momento dell'offerta dei doni e la signora Sforza stava accanto alle due grandi scatole col taccuino in mano a prendere nota dei nuovi arrivi. — Marcella Osio, una mantella impermeabile rossa. Flavia Landi un Pinocchio snodato vestito di panno Lenci. Adelaide Guzzòn... ADELAIDE GUZZÒN!!??

Sí, anche Adelaide si era avvicinata allo scatolone dei giocattoli e vi aveva deposto con cautela un paio di pattini a rotelle, usati, ma in buono stato.

— Ma cosa fai, Guzzòn? — esclamò la maestra esterrefatta.

— Roba da matti! — le fece eco Sveva dal primo banco delle Leccapiedi.

Adelaide si fermò, un po' meravigliata di queste reazioni, ma aspettando che la maestra scrivesse anche il suo dono nel taccuino.

— Chi te li ha dati, questi pattini? Dove li hai presi? — abbaiò la maestra.

— Una signora... — balbettò Adelaide.

— Quale signora? Non sono tuoi, dunque! A chi li hai... presi? — (Si era trattenuta dal dire "rubati" per non guastare lo spirito natalizio.)

— Una signora — ripeté Adelaide testarda. — Non li ho presi. Me li ha dati lei. Sono andata con mamma a pulire la sua soffitta e i pattini erano in un angolo, perché i suoi figli sono grandi. Lei mi ha visto che li guardavo e mi ha detto: «Li vuoi?» Me li ha regalati.

— E si può sapere, visto che si trattava di un regalo, perché non te li sei tenuti? Ne hai forse troppi, di giocattoli, da non sapere dove metterli? Perché li hai portati a scuola?

Adelaide si strinse nelle spalle. Che razza di domanda! Erano due settimane che tutte le compagne portavano roba per gli scatoloni... Perché non anche lei?

— Da te non possiamo accettare niente — disse la maestra ripescando i pattini dal mucchio e mettendoglieli in mano.

Rosalba allora saltò su dal banco come un pupazzo a molla. — Perché?

— Perché? — incalzò Prisca.

— Perché? — chiese Marcella Osio.

— Oh, là là! Una sollevazione di popolo! — osservò la maestra con sarcasmo. — Perché sí. E se non foste delle scimunite con le fette di prosciutto sopra gli occhi, capireste anche il motivo. Possibile che vi debba spiegare tutto, anche le cose chiare come il sole? E tu, Raperonzolo, riportateli a casa, questi pattini, e tienili stretti, oppure dalli a chi ti pare.

Adelaide tornò al banco avvilita, facendo dondolare i pattini per le cinghie.

— Te l'avevo detto io! — la aggredí subito Iolanda. — Hai

visto! Non li hanno voluti. Non li dovevi neppure portare a scuola. Ma già! Tu vuoi fare quello che fanno le altre. Vuoi essere come le figlie dei signori... Vuoi che la maestra ti dica brava. E non te lo dirà mai. Sei proprio un'illusa, una scema, cara mia.

Adelaide, sotto questi rimbrotti, cominciò a piangere in silenzio, tirando su le lacrime col naso.

— Fuori! Non voglio mocciconi! — ordinò la maestra indicando la porta col dito.

Dal suo banco Prisca la fissava con un odio cosí feroce che, se fosse stato un lanciafiamme, l'avrebbe incenerita. Ma la maestra se ne infischiava dei suoi sguardi di fuoco, e questo la faceva impazzire dalla rabbia. Possibile che contro un grande un bambino non la potesse mai spuntare?

A peggiorare la situazione, proprio in quel momento un bigliettino ripiegato otto volte, passando di mano in mano, arrivò sul suo banco. Prisca lo aprí con mani tremanti e lesse:

*Avvocato delle cause perse! È inutile che tu perda il tuo tempo a difendere quei due mucchietti di spazzatura e a volerci convincere che sono uguali a noi. Perché NON LO SONO! E non sono degne di stare in questa classe, e dovrebbero baciare la polvere dove noi mettiamo i piedi, e ringraziarci se non gli sputtiamo addosso ogni volta che gli passiamo vicino. E tu che fai la paladina dei deboli e degli oppressi, faresti meglio a guardarti allo specchio. Tuo nonno materno era un pecoraio, e ti sei anche ripresa indietro le scarpe di vernice e non hai portato niente in cambio. Vergogna!*

Era la scrittura di Sveva.

— Ma che ignorante! Sputare si scrive con una sola t! — disse tranquilla Elisa. Poi vide che Prisca era diventata paonazza. Le poggiò una mano sul petto e sentí BUM BUM BUM! Tamburi di guerra!

— Calmati. Respira profondamente e poi va' fuori a bere un sorso d'acqua — le disse. — Sveva non la passerà liscia. Ho già pensato a una bellissima vendetta.

## Capitolo quinto
*Dove le tre amiche organizzano la vendetta.*

Ciò che aveva suggerito a Elisa l'idea della vendetta era stata l'abitudine dello zio Casimiro di raccontarle la trama dei libri che riteneva piú interessanti. Già Elisa conosceva l'*Iliade*, la *Divina Commedia*, l'*Orlando Furioso*, *Don Chisciotte*, *Robinson Crusoe*... Di ognuna di queste storie non aveva capito proprio tutto tutto, e si riprometteva di leggere anche lei quei libri, ma solo quando fosse stata abbastanza grande, perché aveva visto che erano molto grossi e aveva paura di annoiarsi.

Il 10 di dicembre, durante una passeggiata fuori porta in cerca di muschio per il presepio, lo zio Casimiro le aveva raccontato *I Miserabili* di Victor Hugo.

Elisa era rimasta molto colpita dalla storia di Cosetta, una bambina che la madre, prima di morire, aveva affidato a una coppia di albergatori credendoli onesti e affettuosi, e che invece si erano rivelati dei veri aguzzini. Ancor piú perfide dei genitori erano le due figlie, che rispondevano agli strani nomi di Eponina e Azelma, le quali impedivano alla povera Cosetta, che non aveva giocattoli e doveva svolgere i lavori piú ingrati e faticosi, di giocare con la loro bambola e persino di sfiorarla.

Ma l'eroico galeotto Jean Valjean, evaso dalla prigione e diventato ricchissimo, era venuto a salvare l'orfanella. E come prima cosa le aveva regalato una bambola cosí straordinaria da far schiattare d'invidia le due malvagie bambine degli albergatori.

— E se facessimo anche noi cosí? — disse Elisa a Prisca quel pomeriggio, mentre tornavano dalla visita quotidiana alle vetrine. — Se regalassimo a Iolanda e Adelaide due giocattoli piú belli di quanti Sveva Lopez ne abbia mai ricevuto? Piú belli di quanti la maestra non ne abbia mai visto?

— Secondo me è meglio non andare a cercare dei giocattoli speciali — suggerí Rosalba. — Diamogli proprio quelli che Sveva desidera e che, come al solito, è certa di ricevere.

— Lo sai, quali sono?

— Ho visto il suo elenco in negozio. Ha chiesto Pretty Doll, naturalmente, e poi la pantera di velluto nero, quella piú grande. E un vestito scozzese di taffettà con la gonna a volant, e un cappotto di cammello col colletto e i bottoni di velluto marrone, figurarsi!

La richiesta di capi d'abbigliamento come regali scandalizzava sempre le tre amiche, che erano del tutto indifferenti a quello che si mettevano addosso. E poi gli abiti e le scarpe i genitori dovevano comprarglieli comunque, no? Che razza di regali erano?

Anzi, Prisca faceva mille storie a ogni nuovo acquisto, perché si affezionava ai vestiti vecchi e non avrebbe mai voluto cambiarli. Le uniche "novità" che accettava volentieri erano i cappotti e le giacche che non stavano piú a Gabriele, perché avevano l'abbottonatura da maschio e la facevano sentire sulla buona strada per diventare mozzo o avventuriero.

— Il signor Lopez ha già portato la lista in negozio — proseguí Rosalba — però non ha lasciato nessuna caparra, come al solito, e mio padre non si ritiene impegnato a "fermargli" quei regali...

— E dunque chi arriva per primo con i soldi in tasca se li può portar via! — concluse Elisa trionfante.

L'idea era magnifica, ma come metterla in atto? Rosalba conosceva il prezzo di ogni cosa e, facendo la somma, venivano fuori trentacinquemila lire. Anche rompendo i salvadanai e mettendo insieme tutti i loro risparmi, non avrebbero mai raggiunto una cifra cosí alta.

— Pazienza. Vuol dire che quei regali li ruberemo. Rosalba terrà occupato altrove il signor Piras e noi entreremo di notte in negozio, dopo l'ora di chiusura — suggerí Prisca.

— È un piano che non funziona. Tanto per cominciare non ho la chiave del negozio — disse Rosalba.

— Useremo un grimaldello e staremo attente a non lasciare impronte digitali...

— Brava! Mio padre denuncerà il furto e quando i giocattoli e i vestiti saranno trovati nelle mani di Adelaide e di Iolanda, le arresteranno come ladre e Sveva ne sarà felicissima.

— Bisogna trovare un'altra soluzione — disse Elisa.

— Perché non chiediamo un consiglio a tuo zio Leopoldo? — propose Rosalba. Aveva già constatato, in altre occasioni, che il dottor Maffei era l'unico grande di loro conoscenza di cui ci si potesse fidare.

Cosí andarono nel suo ambulatorio e chiesero udienza.

— Siete proprio tre belle carognette! — commentò il dottor Maffei quando le bambine gli ebbero esposto il loro piano. — Cosa vi ha fatto la vostra povera compagna per meritarsi uno scherzo del genere?

— Povera! — sbottò Prisca indignata. E senza dire altro tirò fuori il bigliettino tutto spiegazzato e lo mise davanti allo zio Leopoldo.

— Be', sí! Avete ragione. La carogna è lei. Si merita anche di peggio quella superbiosa. Però non ho capito cosa c'entro io. Cosa volete da me?

— Un consiglio — disse Rosalba.

— Mi pare che non ne abbiate bisogno. Avete le idee già molto chiare. Quello che vi serve non è un consiglio, ma un prestito.

— Esatto — disse Prisca.

— Vi rendete conto, però, che si tratta di una somma enorme per delle bambine della vostra età? Che garanzie di restituzione potete offrire?

Rosalba chinò la testa. Era figlia di commerciante e inoltre troppo brava in matematica per non rendersi conto che la loro situazione, dal punto di vista finanziario, era disperata.

Ma Prisca giunse le mani supplichevole: — Non potresti darceli tu questi soldi? Te li restituiremo quando saremo grandi. Io erediterò la collana di perle della nonna Prisca e i suoi orecchini di brillanti.

Elisa le dette un calcio sotto il tavolo. Detestava chiedere soldi agli zii, anche per comprarsi le cose piú necessarie, come per esempio i quaderni o i pennini nuovi. Ma lo zio Leopoldo sembrava non aver sentito.

— Pensi che tuo padre sia disposto a farvi credito? — chiese a Rosalba.

Rosalba scosse la testa. In negozio, proprio sopra la cassa, c'era appeso un cartello.

*Siate cosí gentili da risparmiarci un rifiuto.*
*In questo negozio non si fa credito a nessuno.*

— Allora non c'è altra soluzione — concluse lo zio Leopoldo. — Quei soldi ve li dovrete guadagnare.

— Ma come? E poi ci metteremo un'eternità, e Natale è tra quindici giorni — protestò Elisa.

— Ve li anticiperò io. Diciamo che non si tratta di un prestito, ma di un contratto di lavoro — disse lo zio Leopoldo.
— Tu, Rosalba, calcola un po' quanto dovrà guadagnare ciascuna di voi per raggiungere quella somma.

Rosalba scarabocchiò su un foglio e disse: — Undicimilaseicentosessantasette...

— Benissimo. Per questa somma siete ingaggiate a partire da oggi fino a tutte le vacanze di Pasqua.

— E cosa dovremo fare? — chiese Rosalba.

— Dunque, Elisa tutti i fine settimana mi laverà l'automobile. La carrozzeria, ma anche l'interno. Scuoterà la sabbia dai tappetini, spazzolerà e smacchierà le fodere, spolvererà il cruscotto, vuoterà i portacenere, luciderà il volante... E laverà molto bene le gomme con acqua tiepida e asciugherà tutto con cura. D'accordo?

— D'accordo — rispose Elisa sospirando. Detestava l'odore dell'interno dell'automobile, le faceva venire la nausea. E ancora di piú quello del garage dove avrebbe dovuto lavorare. Ma capiva che l'offerta dello zio era generosa, e che non era il caso di tirarsi indietro.

— Rosalba — proseguí il dottor Maffei — un pomeriggio alla settimana verrà a casa nostra, prenderà la scala e spolvererà, scaffale per scaffale, tutti i libri della mia libreria. Farà un lavoro di fino. Ogni volume va sbattuto per tre volte sul davanzale. E naturalmente non dovrà rimetterli a posto alla rinfusa, ma esattamente com'erano prima.

— Lo potrei fare io, questo lavoro... — si offrí Prisca. In fondo era lei l'esperta di libri, fra le tre amiche. E l'attirava l'idea di passare tanto tempo nello studio del suo amore segreto.

— No — disse però lo zio Leopoldo. — Tu che sei cosí brava a raccontare storie, tutte le settimane, un pomeriggio a tua scelta, andrai a tenere compagnia alla mia vecchia infermiera, Olimpia, te la ricordi? Abita qui di fianco e ha le gambe cosí gonfie per la cattiva circolazione che non può piú uscire di casa e si annoia da morire, anche perché è quasi cieca, e la sorella che l'assiste non sa leggere. Sono sicuro che con te in visita sarà come avere il cinema a domicilio.

— Uffa! — disse Prisca, perché Olimpia non le era molto simpatica. Parlava troppo dello zio Leopoldo, e con un tono di possesso davvero irritante. «Il mio dottore» di qua e «Il mio dottore» di là. «Io che ci sono stata insieme per vent'anni e sono in grado di leggergli nel pensiero senza bisogno che mi parli...»

Comunque, visto che questi erano gli ordini, ci sarebbe andata e le avrebbe letto le pagine migliori delle sue agende.

— Io invece farò subito per voi una cosa importante — aggiunse lo zio Leopoldo — e ve la farò gratis. Andrò a comprare personalmente i regali e raccomanderò al signor Cardano di non dire a nessuno a chi li ha venduti. Cosí la sorpresa per quella streghetta della piccola Lopez sarà ancora piú grande.

## Capitolo sesto
*Dove lo zio Leopoldo*
*mantiene la sua promessa.*

— Che strano! — disse l'indomani a tavola il padre di Rosalba. — Non pensavo che il dottor Maffei fosse tanto amico dei Lopez del Rio.

— Cosa te lo fa pensare? — chiese la moglie.

— Stamattina si è presentato in negozio e ha comprato tutte le cose che il signor Lopez aveva indicato nella sua lista. Non si è limitato a fermarle con una caparra. Le ha pagate fino all'ultimo centesimo, e in contanti.

— Ma cosa ti fa pensare che lo abbia fatto per conto dei Lopez? Saranno per Elisa — osservò la moglie. — Tu ne sai qualcosa, Rosalba?

Rosalba scosse energicamente la testa. Non poteva rispondere, perché le avevano raccomandato tante volte di non parlare a bocca piena. E anche perché non voleva dire una bugia. Ma quasi si strozzava dalla gioia, all'idea di poter riferire alle amiche che il loro fedele alleato era già entrato in azione.

— No. Per Elisa l'ingegner Casimiro ha già fermato una bicicletta, un meccano e un orso di pelo — disse il signor Cardano. — E poi lo sai che i Maffei a Natale non regalano mai vestiti alla nipotina. I Lopez invece avevano scelto, oltre ai giocattoli, un cappotto e un abitino elegante, e quelli il dottor Maffei se li è già fatti mandare in ambulatorio.

— Avrà ricevuto un favore dai Lopez e vorrà sdebitarsi... — disse la signora Cardano.

— Chi lo sa? Mi ha anche raccomandato di non mettere il cartellino «Venduto» sui due giocattoli esposti in vetrina. Vorrà far loro una sorpresa...

— Ma se venisse a chiederteli qualcun altro?

— Chi vuoi che venga? Con quello che costano, soltanto i Lopez se li possono permettere. Però è davvero strano. Il dottor Maffei mi ha chiesto anche un'altra cosa...

— Cosa? — domandò Rosalba interessata.

Ma in quel momento Leonardo, che aveva la pessima abitudine di dondolarsi avanti e indietro con la sedia mentre mangiava, cadde di schianto all'indietro, picchiando con la testa sul pavimento.

Si fece soltanto un bernoccolo, ma pianse tanto e scatenò un tale trambusto che, quando tutto fu sistemato, i genitori si erano dimenticati la conversazione sul dottor Maffei e il suo strano acquisto, e Rosalba non poté scoprire cos'altro avesse chiesto a suo padre lo zio Leopoldo.

Natale si avvicinava, e ormai tutte le alunne della IV D avevano portato il loro dono per i bambini poveri. I due scatoloni erano pieni fino all'orlo.

— Mancano soltanto Puntoni e Maffei — diceva tutte le mattine la signora Sforza controllando la lista dei nomi sul taccuino. — Cosa state aspettando? Ricordatevi che le vacanze cominciano il 22 e dunque la consegna solenne dovremo farla il 21.

Elisa e Prisca fingevano di non sentire. — Arriverete come al solito all'ultimo momento! — le rimproverava la maestra.

Ma Sveva le insultava: — Brutte avaracce pidocchiose! Io lo so che non porterete un bel niente.

Gli aveva messo contro tutta la bancata delle Leccapiedi. — Con quale coraggio vi fate chiamare cristiane? — diceva Ester Panaro in tono d'accusa. — La suora del catechismo ci ha detto mille volte che bisogna dare il superfluo ai poveri. Che senza la carità si va all'Inferno...

— E tu, Prisca, hai avuto la faccia tosta di mandare tua madre a riprendersi indietro quelle vecchie scarpe... — aggiungeva Alessandra.

— Elisa possiamo capirlo, che non porti niente. È un'orfanella allevata per elemosina dai parenti — diceva compassionevole Emilia Damiani, che cercava sempre di mettere pace, ma con risultati disastrosi.

Infatti la sua battuta suggerí a Sveva un'idea davvero perfida. Sveva era furiosa perché le due "nemiche" non reagivano agli insulti della sua banda. Non riusciva a capire come mai Prisca, sempre pronta a venire alle mani alla minima provocazione, ora si limitasse a guardarla con un sorrisetto di superiorità.

— Fra poco è Natale! Fate la pace! Bisogna volersi bene! — esortava Emilia.

E Sveva le dava un fortissimo pizzico a torciglione sibilando: — Ma vuoi stare zitta, scema che non sei altro!

Il 20 di dicembre la maestra chiese: — C'è qualcuna che vuole tornare a scuola nel pomeriggio per aiutarmi a confezionare i pacchi per i poveri?

Molte mani si alzarono, compresa quella di Adelaide. La maestra scelse due Leccapiedi, Ester e Alessandra, e anche Sveva, che si era offerta per mettere in atto il suo piano.

Lavorarono tutto il pomeriggio e fu cosí che Sveva saltò la visita quotidiana al Paradiso dei Bambini e non si accorse che Pretty Doll e la pantera nera erano scomparse dalla vetrina. Questo era un fatto insolito. Tutti i giocattoli, che fossero venduti oppure no, restavano sempre esposti fino al mezzogiorno del 24 perché, in attesa che gli ultimi ritardatari facessero la loro scelta, le vetrine non restassero sguarnite.

Il signor Lopez aveva l'abitudine di fare i suoi acquisti nel tardo pomeriggio del 24, e perciò neppure lui si accorse che in città c'era un'altra persona in grado di comprare due giocattoli cosí costosi e che glieli aveva soffiati da sotto il naso.

## Capitolo settimo
*Dove assistiamo alla consegna dei doni.*

Arrivò la mattina del 21. Le alunne della IV D entravano in classe alla spicciolata e sbirciavano piene di curiosità verso le due sedie al fianco della cattedra, sulle quali fino al giorno prima erano poggiati i due scatoloni. Nessuna si accorse che Prisca ed Elisa oltre alla cartella si trascinavano dietro due grandi borse.

Oggi gli scatoloni non c'erano piú. Al loro posto troneggiavano due pacchi, involti in robusta carta gialla da macellaio e legati con lo spago. Senza un nastro colorato, una pigna, un funghetto o una pallina di vetro...

— Non si sono sprecate... — commentò sottovoce Marcella Osio.

Ed Emilia Damiani chiese ad Alessandra: — Ma ci voleva tutto il pomeriggio per fare due pacchi cosí brutti?

— Tu non capisci niente, come al solito! — rispose Alessandra. — Non si trattava di fare i pacchi, ma di dividere equamente i regali, in modo che tutte le bambole non finissero da una parte e tutti i cavallucci dall'altra. E anche i vestiti abbiamo dovuto dividere... Un paio di calze a destra e

110

un altro a sinistra... Con i poveri non bisogna fare favoritismi, sai. Non è caritatevole!

— E poi la maestra ci ha fatto buttare via le cose troppo malridotte — aggiunse Ester. — Anche se, secondo me, sarebbero andate ugualmente benissimo.

— Silenzio! Cosa sono queste chiacchiere! Ognuna al proprio posto. — Era entrata in classe la signora Sforza, e in un attimo ci furono il silenzio e l'ordine piú assoluto.

La maestra fece lezione come al solito, ignorando gli sguardi delle bambine che correvano continuamente ai due pacchi. Assegnò i compiti per le vacanze, fra i quali un tema: *Pensieri e riflessioni davanti al presepe.*

Finalmente, circa mezz'ora prima che suonasse la campanella di fine lezione, esclamò in tono solenne: — Ed ecco arrivato il momento dei doni! Repovik! Guzzòn! Alzatevi in piedi e ringraziate le vostre compagne. Questi bellissimi regali sono per voi.

Le due bambine si alzarono, Adelaide sorpresa e tutta sorridente, Iolanda con la faccia scontrosa.

— Su, avanti! Venite alla cattedra! — ordinò la maestra. Quelle obbedirono, ma quando furono accanto ai pacchi: — Un attimo ancora! — disse la signora Sforza. — La vostra compagna Renata Golinelli reciterà una poesia che io stessa ho composto per l'occasione.

Renata uscí dal banco, si mise sull'attenti, fissò un punto sopra la testa della maestra e recitò con aria ispirata:

*Sopra la paglia Gesú Bambino*
*trema di freddo, nudo e affamato.*
*L'asino e il bove gli stan vicino*
*e lo riscaldano col loro fiato.*
*I pastorelli gli portan doni*
*per ricoprirlo e farlo mangiare.*
*Son generosi, son tanto buoni.*
*Sono un esempio da imitare.*
*Perché anche adesso ci son quaggiú*
*bambini poveri come Gesú.*

L'ultimo verso lo disse indicando col dito Adelaide e Iolanda. Quando ebbe terminato, la maestra fece: — Ecco, adesso potete prendere i pacchi, uno per ciascuna. Ma non apriteli prima di essere a casa, mi raccomando, altrimenti vi cadrà tutto e non saprete come fare a portarlo.

Ma prima che le due bambine potessero obbedire, Prisca dal suo banco alzò la mano: — Anch'io vorrei recitare una poesia di Natale — (questo non faceva parte del piano; le era venuta in mente in un attimo, ascoltando le scemenze che diceva Renata).

— Non c'è più tempo — disse la maestra — sta per suonare la campana. E poi, cosa c'entri tu, che non hai portato neppure un regalo per gli scatoloni?

— L'ho portato — disse Prisca, tirando fuori da sotto il banco un grande pacco involto in carta rossa a disegni d'oro, e senza aspettare il permesso recitò svelta svelta:

*I pastori sono partiti,*
*ma i regali non sono finiti.*
*Tre re magi sopra i cammelli*
*portano doni ancora più belli!*

Fece un segno a Elisa e a Rosalba, che trascinarono verso la cattedra un altro grande pacco scintillante di fili argentati.

— Per Iolanda... e per Adelaide! — disse Elisa. — Con tanti auguri di buon Natale da parte nostra! — e abbracciò e baciò le due bambine, imitata da Prisca e da Rosalba.

### Capitolo ottavo
*Dove succede un gran parapiglia.*

La sorpresa suscitata da questa iniziativa fu enorme. Dalla bancata dei Conigli partì un timido applauso che un'occhiataccia della maestra fece immediatamente cessare. Le Leccapiedi e le Gattemorte erano disorientate e non sapevano che atteggiamento assumere. Erano eccitate per la novità, ma anche un po' seccate, perché i due pacchi dei "re magi" facevano passare in secondo piano i regali degli scatoloni e la loro generosità, nella quale si erano crogiolate fino a un attimo prima.

Comunque il sentimento piú forte in tutta la classe era la curiosità.

— Non basta una bella carta. Bisogna vedere cosa c'è dentro — osservò acida Ester Panaro.

— Su, voi due, aprite questi pacchi e fateci vedere che meraviglie contengono — ordinò Sveva.

Adelaide si era già buttata sul nastro e lo tirava con furia per scioglierlo, mentre Iolanda se ne restava imbronciata a braccia conserte. Il nastro cedette, la carta si strappò, rivelando della carta velina bianca che fece la stessa fine di quella colorata... e agli occhi attoniti della classe apparve un delizioso abito di taffettà scozzese con le maniche a palloncino e con la gonna a balze.

— Proprio quello che ti ci voleva, Olezzo di Rose! — commentò sarcastica la maestra, guardando ostentatamente le gambette magre e sporche di Adelaide, piene di graffi, e le vecchie scarpe sfondate. — Ti starà a meraviglia quando andrai a ballare col principe.

"Bisogna che dica al babbo che me ne compri uno di velluto" pensò Sveva "mica posso andarmene in giro con un vestito uguale a quello di questa pezzente. Ma cosa gli è saltato in mente a quell'idiota di Puntoni?"

Quando però Adelaide estrasse dalla scatola la pantera nera e con un'esclamazione di gioia l'abbracciò stretta stretta, Sveva cominciò a capire che non si trattava di una somiglianza casuale e diventò livida dalla rabbia.

A quel punto Iolanda aveva perduto la sua aria offesa e si era gettata a disfare il suo pacco rosso e oro. L'apparizione di Pretty Doll – era LEI, non ne esistevano due uguali su tutta la terra – lasciò l'intera classe senza fiato, compresa la maestra.

Sveva non riuscí a trattenersi. — È mia, quella bambola! E anche la pantera, e anche il vestito e il cappotto. Sono miei! Mio padre li aveva già prenotati!

— No — disse Rosalba con sicurezza. — Non li aveva fermati. Non aveva lasciato una lira di caparra. Mio papà non li avrebbe venduti a noi altrimenti.

Ma Sveva non la stava a sentire. Si era gettata su Iolanda e cercava di strapparle la bambola dalle mani.

— Brutta pezzente, dammela! È mia! Tu non hai neanche il diritto di toccarla, con quelle manacce sporche!

Iolanda però non aveva intenzione di cedere. — È mia! L'hanno regalata a me! — strillava, e per far lasciare a Sveva la presa, la morsicò forte su una mano. Sveva cominciò a urlare come se la stessero scannando, ma non cessava di tempestare l'avversaria di calci e di pugni.

— State attente! Finirete per rompere la bambola! — raccomandava Emilia Damiani preoccupata.

La maestra, presa alla sprovvista, non sapeva cosa fare. Mai, mai, mai, all'Ascensione si era verificata tra le sue alunne una scena cosí incresciosa. Una bambina dei vicoli, una piccola pezzente che osava mettere le mani addosso a una ragazzina di buona famiglia (è pur vero che di bambine dei vicoli in quella scuola non ce n'erano).

— Repovik, smettila immediatamente! — ordinò.

Ma Iolanda non avrebbe potuto smettere neanche se avesse voluto (e non voleva) perché la sua avversaria la teneva avvinghiata cosí strettamente che le era impossibile allontanarsi. La maestra afferrò il righello per colpirla, ma si rese conto che in quel groviglio di gambe e di braccia non era possibile distinguere e c'era il rischio di colpire, invece, proprio quella Sveva che voleva difendere.

— Osio, corri a chiamare il bidello! — ordinò. — E tu, Repovik, non credere di cavartela a buon mercato! Ti farò cacciare dalla scuola, ti farò mettere in prigione.

Intanto nella bancata dei Maschiacci si stava svolgendo un altro dramma.

Mentre Elisa guardava esterrefatta la rissa tra Sveva e Iolanda, le si era avvicinata Alessandra, che con aria maligna le aveva offerto un pacchettino avvolto nella stessa carta gialla da macellaio dei due piú grandi.

— Visto che sei un'orfanella, cosí povera da non poter offrire neppure un solo giocattolo usato, abbiamo deciso che era giusto regalare anche a te qualcosa dagli scatoloni dei poveri. Da parte della classe con tanti auguri di buon Natale!

Meravigliata, Elisa svolse il pacco e le caddero in grembo tutti i rottami polverosi che la maestra aveva fatto scartare e che Sveva aveva messo da parte con cura al solo scopo di umiliarla. Gli occhi le si riempirono di lacrime, ma non fece in tempo a scoppiare in singhiozzi, perché Prisca aveva afferrato fulmineamente Alessandra per il colletto e le aveva dato un gran pugno sul naso, facendoglielo sanguinare a fiotti. — Dimmi chi ti ha detto di fare questa carognata! Dimmelo! Sono sicura che non è farina del tuo sacco! — E giú un ceffone da farle rintronare le orecchie.

— Puntoni! Sei impazzita? — urlò la maestra.

— È stata Sveva! — balbettò Alessandra, guardando inorridita il sangue che le inzuppava il colletto, il fiocco rosa a pallini celesti, la pettorina del grembiule.

Prisca la spinse lontano indignata e si diresse verso la cattedra dove Sveva era riuscita a strappare la bambola dalle mani di Iolanda e a gettare l'avversaria lunga distesa per terra.

— Brutta vigliacca! Cosa ti aveva fatto Elisa? — le chiese arrabbiata.

— Perché te la prendi tanto? Chi riceve un regalo dovrebbe ringraziare — sghignazzò Sveva, continuando a tenere sotto la povera Iolanda e a premerle un ginocchio sulla schiena.

— Eccotelo il mio ringraziamento! — gridò Prisca afferrandola per i capelli e sollevandola in piedi. Iolanda recuperò Pretty Doll e se la svignò nel suo banco in fondo all'aula.

Prisca aveva dato a Sveva una bella scrollata, poi aveva cominciato a colpirla con pugni e calci, spingendola contro il muro. L'altra si difendeva a morsi e a unghiate, furiosa per l'umiliazione di essere battuta davanti a tutta la classe.

— Dov'è andato a finire lo spirito natalizio? — piagnucolava Emilia Damiani.

115

Arrivò il bidello. — Cosa succede qui dentro?

— Le separi! — ordinò la maestra, arrabbiata perché non poteva piú dare tutta la colpa a Iolanda.

Il bidello non fece una piega. Era abituato a ben altro nelle classi maschili.

— Chi è stata a cominciare? — chiese burbero dopo aver sistemato le due avversarie una da un lato, l'altra dall'altro della cattedra.

— Sveva! — risposero in coro tutti i Conigli e tutti i Maschiacci. E poiché tra i Conigli c'era sua figlia Anna, che non diceva mai bugie, il bidello ci credette e, senza alcun rispetto per la nobile famiglia Lopez del Rio, disse a Sveva in tono di rimprovero: — Hai visto che hai finito per prenderle? Un'altra volta impari!

Ma la classe era ancora agitata. In piedi vicino alla cattedra Adelaide singhiozzava abbracciando stretta la pantera di velluto. Rosalba asciugava sollecita col suo fazzoletto il sangue che colava dai graffi che Prisca aveva sulle mani e sulle braccia.

Elisa rideva istericamente. Marcella Osio ripeteva: — Che vergogna! Che vergogna! — I Conigli e i Maschiacci rumoreggiavano solidali, guardando minacciosi le Leccapiedi.

— Bambine, sono esterrefatta! — dichiarò la signora Sforza appena il bidello fu uscito. — Credevo di essere venuta a insegnare in una classe di ragazzine per bene e non in una tribú di piccole selvagge! Nemmeno i carrettieri, nemmeno i facchini di piazza si comportano cosí! Questo scoppio di violenza mi ha sconvolta a tal punto che non so cosa fare. Ma non crediate di passarla liscia. Al ritorno dalle vacanze prenderò i miei provvedimenti. Vi siete comportate tutte in un modo disgustoso, però c'è tra di voi chi è responsabile dello scoppio di questa abominevole rissa e chi ha risposto solo perché è stata provocata. Sappiate che ne terrò conto. Qualcuna di voi la pagherà cara.

E dopo questa minaccia si chiuse in un cupo silenzio e si mise a riordinare le sue carte sulla cattedra. Fortunatamente a quel punto suonò la campana.

Le bambine, avvilite, si avvicinarono in silenzio all'attaccapanni per prendere il cappotto. Poi, col consueto cerimoniale, si misero in fila e uscirono nel corridoio. Adelaide e Iolanda reggevano a fatica tra le braccia due grandi pacchi ciascuna: quello di carta gialla da macellaio, ancora ben legato con lo spago, e quello di carta colorata, tutto spiegazzato e mezzo aperto. Da uno di questi pacchi si affacciava la coda della pantera nera, dall'altro un piedino nudo di Pretty Doll.

Giú nell'atrio la classe eseguí alla perfezione le Grandi Manovre e cantò con trasporto "Finito è un giorno di duro lavoro".

Poi le bambine si sparpagliarono nell'atrio augurandosi a vicenda: — Buon Natale! Buone vacanze! — Ma sottovoce e senza il minimo entusiasmo.

— Non credere che finisca cosí. Te la farò pagare — sussurrò Sveva passando accanto a Prisca.

— Prova a toccarmi Elisa un'altra volta e vedrai! — rispose Prisca tra i denti.


### Capitolo nono
*Dove la famiglia Maffei riceve una visita.*

Quello stesso pomeriggio, subito dopo pranzo, mentre gli zii prendevano il caffè ed Elisa aiutava la nonna a sparecchiare, la tata osservò: — Che strano... Mi sembra di sentir piangere un bambino nelle nostre scale.

— Tu senti bambini dappertutto — le disse ridendo lo zio Casimiro. — È un tipico caso di deformazione professionale.

— Ti piacerebbe, eh, avere un nuovo piccolino da curare? — aggiunse lo zio Baldassarre. — Ma dovrai aspettare che Elisa compia vent'anni.

— Venticinque — lo corresse lo zio Leopoldo. — Io non la lascerò sposare prima che sia laureata.

— Pff! — disse la tata con sufficienza. — Cosa se ne farà poi la bambina della laurea lo sa solo Iddio! Tua madre,

Leopoldo, si è sposata a diciassette anni e vi ha tirati su benissimo, senza bisogno di alcun diploma.

— Perché c'eri tu, tata, ad aiutarmi — disse la nonna Mariuccia. — Non so proprio come avrei fatto senza di te.

Lo diceva sempre, quando vedeva la tata di malumore, per risollevarle il morale. La tata, anche se non li dimostrava, aveva quasi ottant'anni e in origine era stata la bambinaia della nonna Mariuccia.

A Elisa riusciva difficile immaginare che anche la nonna fosse stata un bebè. Ma lo era stata, come ogni altra persona di questa terra. Se n'era andata a spasso dentro una di quelle carrozzine altissime e molleggiate, e chi la spingeva era la tata Isolina, che era venuta in città dal suo paese in casa dei bisnonni per occuparsi di lei.

— E la fasciavo stretta stretta dalle spalle ai piedi, perché allora si usava cosí — diceva la tata. — I bambini crescevano meglio di oggi, con la schiena bella dritta.

— Che stupidaggini! — osservava lo zio Leopoldo.

— Altro che stupidaggini! Tua madre ha sempre avuto un bellissimo portamento, grazie alle fasce. Voi invece ve ne andate in giro gobbi come dei vecchietti...

Quando la nonna si era sposata, la tata era andata a stare con lei e aveva allevato i suoi quattro figli. E infine si era occupata di Elisa. Non c'era da stupirsi dunque se tutto quello che riguardava i bambini le faceva drizzare le orecchie.

Adesso il pianto infantile si era avvicinato e si avvertiva distintamente.

— Cosa?... — iniziò a dire la nonna, ma in quel momento suonò il campanello della porta. Lo zio Baldassarre poggiò la tazzina e andò ad aprire.

Sul pianerottolo c'era una donnina ancora giovane, magra e secca, vestita poveramente, ma con un'espressione energica e due occhi fiammeggianti, che teneva stretta per mano una mocciosetta infagottata in un maglione sporco e troppo grande per lei.

La bambina piagnucolava e cercava di nascondersi dietro alla madre. Questa, come vide lo zio Baldassarre, gli scaraventò tra le braccia un grosso involto di carta di giornale. — Ecco! Ho riportato indietro tutto — disse la donna. — Controlli se manca qualcosa! E stia certo che mia figlia ha avuto quello che le spettava. Siamo povera gente, noi, ma ladri no! Questo nella nostra famiglia non era ancora successo, disgraziata! — e allungò un ceffone alla bambina, che si mise a frignare piú forte.

Lo zio Baldassarre, imbarazzatissimo, balbettò: — Mi scusi, signora... Non capisco...

A quel punto qualcosa dentro l'involto si mosse e una vocetta lamentosa disse:

— Mamma, ho sonno! Mettimi a dormire.

— Mamma! — gridò a sua volta lo zio Baldassarre esterrefatto, fissando il pacco come se avesse visto un serpente velenoso, ma non osando lasciarlo cadere: — Mammaaaa! Vieni!

Arrivò la nonna Mariuccia, seguita da Elisa, dallo zio Leopoldo e dalla tata.

— Iolanda! — esclamò Elisa riconoscendo l'amica. — Perché stai piangendo? Cosa ti hanno fatto?

— Diglielo che non ho rubato niente — singhiozzò Iolanda.

— Ah, no? Ladra, e anche bugiarda! — strillò la madre. E giú un altro ceffone.

— Signora, si calmi! — intervenne lo zio Leopoldo con fare autorevole. — Ci spieghi cos'è successo.

— Eh, già! Voi siete cosí ricchi che non ve ne siete nemmeno accorti di quello che è successo. Ne avete tanta, di roba, che se vi manca qualcosa bisogna che ve lo venga a dire un altro.

— Ma non ci è mancato niente — protestò la nonna Mariuccia.

— Nemmeno alla bambina? Questa disgraziata di mia figlia, che la possano incenerire, le ruba i vestiti, i giocattoli, e voi niente, non fate una piega...

— Non li ho rubati! Erano un regalo! — strillò Iolanda. — Diglielo tu, Elisa, che erano un regalo.

— Certo che erano un regalo! — confermò Elisa indignata. — Il nostro regalo di Natale.

— Be'! Questa poi... Una bambola da diecimila lire... — disse la madre di Iolanda incredula, e poi, subito, di nuovo battagliera. — Bel regalo! Lo sa, lei, dottore, che abbiamo sette bocche da sfamare? Cosa ce ne facciamo di una bambola cosí e di un cappotto di lusso? Ce li mangiamo?

— Mi scusi — disse lo zio Leopoldo. — Ma nel pacco c'era anche una lettera. Non l'avete letta?

— Noi non leggiamo le lettere degli altri! — dichiarò fieramente la donna.

— Ma sulla busta c'era il vostro nome.

— Siamo analfabeti — ammise quella a malincuore.

— Iolanda però va a scuola — osservò Elisa. — Potevate farla leggere a lei.

— Già! Cosí poi ci raccontava qualcun'altra delle sue bugie...

— Ha fatto male a non credere alla bambina, signora — disse lo zio Leopoldo. — La lettera era per voi. C'era scritto che, se lo ritenevate opportuno, potevate riportare indietro i regali al Paradiso dei Bambini e scegliere in cambio qualsiasi altra cosa dello stesso valore. È un accordo che ho preso io personalmente col signor Cardano.

— Non potremmo avere i soldi, invece? — chiese la donna con un lampo d'avidità nello sguardo. — L'affitto che scade, tante spese...

— Mamma! — supplicò Iolanda tirandola per lo scialle.

— No. Il denaro no — disse lo zio Leopoldo. — Questa non è un'iniziativa di beneficienza natalizia. È un regalo delle nostre bambine per sua figlia. Può scegliere qualcosa di utile per lei...

— Va bene — fece la donna asciutta, un po' offesa — allora tante grazie. E mi scusino per il disturbo.

Tolse l'involto dalle mani dello zio Baldassarre, che nel frattempo aveva continuato a stringerlo al petto senza sapere che fare, dette uno strattone alla mano di Iolanda e si trascinò dietro la figlia per le scale.

— Ciao, Iolanda! — salutò Elisa imbarazzata. Si sentiva in colpa, anche se non capiva per cosa.

— Ciao, Elisa! — rispose Iolanda senza sollevare la testa.

— Con certa gente è meglio non averci a che fare! — sentenziò la tata. — Picchiare a quel modo una bambina! E davanti a tutti! Che vergogna!

In casa di Adelaide invece evidentemente c'era qualcuno che sapeva leggere, perché da quella parte non arrivarono proteste. Nel giro di due giorni i giocattoli e gli indumenti furono restituiti al Paradiso dei Bambini, in cambio di scarpe, biancheria e abiti per adulti. Ma benché adesso bambola, pantera, vestito e cappotto fossero di nuovo disponibili, il signor Lopez del Rio non li volle più comprare.

— Dopo che sono stati nelle mani di quella gentaglia! Dopo che mia figlia è stata umiliata pubblicamente. E tutto perché lei, signor Cardano, non ha mantenuto il suo impegno! Sa cosa le dico? Non metterò più piede nel suo negozio.

— Si accomodi! — rispose il padre di Rosalba. E più tardi commentò con la moglie: — Un cliente cosí meglio perderlo che trovarlo. Fra l'altro voglio proprio vedere dove andrà a comprarli, adesso, i regali per la sua smorfiosa. Noi siamo gli unici, in città, a tenere giocattoli, e dovrebbe saperlo. Quello che mi dispiace è che, con tutta questa storia, mi rimarrà sul gobbo la bambola parlante. Non so proprio chi altro la potrebbe comperare.

Ma l'indomani Pretty Doll fu richiesta, indovinate da chi? Dalla nonna Mariuccia, che voleva fare uno regalo scherzoso allo zio Baldassarre. Lo aveva visto cosí sconvolto sul pianerottolo con quella creatura meccanica che gli si agitava e piagnucolava tra le braccia, che aveva deciso di fargliela trovare in un cesto ai piedi del presepio la mattina di Natale.

E credete che lo zio Baldassarre, dopo la prima meraviglia, regalasse la bambola a Elisa come tutti in casa si aspettavano? Niente affatto. La chiuse nell'armadio della sua camera e nessuno la vide più. Se poi, di nascosto da tutti, qualche volta la tirava fuori per giocarci, restò sempre un mister〉

121

# Capitolo decimo
*"Pensieri e riflessioni davanti al presepe."*
*Tema di Prisca.*

C'era una volta una bambina di nome Emma, che era il capo di una tribú di briganti. I briganti le obbedivano in tutto e per tutto perché Emma una volta aveva trovato sulla sabbia del deserto una lampada magica, dalla quale, a strofinarla, usciva un omaccione enorme, fortissimo, che volava, diventava invisibile, poteva fare qualsiasi cosa ed era il suo schiavo.

Ogni volta che un brigante cercava di ribellarsi e di scappare con un po' del tesoro, Emma faceva uscire il genio dalla lampada e gli ordinava di acchiapparlo e di dargli una buona dose di randellate, e cosí manteneva la disciplina in quella banda di uomini turbolenti.

Abitavano tutti insieme in una caverna, che per entrarci bisognava dire una formula magica, e di giorno se ne andavano in giro a cavallo per il deserto. Se incontravano una carovana di ricchi mercanti, li assalivano e gli rubavano tutte le ricchezze. Se incontravano qualche povera tribú che si trasferiva da un'oasi all'altra perché c'era la siccità o la carestia, Emma invitava tutti i suoi componenti dentro alla grotta per farli riposare e regalava loro moltissimi tesori, soprattutto roba da mangiare e giocattoli per i bambini.

Un giorno, mentre cavalcava sulle dune con i suoi briganti, Emma vide in lontananza una lunghissima carovana formata da cammelli e dromedari carichi di bagagli. C'era anche tanta gente a piedi, cani, cavalli e tre anziani signori che dovevano essere i capi, perché avevano attorno molti servi che li riparavano dal sole con l'ombrellino e gli facevano fresco col ventaglio.

«All'assalto, miei prodi!» gridò Emma, e in un batter d'occhio la carovana fu catturata e i suoi capi furono fatti prigionieri. «Chi siete e dove andate con tutti questi tesori?» li interrogò Emma, dopo averli fatti legare come salami.

«Siamo i Re Magi» risposero quelli «e andiamo a Betlemme per fare gli auguri a un bambino appena nato.»

«Ricco o povero?» chiese Emma.

«Poverissimo. Pensa che è nato in una stalla perché i suoi genitori non avevano i soldi per pagare l'albergo.»

«Allora vengo con voi» disse Emma. E ordinò ai suoi di liberare i prigionieri con tante scuse e di prepararsi a partire.

Cosí si misero in viaggio verso Betlemme. Di giorno si orientavano con la bussola. Di notte seguivano una stella cometa, e uno dei Re Magi, che aveva inventato il telescopio, la vedeva meglio degli altri e faceva dei calcoli per i suoi studi di astronomia.

A un certo punto cominciarono a vedere che le palme erano tutte ricoperte di neve e che la campagna era piena di sentieri di ghiaia attraversati da pastori con le pecore sulle spalle, da lavandaie, da ragazzi con un cestino di frutta sulla testa, da zampognari e da donne che davano da mangiare alle galline.

«È perché ci stiamo avvicinando al presepio» spiegò a Emma il piú anziano dei Re Magi. «Vedi quel castello illuminato sulla collina? È la reggia di Erode, un tipo nevrastenico che vuol fare ammazzare tutti i bambini piccoli perché gli danno fastidio.»

«Anche a mio papà» disse Emma «soprattutto quando piangono di notte. Dice che vorrebbe buttarli dalla finestra. Ma poi si mette i tappi di cera nelle orecchie e gli passa tutto.»

Strofinò la lampada e ordinò al genio di andare al palazzo e di dare a Erode una bella dose di randellate. «E dopo lo trasformerai in un marmocchio di pochi mesi, cosí impara!»

«Agli ordini, padrona!» rispose il genio, e volò via.

Arrivarono alla grotta di Betlemme, che era tutta decorata di luci verdi e rosse intermittenti, e sopra c'era un angelo con uno striscione di stoffa celeste dove c'era scritto: "Pace in terra agli uomini di buona volontà."

Dentro alla grotta c'erano la Madonna e San Giuseppe che facevano gli onori di casa e, poggiato per terra su un lettino di paglia, c'era Gesú Bambino, tutto nudo, tranne una piccola striscia di stoffa celeste poggiata sulla pancia, che non si capiva come non cadesse.

I Re Magi scesero dai cammelli e gli regalarono oro, incenso e mirra.

*Emma scese da cavallo, salutò la Madonna e le chiese: «Ma scusi, signora, perché non gli ha messo qualcosa addosso a questo bambino? Perché lo lascia nudo come un verme?»*

*«Oh! Tanto fa caldo!» rispose la Madonna.*

*«Non mi sembra» rispose Emma. «Siamo in dicembre. Non vede che le palme sono ricoperte di neve? Lei e suo marito siete vestiti di tutto punto, con le maniche lunghe. I pastori e gli zampognari hanno la giacchetta di pelliccia, e anche i Re Magi sono coperti con turbanti e mantelli.»*

*Lei stessa quando aveva visto la neve si era messa le calze pesanti, un maglione e un berretto di lana.*

*La Madonna, un po' confusa, cercò di giustificarsi: «Ci sono l'asino e il bue che lo scaldano col fiato.,.»*

*«Bell'igiene!» commentò Emma. «E poi, non gli ha messo neppure un lenzuolino per isolarlo dalla paglia. Lo sa che può prendere le zecche? E comunque sarà tutto irritato. La pelle dei bambini piccoli è molto delicata, sa?»*

*«Non me ne intendo molto. Questo è il mio primo bambino» disse la Madonna.*

*«Le assicuro che è proprio cosí. Mio fratello Filippo l'anno scorso piangeva tutta la notte e non ci lasciava dormire, finché Antonia non ha scoperto che aveva il sedere rosso come quello di una scimmia, perché non lo cambiavamo abbastanza spesso. Lei, quante volte lo cambia, al giorno, il suo bambino?»*

*«Veramente» disse la Madonna «non lo cambio mai. Non ha mica i panni di mollettone come suo fratello, il mio bambino.»*

*«E quella striscia di stoffa celeste?»*

*«Ah, quella è per bellezza, sa! E anche per pudore. Perché non si veda... lei capisce cosa intendo dire...»*

*«Sarà tutta bagnata di pipí» disse Emma. «Non lo sa che i maschietti la fanno a zampillo?»*

*«Non lo sapevo» confessò la Madonna. «Non me ne intendo molto di queste cose.»*

*Allora Emma strofinò la lampada e richiamò il genio. «Fa' una corsa da Frette, per favore, e comprami un corredino da neonato. Biancheria da letto, coperte, una tela cerata, panni, spille da balia, camicie, magliette, scarpette di lana, guanti per* non graffiarsi la faccia, bavaglini, coprifasce e soprattutto quattro o cinque golfini di lana morbidissima, della prima e della seconda misura. E poi una vaschetta per il bagno, con lo sciampo speciale che non brucia gli occhi, l'accappatoio, il borotalco e la crema contro gli arrossamenti. E poi il termometro a forma di pesce e l'ochetta galleggiante.»

«Te ne intendi, tu!» disse la Madonna ammirata.

«Eh, sí» ammise Emma con modestia. «Ho imparato tutto quando è nato mio fratello, e poi l'ho ripetuto mille volte giocando con le bambole.»

Il genio della lampada tornò in un attimo con tutto quello che gli era stato ordinato. Di sua iniziativa aveva comprato anche una carrozzina. Blu.

«Grazie. È il piú bel regalo che abbia ricevuto in tutti questi secoli» disse la Madonna.

«Di niente» rispose Emma educatamente. Baciò il bambino, montò in sella e dette ai suoi briganti l'ordine di ripartire.

Se ne tornarono nella loro caverna e vissero per sempre felici e contenti.

Quando Emma ebbe sedici anni si sposò con un principe beduino ed ebbe diciassette figli, otto maschi e nove femmine.

Però, nonostante nel deserto facesse molto caldo, non li tenne mai nudi sulla paglia a sudare e a farsi pungere dalle zecche, ma li vestí sempre con dei bellissimi abitini ricamati per non fare brutte figure quando la gente andava a trovarla per farle gli auguri.

# GENNAIO

GENNAIO

# Capitolo primo
*Dove la maestra Sforza*
*amministra la giustizia.*

Le vacanze terminavano con l'Epifania. Il 7 di gennaio bisognava tornare a scuola.

Prisca, Elisa e Rosalba, man mano che quella data si
avvicinava, erano sempre piú preoccupate. Ripensavano
alla minaccia della maestra: «Dopo le vacanze faremo i
conti.»

La piú spaventata era Elisa. Rosalba cercava di farla ragionare: — Ha detto anche: «Saprò distinguere fra chi ha
provocato la rissa e chi ha reagito alla provocazione.» Ed è
chiaro che la prima a provocare è stata Sveva.

Ma Elisa obiettava sconsolata: — Siamo state noi, a cominciare. Anzi, è stata Prisca, quando si è alzata e ha recitato quegli stupidi versi sui Re Magi.

— Erano sempre meglio dei versi sui bambini poveri! —
protestò Prisca un po' offesa. Poi aggiunse: — Senti! Perché
non facciamo un esperimento? Probabilmente hai ragione
tu. La signora Sforza pensa che la colpa è nostra e ha deciso
di punirci. Ma se è una leccapiedi, come io sospetto, c'è un
modo per impedirglielo.

— Quale?

— Farci accompagnare in classe da tua nonna Lucrezia.

— Non funzionerà... — disse Elisa scettica.

— Tentare non costa niente — insistette Rosalba.

La nonna Lucrezia fu ben felice di accontentare la nipotina. Se fosse stato per lei, l'avrebbe fatta accompagnare a scuola tutti giorni in macchina dall'autista.

— Farebbe bene anche all'automobile, prendere un po' d'aria. Sta tutto il giorno ad ammuffire nel garage...

— Alla salute della macchina ci pensi lei — rispondeva invariabilmente lo zio Leopoldo. — Io penso a quella di Elisa, e non c'è niente di piú salutare di una bella passeggiata mattutina.

— Però devi venire anche tu, nonna! — insistette Elisa quel giorno. Naturalmente senza spiegargliene il motivo, come se si fosse trattato di un capriccio immotivato a cui non poteva rinunciare. La nonna brontolò, perché non era abituata ad alzarsi presto, ma finí per acconsentire.

La fortuna volle che la grande automobile nera con le cromature lucenti si fermasse davanti alla scuola nel preciso momento in cui arrivava la signora Sforza. Tutti i bambini avevano fatto capannello intorno per guardare l'autista in divisa che scendeva e apriva con un inchino prima l'una, poi l'altra portiera posteriore. Anche la signora Sforza si fermò incuriosita.

Quando vide scendere da quella meraviglia tre delle sue alunne che la salutarono con rispetto, un sorriso compiaciuto le si stampò sulle labbra. Ma quando, sostenuta appena dalla mano guantata dell'autista, la signora Lucrezia Gardenigo, col suo mantello di visone, i discreti gioielli da mattina, la pettinatura perfetta sotto l'elegante cappello, approdò sul marciapiede della scuola, la maestra si precipitò a salutarla inchinandosi anche lei tutta sdilinquita.

— Signora Gardenigo! Che sorpresa! A cosa dobbiamo tanto onore?

La nonna Lucrezia la guardò dall'alto in basso con aria di sufficienza. — Lei si sorprende con molta facilità. Cosa c'è di strano se una nonna accompagna a scuola la sua nipotina?

— Quell'angioletto della sua Elisa! — squittí la signora Sforza. — Un vero tesoro!

— E come va a scuola il mio angioletto? Studia? Si comporta bene? Mi fa onore? È un'allieva che le dà soddisfazione?

— È la migliore! La migliore della classe! Sono felice di averla con me — si precipitò a dire la signora Sforza, tutta miele.

— Bene. Spero che Elisa sia altrettanto soddisfatta di lei — concluse la nonna Lucrezia, ignorando la mano che la signora Sforza le porgeva.

Elisa era a disagio. Era sempre a disagio quando la nonna Lucrezia si comportava in quel modo scostante e superbo. Era sicura che da piccola la nonna era stata una bambina ancora piú odiosa di Sveva Lopez.

Ma Prisca le dette una gomitata esultante e sussurrò: — Vedi! Ha funzionato. Avevo ragione io. La maestra è una leccapiedi. Tu sei a posto, e speriamo che serva anche per noi due.

La nonna Lucrezia baciò in fronte Elisa, salutò la maestra con un freddo cenno del capo, risalí in automobile e ordinò all'autista di partire.

E a quel punto la maestra fece una cosa che lasciò le tre amiche a bocca aperta. Lí sul marciapiede, davanti a tutti, attirò a sé Elisa e la baciò sulla fronte, nel punto esatto dove si erano poggiate le labbra della nonna. A Elisa parve di sentire il tocco viscido della lingua di un serpente.

— Era meglio venire punite piuttosto che recitare questa commedia — disse sottovoce a Prisca quando furono in classe. — Ci siamo comportate anche noi come tre leccapiedi.

— Bisogna combatterla con le sue stesse armi! — rispose Prisca con decisione.

Ma all'inizio sembrò che tutta quella recita non fosse servita a niente.

Dopo l'appello, la preghiera e l'ispezione di pulizia, la maestra aprí il registro e fissò su Prisca e Rosalba uno sguardo freddo e severo.

— Considerato lo sgradevole episodio verificatosi l'ultimo giorno prima delle vacanze — disse — vi informo di aver messo...

"Oh, no! Uno zero in condotta!" pensò Rosalba, stringendo la ribalta del banco con le mani sudate.

— ... di aver messo una nota di biasimo a Rosalba Cardano, che ha approfittato del mestiere di suo padre per rivelare notizie che dovevano restare segrete, e a Prisca Puntoni, per aver recitato una poesia nonostante il mio divieto, e per aver usato le mani come un ragazzaccio di strada. Le due note le ho scritte a matita. Resteranno in sospeso e verranno confermate soltanto se Cardano e Puntoni si comporteranno ancora in modo disdicevole. Altrimenti le cancellerò.

Fece una pausa. Prisca e Rosalba sospirarono di sollievo. Una nota di biasimo era ben poca cosa, anche se fosse stata ripassata a inchiostro! Ce ne volevano quattro per abbassare di un punto il voto di condotta. Ma il resto della classe aspettava con ansia il seguito. E a Sveva cosa sarebbe toccato? E a Elisa, che certo era stata complice delle due amiche?

Lentamente la signora Sforza richiuse il registro. Allungò una mano e prese una bacchetta lunga circa un metro e mezzo che stava poggiata al muro dietro di lei e che le bambine ancora non avevano notato.

— Non avrei mai voluto arrivare a questo punto — disse con rammarico la maestra. — Ma alcune vostre compagne, col loro comportamento incivile, mi ci hanno costretta.

Fece vibrare la verga per aria e le bambine videro che qua e là dal legno spuntavano dei piccoli chiodi arrugginiti. La riconobbero. Era l'asta che fino all'anno prima aveva sostenuto la carta geografica dell'Europa appesa al muro. I chiodi servivano a fissare la tela cerata al legno. Ma la tela era cosí vecchia e screpolata che cadeva a pezzi, e quell'anno era comparsa sul muro una nuova carta dell'Europa piú grande, con i colori delle nazioni piú vivi.

Ma anche se non era uno strumento di tortura costruito appositamente dalla signora Sforza, la lunga bacchetta aveva un aspetto sinistro.

"Se ci ferisce con quei chiodi ci verrà il tetano" pensò Elisa. Era sicura che adesso sarebbe toccato a lei e a Sveva, che però non aveva fatto una piega, come se fosse certa in anticipo della sua impunità.

La maestra infatti disse con voce gelida e terribile: — Repovik! Guzzòn!

— Io?! Cos'ho fatto io? — piagnucolò Adelaide. E negli occhi di tutti i Conigli e di tutti i Maschiacci si accese una luce di sdegno per quell'ingiustizia. Marcella Osio borbottò qualcosa fra i denti.

— Silenzio! — ordinò la maestra. — Cos'hai fatto, tu, Raperonzolo? Te lo dirò io cos'hai fatto, santarellina. Ti sei prestata a umiliare una tua compagna, alla quale non sei degna di allacciare le scarpe. E per questo ti meriti cinque colpi di bacchetta. Avanti, tendi le mani! Con le palme in su!

Adelaide obbedí tremando. Mentre la bacchetta la colpiva una, due, tre volte, si morsicò le labbra per non piangere.

Tutta la classe guardava col fiato sospeso. A Emilia Damiani sfuggí una risatina nervosa.

— E adesso, Repovik! — disse la maestra. — Tu hai osato picchiare Sveva Lopez del Rio... Hai osato alzare le mani su una bambina di buona famiglia. Tu, stracciona, pezzente... Hai avuto il coraggio...

— Ha cominciato lei — la interruppe Iolanda.

— Non cercare scuse. Hai fatto una cosa gravissima, per la quale potrei farti portare in prigione. Ma ti darò soltanto venti colpi di bacchetta, dopo di che te ne andrai a casa e ci resterai a meditare per tutta la settimana. Avanti! Tendi le mani!

Venti colpi sono tanti. La bacchetta vibrava nell'aria e si abbatteva con forza sulle palme di Iolanda lasciandoci dei segnacci rossi. Per fortuna all'estremità non c'erano chiodi e quindi non scorse sangue.

Sveva, dal suo banco, guardava soddisfatta, assaporando il gusto dolcissimo della vendetta.

Prisca era pallida come una morta, con le labbra viola. BUM BUM BUM BUM, faceva il suo cuore. "Leccapiedi!" pensava con tutto l'odio di cui era capace. "Leccapiedi! Non hai avuto il coraggio di prendertela con noi, perché hai paura dei nostri genitori. Queste due poverette invece sai che, se si lamentano, a casa ne prenderanno un'altra razione... Vorrei sputarti in faccia. Vorrei calpestarti. Vorrei vederti morta."

E si mise a scrivere ostentatamente sul diario, augurandosi di venire scoperta:

*Una leccapiedi che striscia davanti ai potenti fa schifo come un topo di fogna. Ma una leccapiedi che usa il suo piccolo potere per far strisciare quelli piú deboli di lei è una iena, una carogna, un essere abominevole...*

Ma la maestra non la degnò di uno sguardo e continuò a colpire Iolanda, che la fissava negli occhi con aria spavalda.

Quando la signora Sforza ebbe finito, la bambina si strofinò le mani sul grembiule, dietro alla schiena, e disse in tono di sfida: — Tanto non mi ha fatto male!

— Fuori! — ordinò la maestra additandole la porta. — Osio, va' a chiamare il bidello. Digli che c'è un'alunna da sospendere, che la accompagni in Direzione. — E si mise a scrivere tranquillamente sul registro il motivo per cui Iolanda doveva stare lontana dalla scuola per una settimana.


**Capitolo secondo**
*Dove si parla
dell'olio di fegato di merluzzo.*

— Io la odio, la odio, la odio! — disse Elisa, dando per la gran rabbia un calcio alla sedia. Una sedia da cucina dalla vernice un po' scrostata, ma per il resto del tutto innocente.

— Ehilà, quanto fuoco! — osservò lo zio Baldassarre. — Ti conosco da quando sei nata, ma non ti sapevo preda di passioni cosí ardenti e funeste.

— Baldassarre! Parla come mangi. Non siamo mica all'opera lirica! — lo rimproverò la tata, e domandò a Elisa con bel garbo: — Si può sapere chi è che odi, tesoro?

— La maestra. La signora Sforza. La odio — ripeté Elisa pestando i piedi.

— Ma gioia mia, come si fa a odiare la maestra? — disse sgomenta la nonna Mariuccia, che non sapeva niente della bacchetta e delle ultime iniziative della signora Sforza. — Che cosa ti ha fatto? Non ti ho mai visto fuori di te a questo modo.

— Per colpa sua Prisca morirà di crepacuore — disse Elisa con tono lugubre.

— ... d'infarto — la corresse meccanicamente lo zio Leopoldo, che entrava in quel momento. — Abituati a usare i termini precisi... — Poi si fece attento: — *Chi* hai detto che morirà d'infarto?

— Prisca.

— Oibò! Siamo arrivati a questo punto? — ridacchiò il dottor Maffei.

— Dovresti sentire come batte il suo cuore quando si arrabbia — disse Elisa risentita.

— Dammi retta. Non è il caso di preoccuparsi per questo — disse allora lo zio Leopoldo seriamente. — È molto improbabile che l'infarto colpisca una bambina di nove anni, sana come un pesce. Le statistiche piú recenti...

— Fa BUM BUM BUM! Finirà per scoppiare! — lo interruppe Elisa.

— Dio mio! Speriamo di no. Quella bambina è cosí emotiva... — sospirò la nonna Mariuccia. — Ma la maestra cosa c'entra?

— Cosa vi ha fatto di tremendo questa volta? — si informò ironico lo zio Casimiro.

Elisa detestava non essere presa sul serio. Scoppiò in singhiozzi. Balbettava frasi confuse, delle quali si poteva distinguere solo: — La colpa è del cucchiaio.

— Non fare l'isterica — le disse con fermezza lo zio Baldassarre. — Se le donne non hanno preso in pugno il mondo, è perché hanno sempre le lacrime in tasca. Di quale cucchiaio stai parlando?

— Di quello dell'olio di fegato di merluzzo.

— Santo cielo! — intervenne incredulo lo zio Casimiro. — Non dirmi che vi ha costrette a bere quella schifezza!

— Quella schifezza, come la chiami — protestò lo zio Leopoldo — per tua norma e regola è piena di vitamine. È il miglior ricostituente di cui disponiamo per i bambini gracili e denutriti.

— Ma Elisa e Prisca, grazie al cielo, non sono né gracili né denutrite — disse lo zio Casimiro.

— Non lo dà mica a noi — puntualizzò Elisa tra i singhiozzi. — L'olio di fegato di merluzzo lo deve dare alle bambine povere. Glielo ha ordinato il Direttore.

— Senti Elisa, smettila una buona volta di frignare e cerca di essere ragionevole — disse lo zio Baldassarre prendendosela sulle ginocchia. — Ti ho già spiegato molte volte che noi siamo un'eccezione fortunata, ma che subito dopo la guerra i prezzi sono saliti alle stelle e i poveri non trovavano piú niente di buono da mangiare. Solo pasta, patate ed erba dei campi. I loro bambini erano sempre affamati, e crescevano male, tutti storti, e rachitici. Per questo motivo, quando si sono riaperte le scuole, il Patronato Scolastico ha deciso di distribuire gratuitamente agli scolari piú denutriti un pasto caldo al giorno, quella che voi chiamate Refezione, e questa medicina, che non è tanto buona da mandare giú – questo te lo concedo – ma che è un concentrato di buonissime vitamine, preziose per un organismo in crescita. Se lo danno a quelle tue due compagne, è per il loro bene, non per far loro un dispetto.

— Lo so — disse Elisa, che nel frattempo aveva smesso di piangere.

— E allora perché non lo spieghi a quella scemetta di Prisca? Che se deve fare per forza la paladina, scelga una causa migliore.

— Ma non è stato l'olio. È stato il cucchiaio...

— Allora raccontacela per bene, questa storia del cucchiaio — disse la tata — altrimenti domani mattina siamo ancora qui a preoccuparci per il cuore della tua amica e a non capirci un bel niente.

Ed Elisa, tenendosi abbracciata stretta al collo dello zio Baldassarre, raccontò.

136

## Capitolo terzo
*Dove si spiega come andò*
*la storia del cucchiaio.*

Tre o quattro giorni prima, Iolanda era tornata in classe dopo la settimana d'esilio, accompagnata dal bidello, il quale, insieme alla giustificazione, aveva consegnato alla maestra una circolare del Direttore e una misteriosa bottiglia marrone, che era stata accettata con un gesto di stizza e che, proprio per questo, aveva riempito le alunne di curiosità.

Tutte conoscevano di nome l'olio di fegato di merluzzo, ma fino ad allora nella sezione D non c'erano mai state bambine cosí denutrite da averne bisogno, per cui la famosa bottiglia marrone non aveva mai varcato la soglia della loro classe.

Invece Adelaide e Iolanda la conoscevano benissimo, cosí come conoscevano a memoria l'odore e il sapore nauseabondi del suo contenuto, che le avevano perseguitate fin dal loro primo giorno di scuola.

Sapevano anche che il Patronato Scolastico offriva il ricostituente gratis, ma che il cucchiaio per prenderlo i bambini se lo dovevano portare da casa.

Perciò, senza che nessuno glielo dicesse, il giorno dopo erano arrivate con un cucchiaio di stagno avvolto in un vecchio foglio di giornale dentro alla cartella.

Alle undici, finita la ricreazione, si erano avvicinate con aria rassegnata alla cattedra pronte a inghiottire stoicamente la loro razione di medicina sotto lo sguardo curioso e attento delle compagne. Non ci trovavano niente di strano. Anzi, se una cosa le meravigliava, era che il disgustoso ricostituente toccasse solo a loro due. Nelle altre classi che avevano frequentato fino ad allora, piú di metà delle alunne alle undici si metteva in fila davanti alla cattedra per la cerimonia dell'olio di fegato di merluzzo.

La maestra aveva preso il manico del cucchiaio in punta in punta, con due dita, storcendo il naso disgustata. Poi, vedendole riavvolgerlo ancora unto nel foglio di giornale, aveva sbottato: — Cos'è questa schifezza? Andate in bagno a lavarlo col sapone. E da domani mi farete il piacere di portarlo avvolto in un tovagliolo di bucato!

L'indomani i cucchiai erano arrivati avvolti in due straccetti grigiastri, però la maestra aveva fatto finta di niente.

Poi, durante le Grandi Manovre, era successa una cosa terribile. Mentre la classe scendeva nell'ordine piú assoluto la prima rampa di scale, il cucchiaio sporco di Adelaide, sballottato all'interno della vecchia cartella, aveva trovato un buco, ci si era infilato ed era caduto sui gradini, con un tintinnio metallico che nel silenzio profondo era risuonato limpido come un campanello d'argento.

La maestra, che marciava al lato della fila, si era fermata di botto, incredula e inorridita. Anche Adelaide si era fermata per raccogliere il cucchiaio. Se fosse tornata a casa senza, sua madre l'avrebbe picchiata.

Il resto della fila, a cui non era stato dato l'ALT!, non sapeva se fermarsi o se proseguire travolgendo la povera Adelaide. Fu Marcella Osio a prendere l'iniziativa. Allargò le braccia e bloccò la fila quell'attimo necessario alla compagna per rialzarsi e rimettersi in marcia.

Ma anche la maestra aveva fatto in tempo a riprendersi. — Ferme tutte! — aveva gridato con voce soffocata, controllando con lo sguardo che in giro non ci fosse nessun altro oltre le sue alunne (e non c'era nessuno, perché, come al solito, erano uscite dall'aula per ultime).

Poi, lenta e inesorabile, la maestra Sforza aveva raggiunto la testa della fila e con la sua mano bianca, morbida e grassoccia, aveva colpito con forza Adelaide alla guancia destra. CIAFF! aveva fatto lo schiaffo, come uno straccio bagnato, e la testa della bambina si era piegata sulla spalla. Per raddrizzargliela la maestra l'aveva colpita ancora sulla guancia sinistra. CIAFF!

Prisca aveva afferrato la mano di Elisa e se l'era premuta sul petto. Il cuore batteva come un uccello impazzito contro i vetri di una finestra. Adelaide aveva chinato la testa, aveva sbattuto le palpebre e aveva tirato su col naso.

138

— Niente mocciconi! — aveva sibilato la maestra.

Sul viso pallido della bambina l'impronta delle sue dita spiccava come una traccia di rossetto. — E ringrazia il cielo che non ti è capitato giú nell'atrio, davanti a tutti — aveva detto furiosa la signora Sforza — altrimenti ti avrei fatta espellere da tutte le scuole del regno!

— Della Repubblica — non si era potuta trattenere dal correggerla Marcella, tenendosi pronta a scansare lo schiaffo che, ne era sicura, sarebbe toccato anche a lei.

Ma la maestra si era ricomposta e le aveva scoccato un sorriso. — Brava, Osio! Ti metterò una nota positiva in storia. Avanti, marsh!

### Capitolo quarto
*Dove Elisa inaugura*
*il quaderno delle ingiustizie.*

— Un episodio davvero spiacevole! — commentò lo zio Casimiro quando Elisa ebbe terminato il racconto.

— D'altronde con la gentaglia che adesso frequenta la scuola pubblica, queste povere maestre devono pur trovare un modo per mantenere la disciplina! — osservò serafica la tata. — Di ceffoni ne ho distribuiti tanti anche a voi tre — aggiunse guardando compiaciuta gli zii — e non siete mica morti.

— Altri tempi! — tagliò corto lo zio Leopoldo. — E poi, noi da ragazzi eravamo quattro demoni, lo dicevano tutti. E tu eri stata autorizzata dalla mamma...

— Le percosse sono metodi educativi del Medioevo! — disse indignato lo zio Baldassarre. — Guarda, tata, te la lascio passare solo perché sei cosí vecchia... Vorrei vedere cosa diresti se gli schiaffi li avesse presi la tua preziosa Elisa!

— Sono certa che Elisa non hai mai fatto e non farà mai niente per meritarseli — rispose la tata, testarda. — E avreste fatto meglio a iscriverla all'Ascensione, come voleva la signora Lucrezia. Ma già, voi siete democratici!...

— Comunque tesoro — disse conciliante a Elisa lo zio Casimiro — questi poveri bambini dei vicoli sono abituati a prenderle tutti i giorni dai genitori. Non gli fa tanta impressione come a voi. Scommetto che per queste tue compagne due schiaffi sono normale amministrazione.

— Ma che razza di ragionamento! Questo non autorizza la maestra ad alzare le mani sui bambini che le sono affidati — protestò lo zio Leopoldo.

— Be', e noi cosa ci possiamo fare? Cosí è la vita. L'importante è che nessuno metta le mani addosso alla nostra Elisa.

— Vorrei ben vedere! — esclamò la nonna minacciosa.

— Se quella strega ti sfiora soltanto un capello, dillo subito a me! — raccomandò lo zio Casimiro. — Che vengo a scuola e faccio una carneficina.

— Sí! Alla testa dei Tigrotti della Malesia armati di kriss, di machete e di scimitarre! — lo sbeffeggiò lo zio Baldassarre.

E cosí tutto finí in una risata.

Ma Elisa non aveva voglia di ridere. Andò a chiudersi in camera, prese un quaderno nuovo e scrisse sul frontespizio:

*Anno scolastico 1949/1950. Classe IV D.*

Sotto la voce "materia" scrisse poi bello grande in stampatello: INGIUSTIZIE.

Non era un'idea originale. La prima ad averla era stata Prisca quando, due anni prima si era resa conto che sua madre era molto piú manesca di tutte le altre mamme di sua conoscenza.

Prisca aveva appena letto in un romanzo di un prigioniero che segnava ogni offesa o maltrattamento ricevuti dal carceriere con una tacca sul muro della cella, in modo da non dimenticarne neppure uno quando fosse arrivato il momento della vendetta. Cosí, non disponendo di un muro adatto (se avesse graffiato la tappezzeria della sua stanza avrebbe avuto un ulteriore maltrattamento da registrare) aveva preso una delle sue agende e aveva cominciato a tener nota di tutti gli scapaccioni che riceveva.

Ma poiché era una bambina onesta anche con se stessa, aveva tirato una riga verticale per dividere la pagina in due colonne. A sinistra aveva scritto MERITATI e a destra INGIUSTI.

Ogni tanto faceva un riepilogo, dal quale risultava che quelli meritati erano sempre un po' piú numerosi di quelli ingiusti. Aveva anche certe pagine piene di segni cifrati, dove registrava tutte le volte che aveva combinato qualche malanno senza essere né scoperta né punita.

Queste cifre andavano a pareggiare quelle degli scapaccioni ingiusti, per cui alla fine Prisca doveva riconoscere di non avere troppo di cui lagnarsi.

— I miei diciassette bambini però non li picchierò mai — aveva deciso. — Prima di tutto perché saranno buonissimi, poi perché è troppo umiliante e io voglio che crescano fieri e pieni di dignità.

Ora, mentre Elisa scriveva in bella grafia: «Sospese perché senza fiocco. Tagliato trecce» e via di seguito, a casa sua Prisca stava terminando di fare i compiti per l'indomani. Come ultimo aveva lasciato quello che le piaceva di piú un *Tema libero. Di fantasia o di vita vissuta*.

Ripensando all'episodio della mattina, Prisca andò a cercare Gabriele e gli disse: — Ho bisogno che tu mi inventi un cucchiaio.

Il fratello, che come tutti gli inventori aveva una mente lucida e razionale, rispose: — Guarda che il cucchiaio l'hanno già inventato gli uomini delle caverne.

— Non mi hai capito. Io voglio che mi inventi un cucchiaio speciale, un cucchiaio meccanico, o con qualche trucco segreto, che funzioni anche come strumento di tortura.

— D'accordo — disse Gabriele — per quando ti serve?

— Per subito. Lo voglio mettere dentro a un tema che devo portare a scuola domani.

— Ah, allora, se è per un tema, non è necessario che funzioni veramente.

— No. Mi basta l'idea. Guarda però che deve essere un cucchiaio davvero tremendo.

— Con un cucchiaio solo posso combinare poco... E se ne usassimo un servizio intero?

— Meglio ancora. Purché siano davvero micidiali.

Gabriele si mise all'opera, e dopo circa mezz'ora consegnò alla sorella tre fogli pieni di disegni, di calcoli, di annotazioni e di ditate di marmellata, perché nel frattempo, per aiutare il processo inventivo, aveva anche fatto merenda.

Prisca studiò il progetto un paio di minuti poi sedette tutta contenta alla scrivania, prese il quaderno delle brutte copie e scrisse in cima alla pagina:

*Tema libero. Argomento di fantasia.*

### Capitolo quinto
*"La vendetta del cucchiaio maledetto."*
*Racconto di Prisca.*

(Veramente nel titolo avrebbe dovuto esserci "cucchiai", al plurale, ma l'autrice trovava che a dire questa parola la lingua inciampa, e si era presa una licenza poetica. Come capirete dal racconto che segue, invece i cucchiai erano una dozzina.)

*C'era una volta una signora molto ricca e molto schizzinosa che si chiamava Arcigna Storta. Era un po' vecchia, aveva gli occhiali bordati di ferro e anche i suoi capelli grigi sembravano di ferro. Di mestiere allevava coniglietti bianchi che vendeva senza nessun rimorso alla trattoria sotto casa perché li facessero in salmì.*

*La signora Storta aveva una casa bellissima: mobili bellissimi, lenzuola bellissime, bellissime tovaglie, bellissimi piatti e un bellissimo servizio di posate.*

*Eppure non era soddisfatta perché trovava che la forma dei suoi cucchiai non era abbastanza elegante. Se ne lamentava continuamente, finché suo marito si scocciò e le regalò un bellissimo servizio di cucchiai d'argento, nella loro custodia di velluto. Ci fece incidere sul manico le iniziali della moglie: A.S.*

*Il marito non sapeva che il servizio di cucchiai proveniva dal laboratorio di uno scienziato pazzo, che lo aveva manipolato per i suoi esperimenti. E neppure la moglie lo sapeva.*

*La prima specialità di questi cucchiai era che cambiavano in peggio il sapore delle cose.*

*Per sfoggiare le nuove posate la signora dette una grande cena e invitò le persone più importanti della città. Aveva fatto preparare dalla cuoca una squisita zuppa di tartufi e si aspettava che gli ospiti le facessero molti complimenti.*

*Ma quando il sindaco portò alla bocca il cucchiaio pieno di zuppa sentí un orribile sapore di prezzemolo appassito e uova marce, e sputò disgustato dentro il piatto. La moglie del prefetto sentí un saporaccio di pesce guasto e per educazione sputò dentro il tovagliolo. Il vescovo sentí sapore di sterco di cane pieno di vermi, e quasi svenne. La contessa Princisbecco sentí sapore di vomito e cominciò a vomitare.*

*Come succede sempre quando uno comincia, anche tutti gli altri commensali per simpatia vuotarono lo stomaco sui piatti e la cena della signora Arcigna fu rovinata.*

*La seconda specialità dei cucchiai era che nei momenti più impensati si riunivano in coppie e se ne andavano in giro per aria sbattendo l'uno contro l'altro e facendo un suono come di nacchere.*

*Una notte che la signora Storta dormiva profondamente, fu svegliata all'improvviso da quello strano rumore. Si spaventò moltissimo, ma non osò gridare. Per farsi coraggio si sforzò di pensare che forse era suo marito che si esercitava di nascosto per farle una sorpresa (il marito invece, essendo un po' sordo, non aveva sentito niente e continuava a dormire tranquillamente al suo fianco).*

*Cosí la signora fece finta di niente, ma una coppia di cucchiai, nel buio, si avvicinò al letto e, muovendosi come una pinza di granchio, le morsicò una spalla (o forse è più esatto dire che gliela pizzicò molto forte). La signora si mise a urlare. Allora i due cucchiai pizzicarono la gamba del marito. Poi tornarono veloci e silenziosi nel cassetto del buffè.*

*"Questa casa è infestata dagli spiriti"* pensarono i due coniugi terrorizzati.

La terza specialità dei cucchiai era che se qualcuno ci si specchiava, si vedeva molto piú bello di com'era in realtà. Un giorno che la signora li aveva lucidati fino a farli brillare, le capitò di alzarne uno all'altezza della faccia e vide riflessa non la propria immagine, ma quella di una donna bellissima.

*"Come mi dona questa nuova pettinatura!"* pensò. E decise di presentarsi a un concorso di bellezza.

Ma quando sfilò sulla passerella la gente, che invece la vedeva esattamente com'era, cominciò a fischiare e a gettarle addosso uova e pomodori marci, cosí che la poveretta, umiliata, dovette scappare e cercare un posto dove nascondersi.

Anche il marito si era specchiato in un cucchiaio e si era visto cosí bello che aveva pensato: *"Chi me lo fa fare di rimanere sposato con una donna tanto brutta?"* Quindi aveva fatto le valigie, se n'era andato e non aveva dato piú notizie.

La quarta specialità dei cucchiai era che qualche volta si riempivano di buchi invisibili.

Per consolarsi delle sue disgrazie la signora Arcigna decise di fare un viaggio in Africa. Erano nel deserto e avevano finito le scorte d'acqua, quando arrivarono a un'oasi dove c'era un laghetto. Siccome era troppo schizzinosa per prendere l'acqua nel cavo della mano come facevano gli altri turisti, la signora Storta pensò bene di usare uno dei cucchiai d'argento che si era portata dietro per sembrare piú distinta a tavola, senza sospettare che fossero la causa di tutti i suoi guai.

Lo riempiva d'acqua, se lo portava alla bocca, ma il cucchiaio le arrivava alle labbra vuoto e asciutto.

Cosí la signora pensò che il laghetto non fosse vero, ma che si trattasse di un miraggio. E mentre gli altri turisti bevevano a volontà lei, maledicendo il destino, morí di sete, e non ci fu al mondo una sola persona che la rimpianse.

— Non avrai il coraggio di consegnare alla tua maestra un tema cosí? — disse Gabriele dopo averlo letto ed aver approvato l'uso narrativo della sua invenzione tecno-magica.

— Perché? — chiese Prisca con aria innocente.

— Ma perché il nome della protagonista è quasi identico a quello della tua insegnante. Non te ne sei accorta?

— Al mondo c'è un sacco di gente col nome simile. Se penserà che intendevo parlare di lei, vuol dire che ha la coscienza sporca.

— Penserà che l'hai fatto apposta. Ti darà un bello zero e una nota sul diario, vedrai…

La maestra invece riportò il tema con pochissime correzioni e con un bell'otto.

— Non ti manca certo la fantasia, né la padronanza della lingua — fu il suo commento.

Renata Golinelli alzò la mano per chiedere la parola.

— Allora ce lo legge?

Le regole non scritte della IV D infatti volevano che se un tema prendeva otto, nove o dieci, la maestra lo leggesse ad alta voce proponendolo alla classe come esempio.

Ma quella volta la signora Sforza disse: — No. Oggi non c'è tempo. Devo leggervi quello di Sveva Lopez del Rio, che ha preso nove. L'argomento è il valore del perdono, dell'umiltà e della carità verso i poveri.

"Non ha capito oppure preferisce far finta di niente?" si chiedeva Prisca.

Ed Elisa, che aveva letto con enorme soddisfazione il tema dell'amica, pensava: "Fino a che punto dovremo arrivare per farle perdere la pazienza e farci picchiare anche noi?"

Visto che non c'era altra soluzione, aveva deciso di esporsi personalmente al pericolo, in modo che lo zio Casimiro le venisse in aiuto e compisse la carneficina promessa.

# FEBBRAIO

# Capitolo primo
*Dove Elisa si comporta proprio male.*

Non era facile, dopo tre anni e mezzo di carriera scolastica all'insegna dell'obbedienza, della gentilezza e della buona educazione, trasformarsi all'improvviso in una scolara insubordinata e ribelle. Tanto piú che la natura aveva fornito Elisa di un'indole mite, affettuosa e accomodante, molto diversa da quella polveriera sempre sul punto di scoppiare che era il carattere di Prisca.

Per comportarsi male bisognava dunque fare un programma dettagliato, stabilire delle regole e applicarle con la massima determinazione. Non era consentito distrarsi neppure un istante.

Prisca, entusiasta all'idea della carneficina, aiutò l'amica a escogitare le cose piú tremende, quelle che, a loro avviso, dovevano per forza fare uscire dai gangheri la maestra.

Ma qualsiasi nefandezza, compiuta da Elisa, si trasformava in un incidente di poco conto.

Fare scena muta a un'interrogazione, consegnare un compito sbagliato, e scritto per giunta su un foglio con le orecchie e pieno di ditate... Mettersi con ostentazione le dita nel naso, grattarsi, rovesciare il calamaio sul libro di lettura... Una sola di queste mancanze compiute non da Iolanda o da Adelaide, ma da uno qualsiasi dei Conigli (che non fossero Marcella e Rosalba, che però non si erano mai azzardate a fare qualcosa di simile) provocava uno scoppio d'ira, una violenta ramanzina e almeno cinque colpi di righello.

Elisa in soli tre giorni fece tutto questo, e anche di peggio. La maestra urlava, la minacciava, la guardava con occhi feroci, le mise anche una nota di biasimo (una sola), ma l'unico risultato concreto fu una letterina cortese alla nonna Lucrezia. «*La bambina negli ultimi tempi è stanca e svogliata. Forse ha bisogno di qualche giorno di vacanza e di un buon ricostituente.*»

La nonna Lucrezia portò la lettera allo zio Leopoldo.

— Cos'è questa storia? E perché scrive a me, quando sa benissimo che Elisa vive con voi?

— A me sembra che Elisa sia in perfetta forma. La signora Sforza farebbe meglio a insegnarle le tabelline e a lasciar fare diagnosi e prescrizioni a noi medici — rise lo zio Leopoldo.

Il giorno dopo, dietro suggerimento di Rosalba, Elisa si alzò in piedi nel bel mezzo di una lezione, si sfilò la scarpa destra e la scagliò contro la finestra. La scarpa colpí il vetro in alto, che si ruppe con gran fracasso, e volò fuori, andando a cadere nel giardino di aranci che confinava con la palestra della scuola.

Le compagne restarono a bocca aperta.

Negli ultimi giorni avevano seguito con crescente meraviglia la metamorfosi di Elisa. Neppure Sveva Lopez nei suoi momenti peggiori ne aveva fatto tante, e non una dopo l'altra. Ma ancor piú sconcertante era il fatto che la maestra si limitasse ad abbaiare e a minacciare punizioni, senza prendere alcun provvedimento.

Al momento del lancio della scarpa la maestra aveva la testa china sul libro di lettura.

— Cos'è stato? — sussultò al rumore del vetro infranto. — Qualche ragazzaccio di strada ha lanciato un sasso dentro alla classe?

— È stata Maffei! — disse Sveva, tutta contenta di poter fare la spia. — È impazzita e si è messa a lanciare scarpe per aria.

— Lopez, non dire assurdità.

— Ma guardi i vetri! Sono caduti tutti fuori. E poi Elisa ha una scarpa sola.

La signora Sforza non poté negare l'evidenza. — Cos'è successo, Maffei?

Elisa aveva una fifa blu, ma ormai doveva andare avanti. — Avevo un sassolino che mi faceva male. Cosí ho dimenato il piede e la scarpa mi è scivolata via.

Era una spiegazione assurda. Come poteva una scarpa spiccare il volo dal pavimento e colpire il vetro cosí in alto? Ma la maestra la prese per buona.

— Sei un po' troppo irrequieta in questi ultimi giorni, Maffei. Ti senti poco bene? Sei sicura di non stare incubando il morbillo?

— L'ho già fatto l'anno scorso — disse Elisa. Poi, senza chiedere il permesso, si diresse verso la porta.

— E adesso dove vai?

— A recuperare la mia scarpa.

— Ma non uscire cosí! Prenderai un raffreddore. Fatti almeno prestare un paio di scarpe da qualche tua compagna. Chi è che porta il tuo numero?

Quando Elisa fu uscita, la maestra si rivolse alla classe e disse severamente: — Non crediate che questa bella prodezza rimanga impunita. Mi rendo conto che ultimamente la vostra compagna si sente poco bene. E poi occorre ricordarsi sempre che è un'orfanella. Ma in questa classe bisogna osservare la disciplina. Tu, Agata, cos'hai da ridacchiare? Vuoi due colpi di bacchetta? No? Per ora ti darò una nota di biasimo sul registro.

Ma nonostante le minacce, per Elisa non ci fu nessuna conseguenza. Anzi, il padrone del giardino dove era atterrata la scarpa rise molto al suo racconto e le regalò una borsa piena di dolcissime arance vaniglia.

Piú il tempo passava, piú l'impresa sembrava disperata. Da un lato Elisa proprio non aveva la stoffa della lazzarona. Dall'altro la maestra sembrava voler giustificare e scusare a tutti i costi ogni sua cattiveria.

— Forse abbiamo fatto male, quel giorno, a farci accompagnare in macchina da tua nonna Lucrezia — disse Rosalba.

## Capitolo secondo
*Dove Elisa e Rosalba fanno una visita.*

Quando aveva nominato il morbillo, la maestra aveva parlato a ragion veduta. Sapeva che nella scuola ce n'erano molti casi, e che probabilmente stava arrivando un'epidemia.

Anche in IV D, otto giorni dopo il fatto della scarpa, quasi metà delle bambine risultarono assenti.

— Bisogna che ci organizziamo perché quelle di voi che hanno già avuto il morbillo, e quindi sono immuni dal contagio, vadano a trovare le ammalate a casa loro per portargli i compiti — disse la maestra — altrimenti restano indietro col programma.

— Io vado da Roberta! — saltò su Alessandra.

— Io vado da Flavia, che abita vicino a casa mia! — si offrí Marina.

Da Sveva volevano andarci in quattro, per la curiosità di vedere il famoso letto a baldacchino di legno dorato con le tende di velo e la coperta di volpe bianca che era stato descritto in tanti componimenti.

Elisa naturalmente sarebbe andata da Prisca, che era stata una delle prime ad ammalarsi.

La maestra prendeva nota e alla fine disse: — Bene. Siamo a posto.

— Scusi? — alzò la mano Rosalba. — Ma da Repovik e da Guzzòn chi ci va?

— Non sono mica nostre amiche, quelle! — protestò Ursula.

— E poi, chissà dove abitano... — disse Alessandra.

— Io lo so dove abitano — disse Elisa. — Iolanda sta dietro alla cattedrale e Adelaide in via Mercato Vecchio.

— Be', credo che i vostri genitori non sarebbero contenti se vi mandassi in quei vicoli pieni di gentaglia — osservò la maestra.

— E allora come si fa? — chiese Rosalba.

— Si fa che le due olezzanti signorine si arrangeranno. Non gliel'ho mica chiesto io di venire nella mia classe — disse la signora Sforza in tono conclusivo.

— Ma non è giusto! — disse Elisa più tardi, quando fu sola con Rosalba. — Proprio loro che sono ripetenti! Se poi rimangono indietro saranno bocciate un'altra volta. Andiamoci noi.

Ci andarono dopo aver fatto visita a Prisca, che aveva solo poche linee di febbre e sbuffava perché era stufa di stare tappata in casa, anche perché aveva già letto tutti i libri leggibili (e persino la collezione di fotoromanzi che Ines le aveva prestato di nascosto, e dai quali aveva ricavato la certezza che gli uomini sono tutti traditori).

Elisa era stata molte volte al Mercato Vecchio insieme alla tata, che preferiva fare la spesa laggiú perché trovava che la verdura, che arrivava direttamente dagli orti attorno alla città, era piú fresca e piú buona.

Per Rosalba invece era la prima volta e la strada – in realtà un vicolo lungo, stretto e tortuoso – le fece molta impressione. Le case erano alte e non lasciavano passare il sole, il cielo era nascosto da file e file di panni stesi ad asciugare. I gradini davanti alle porte delle case formicolavano di bambini, i piú piccoli col sedere nudo, che giocavano, strillavano, litigavano, tra mucchi di immondizie.

Anche le donne litigavano, lanciandosi insulti tremendi con voci alte e acute.

— Guarda! — disse Rosalba ridacchiando.

Il vicolo era affollato di gente che andava e veniva, ma proprio al centro una donna se ne stava immobile, con le braccia penzoloni lungo i fianchi e lo sguardo fisso davanti a sé. Era una bella vecchia, alta e dritta, vestita col costume colorato dei paesi dell'interno. Reggeva un gran cesto di verdure in equilibrio sulla testa con la fierezza, pensò Elisa, con cui la regina delle fiabe porta la corona tempestata di brillanti. Era scalza e teneva i piedi uno al di qua, l'altro al di là del rigagnolo d'acqua sporca che scorreva al centro dell'acciottolato.

E da sotto le lunghe gonne variopinte (ne aveva tre, indossate l'una sull'altra) un getto di liquido giallo cadeva con un piccolo scroscio sonoro e si univa all'acqua che scorreva nel rigagnolo.

— Le donne dei paesi fanno sempre cosí. Loro non portano le mutande — spiegò Elisa, che aveva assistito altre volte a quello spettacolo.

— Ma la vedono tutti! Non si vergogna?

Elisa non fece in tempo a rispondere perché qualcuno le mise una mano sul braccio.

— Maffei!

— Adelaide! Ma allora non avevi il morbillo!

Adelaide aveva un bambinetto in collo e una grossa borsa della spesa al braccio. Indossava un vestito degli scatoloni, un abito scozzese troppo grande per lei, pieno di strappi e di rammendi, ed era scalza, nonostante l'aria di febbraio fosse pungente. Quasi quasi Elisa non la riconosceva, se non fosse stato per il taglio alla maschio dei capelli.

— Cosa fate qui? — chiese Adelaide meravigliata.

— Siamo venute a portarti i compiti. Credevamo che fossi a letto col morbillo — disse Elisa.

— No. L'ho già fatto l'anno scorso.

— E allora, scusa, perché non sei venuta a scuola? — chiese Rosalba.

— Perché mamma ha trovato un lavoro di cinque giorni da una signora che ha fatto trasloco, e io devo guardare i bambini. Questo è mio fratello piú piccolo.

— Che carino! Che bambolotto! — disse Rosalba, sentendosi bugiarda e ipocrita. Il fratellino di Adelaide era magro, sporco, con i capelli pieni di croste e una faccia lunga e pallida da adulto.

— Come si chiama? — chiese Elisa.

— Cosimíno — disse Adelaide passandosi il marmocchio da un braccio all'altro. — Mannaggia quanto pesa! E poi ce n'è altri quattro.

Le guidò verso una porta. — Io abito qua. Entrate.

Bisognava scendere tre gradini perché la casa era un magazzino, uno scantinato sotto il livello della strada. Consisteva in un'unica stanza col pavimento di terra battuta che prendeva aria e luce soltanto dalla porta.

Sembrava ancora piú piccola perché era affollata di mobili: un letto matrimoniale, una rete zoppicante con una vecchia sopracoperta a fiori, un cassettone con lo specchio e il lumino per la Madonna. Poi un tavolo con quattro sedie, una cucina economica con la bombola del gas, una macchina da cucire a pedale, una vecchia carrozzina dove Adelaide depose subito il fratello, che si mise a frignare.

"Sei figli piú i genitori... Dove dormiranno? E i compiti Adelaide dove li fa? Non c'è uno scaffale per i libri... Anzi, non si vede un libro in giro" pensò Elisa.

Aveva sete. Ma guardandosi attorno non riusciva a vedere né un acquaio né un rubinetto. E neppure una porta che desse in una stanza da bagno. Dove si lavavano? Dove facevano i loro bisogni? Naturalmente non aveva coraggio di chiedere. Ma non dovette aspettare a lungo per chiarire il mistero.

Una bambina di circa sette anni, molto somigliante ad Adelaide, però con due lunghe trecce biondastre, entrò di corsa e, senza salutare né dire una parola, si fermò nell'angolo vicino alla porta; sollevò, prendendolo per l'anello d'ottone che vi era infisso, un disco di pietra che copriva un buco rotondo nel pavimento. Senza tante cerimonie, la bambina si tirò giú le mutande e ci si accoccolò sopra.

— Luciana! Cosí ti possano cascare gli occhi! Tira la tenda, svergognata! — gridò Adelaide, e corse a nascondere la sorella con un vecchio lenzuolo che scorreva su un filo di ferro teso in alto. — Cosí possa uscire un topo di fogna e morsicarti il sedere! — aggiunse arrabbiata.

— Davvero vengono fuori i topi? — si informò preoccupata Rosalba.

— Se qualcuno si dimentica di rimettere a posto il coperchio... — rispose Adelaide. Poi prese un secchio d'acqua che stava accanto alla cucina economica e lo scaricò nel buco. — E adesso mi tocca andare ancora una volta alla fontana del mercato — sospirò.

— Ti accompagniamo noi — propose Rosalba.

Strada facendo chiesero di Iolanda e seppero che neppure lei aveva il morbillo, ma era andata al paese di sua nonna ad aiutare a fare i dolci per la festa del Santo Patrono.

Mentre tornavano, reggendo ciascuna un secchio di zinco gocciolante che sbatteva freddo e duro contro le gambe e inzuppava scarpe e calze d'acqua gelata, a Elisa tornarono in mente gli ordini della maestra: «Un tovagliolo da bucato. Un bello sciampo. Tirate a lucido come due monete di zecca.»

## Capitolo terzo
*Dove Rosalba fa un invito.*

A casa trovarono tutti i fratellini di Adelaide, uno piú sporco e sbrindellato dell'altro, che, avvertiti del loro arrivo dal tam tam del vicolo, le aspettavano schierati sui gradini della porta. Sapevano che erano state loro a offrire alla sorella quei fantastici regali natalizi, e si aspettavano dal loro arrivo chissà quali altre meraviglie.

I piú piccoli, senza nessun imbarazzo, si misero a ispezionare con le manine sudice le tasche delle due visitatrici. Una bambinetta di quattro anni, Lorenzina, accarezzava rapita il colletto di pelliccia del cappotto di Rosalba facendo: — Miau, miau...

— Be'!? Cosa siete venuti a fare qui? Tornatevene a giocare. Sciò! Sciò! — strillava Adelaide con malgarbo, spingendoli giú dal gradino.

— Abbiamo fame! — piagnucolò l'impudica Luciana.

— Sí! Fame! Dacci da mangiare! — chiese un altro.

— Guardate che se vi dò da mangiare adesso, dopo non c'è niente per cena — li avvertí la sorella maggiore.

— Noi abbiamo fame adesso! — strillarono quelli.

— E va bene! Tutti a tavola! — ordinò Adelaide. Poi, con fare cerimonioso si rivolse alle due compagne: — Volete accomodarvi anche voi? Volete favorire?

— No, grazie. Abbiamo già fatto merenda da Prisca — si schermí Rosalba, inorridita dalla sporcizia che vedeva dappertutto. — Fa' quello che devi fare. Noi ti aspettiamo qua fuori.

Elisa le dette una gomitata. Anche se in quel magazzino semibuio e maleodorante loro si sentivano soffocare, era pur sempre la casa di Adelaide, e non si poteva essere cosí scortesi.

Quindi entrarono, sedettero sul bordo del letto e assistettero al pasto delle belve.

La merenda, o cena anticipata, consisteva in maccheroni freddi, col sugo di pomodoro rappreso che solo a guardarli facevano venire un conato di vomito. Poi un formaggino triangolare avvolto nella carta d'argento per ogni bambino e mezzo bicchiere di latte a testa. Adelaide affettava il pane maneggiando con abilità un lunghissimo coltello affilato.

Luciana, dopo aver finito la sua razione, allungò il piatto verso la zuppiera, dove erano rimasti pochi maccheroni.

— No. Questi sono per la mamma quando torna. Provatevi a toccarli e vi ammazzo — disse severamente Adelaide. Li coprí con un piatto e li chiuse a chiave nella credenza.

Lei non aveva toccato cibo, e i maccheroni avanzati erano troppo pochi per due, pensò Elisa. O forse per tre?

— E tuo padre? — le chiese.

— Babbo è emigrato in Germania. Prima lavorava in miniera e ci mandava i soldi tutti i mesi. Adesso la miniera è crollata. Lui non è morto come gli altri, però deve cercare un altro lavoro e non ci manda niente.

A Rosalba venne un'idea improvvisa. — Puoi venire in centro con noi per una mezz'ora?

— Se Luciana mi guarda i bambini...

Ma Luciana non era disposta a farle questo favore per niente.

— La piú grande sei tu! Mamma ha detto...

— Ti porteremo le caramelle — promise Rosalba.

— E anche la cioccolata — contrattò quella mocciosetta.

— E il torrone! — strillarono gli altri.

— Se starete buoni avrete caramelle, cioccolata e torrone — promise Rosalba.

Elisa le lanciò uno sguardo interrogativo. Se fra tutte e due non avevano una lira in tasca!

— Ma ho il conto aperto alla pasticceria Manna! — le sussurrò Rosalba. — Andiamo!

— Voglio venire anch'io! — piagnucolò Luciana, che aveva

sentito la parola "pasticceria". — Ho paura a restare da sola con i bambini!

— E va bene! Con i bambini ci resti tu, Elisa — ordinò Rosalba, sempre piú determinata nella sua idea. — Noi torniamo al massimo tra una mezz'ora.

Adelaide e Luciana erano intimidite da tutte quelle luci. La pasticceria era piena di signori che prendevano l'aperitivo in piedi vicino al banco e di signore, per lo piú anziane, che prendevano il tè o la cioccolata sedute ai tavolini di marmo rotondi, modello francese.

L'idea iniziale di Rosalba era stata quella di farsi fare un pacco di dolci dicendo che erano per sua madre e di portarselo via. Ma alla vista dei tavolini, pensò che per Adelaide e Luciana quella era un'esperienza sconosciuta, e che sarebbe piaciuta loro moltissimo.

Senza rendersi conto dell'imbarazzo delle due bambine, che i camerieri guardavano con meraviglia e con disprezzo, se le trascinò dietro fino a un posto centrale, sotto il lampadario di cristallo, le fece sedere e ordinò con disinvoltura: — Tre cioccolate calde con la panna montata e un vassoio di paste.

Il signor Cardano era pur sempre un cliente di riguardo e Rosalba lí dentro era un'habitué. Perciò fu servita di tutto punto, anche se il proprietario della pasticceria non perdeva d'occhio le sue ospiti, terrorizzato che con gli abiti sudici e le scarpacce infangate gli sporcassero le poltroncine foderate di raso verde chiaro.

Adelaide non riusciva a capacitarsi che Rosalba potesse ordinare tutto quel ben di Dio senza pagare. Anche lei era abituata a comprare a credito. Ma il droghiere la trattava malissimo, la serviva per ultima e non le dava mai piú di mezzo chilo di pasta per volta.

Qui invece Rosalba continuava a rimandare indietro vassoi vuoti e a chiederne degli altri, e nessuno dei camerieri la sgridava o le diceva: — Adesso basta.

Rosalba dal canto suo contemplava stupita le due ospiti che mangiavano e mangiavano e mangiavano. Era ben decisa a non mettere un limite ai loro desideri – era questo il bello dell'invito – ma non avrebbe mai sospettato che lo stomaco di una bambinetta come Luciana potesse contenere una cosí enorme quantità di cibo (e aveva già mangiato il pane, il formaggino, il latte e i maccheroni...).

Le due sorelle Guzzòn, oltre alla cioccolata, bevvero due aranciate e tre gazose a testa. E mangiarono venti paste Adelaide e ventisette Luciana. Non pasticcini da tè, ma paste grandi: krapfen ripieni di marmellata, ciambelle con le mandorle, cannoncini alla crema, sfogliatelle, meringhe, bignè al cioccolato, ventagli di pastafrolla, tortine con la frutta...

Mangiavano, bevevano e diventavano sempre piú rosse in faccia, perché il locale era molto riscaldato.

Rosalba andò al banco e si fece fare un pacchetto con caramelle, cioccolato e torroncini.

— Ma tuo padre lo sa di questa merenda fuori programma? — si informò il proprietario. — Guarda che il conto è già arrivato a quattromila e cinquecento lire.

— Lo sa, lo sa! — mentí Rosalba. E intanto faceva dentro di sé dei calcoli velocissimi. "Per un mese e mezzo, forse due, a colazione dovrò prendere solo la cioccolata. Niente paste. Anzi, forse se prendo soltanto un bicchiere di latte, il conto si pareggerà piú in fretta. Già, ma se poi mi viene fame a metà mattina?"

Ma non era pentita della sua generosità. Adelaide e Luciana, grazie á lei, per una volta nella vita si erano potute togliere il gusto di mangiare tutti, ma veramente TUTTI i dolci che volevano.

— Adesso dobbiamo andare — disse quando fu tornata al tavolo. — Elisa ci sta aspettando a casa vostra da quasi un'ora. Sarà in pensiero.

Luciana si alzò allungando una mano verso il vassoio, sul quale restavano ancora cinque paste alla crema. Adelaide la bloccò con un'occhiataccia.

— Ma io le prendevo per i bambini! — si difese Luciana.

— Sta' tranquilla. Ci sono i torroni e le caramelle.

Uscirono che era già buio e si avviarono verso la città vecchia. A Rosalba le due sorelle Guzzòn sembravano insolitamente pallide. Ma forse era la luce dei lampioni stradali. Dopo un poco Luciana cominciò a barcollare come un'ubriaca.

— E guarda dove metti i piedi! — la rimproverò severa Adelaide.

— Mi sento male — annunciò la piccola fermandosi all'improvviso vicino a un lampione. — Mi sento malissimo. Sto morendo.

— Vuoi che ti accompagniamo all'ospedale? — chiese Rosalba allarmata. Che nelle paste del signor Manna qualcuno avesse messo del veleno?

— Ma che ospedale e ospedale! — la rassicurò Adelaide. — Fa sempre cosí quando ha mal di stomaco. Luciana, guarda che se mi vomiti sui piedi ti spacco la testa!

E con prontezza si mise di fianco alla sorella e le resse la fronte mentre quella vomitava e piangeva e si lamentava: — E ho anche mal di pancia! Devo andare subito al gabinetto!

— Falla qui, che non sta passando nessuno.

Quando la tragedia si fu consumata, Adelaide si informò: — Quanto ti erano costate le paste e tutto il resto?

Rosalba fece un cenno vago con la mano. Non le sembrava gentile dire la cifra.

— Io dico che erano almeno duemila lire — affermò Adelaide, che non s'intendeva di pasticcerie di lusso. — Bene, per colpa di questa stupida, mille lire sono andate a finire in m...
— e disse una parolaccia tremenda che Rosalba aveva soltanto letto sui muri, ma non aveva mai sentito pronunciare da nessuno, neppure da Gigi, il garzone del negozio, che era il ragazzo piú maleducato e sporcaccione di sua conoscenza.

## Capitolo quarto
*Dove Elisa ne combina
una ancora piú grossa.*

L'indomani pomeriggio Elisa e Rosalba andarono a fare i compiti da Prisca e le raccontarono tutto. Della casa di Adelaide, dell'invito in pasticceria e della sua ignominiosa conclusione.

— ... e Adelaide ha detto: «Mille lire sono andate a finire in m...!» — ripetevano pronunciando la parolaccia per intero e soffocando dalle risate.

Erano allo stesso tempo inorridite dalla volgarità di quella parola e deliziate dalla propria audacia nel ripeterla. Per tutto il pomeriggio, invece di studiare, non fecero altro che trovare dei giri di frase da poter concludere con un «... ed è finito tutto in m...!!»

— Sentite che idea mi è venuta! — disse a un certo punto Prisca. — D'ora in poi, tutte le volte che la maestra le farà una domanda, Elisa dovrà rispondere solo con quella parola.

— Non ci riuscirò. Non avrò mai tanto coraggio... — disse Elisa.

— La vuoi scatenare o no questa carneficina?

— Sí, ma... non posso, Prisca, non posso davvero!

— Sí che puoi! — disse Rosalba piena di entusiasmo. — Hai visto come è stato facile con la scarpa? E questa volta la maestra non potrà far finta di niente. Non potrà perdere la faccia davanti a tutta la classe. Sarà costretta a darti uno schiaffo, o almeno un colpo di bacchetta...

— E tu lo dirai allo zio Casimiro! — concluse Prisca trionfante. — Però, ti prego. Prima di farlo aspetta che io sia guarita e sia tornata a scuola. Non mi voglio perdere lo spettacolo.

Quattro giorni dopo era di nuovo nel suo banco.

— Mi raccomando, non essere pusillanime — sussurrò stringendo forte la mano di Elisa.

L'occasione si presentò soltanto verso le undici. La maestra aveva raccontato del viaggio di Cristoforo Colombo, con tutti i particolari.

— Vediamo un po' chi si ricorda il nome delle tre caravelle? — aveva detto alla fine, facendo scorrere lo sguardo sui banchi. — Tu, per esempio, Serreli?

Marina si alzò in piedi: — La prima nave si chiamava la Niña, che in spagnolo vuol dire la bambina, la piccola...

— Basta cosí! E tu... Landi, sai dirmi come si chiamava la seconda?

— La Pinta — rispose Flavia.

— Benissimo. E la terza?... Vediamo... vediamo, vediamo chi mi dirà il nome della terza...

Lo sguardo percorreva lentamente i banchi, ma le alunne erano tranquille perché sapevano tutte la risposta. Che diamine, avevano sentito quel nome solo un quarto d'ora prima! Solo Prisca, Rosalba ed Elisa sentivano il sangue rombare nelle orecchie e aspettavano trepidanti.

— Vediamo, vediamo, vediamo... Tu... Maffei! Come si chiamava l'ultima caravella?

Elisa si alzò. Aveva la bocca asciutta. Aprí le labbra e non le uscí alcun suono.

— Andiamo, è facile — disse la maestra incoraggiante.

Silenzio.

— Non te lo ricordi? Guarda, ti voglio aiutare. Si chiamava La Santa... La Santa M...

— M...! — disse Elisa con voce squillante (disse la parola tutta intera, ovviamente. Noi qui non la scriviamo, per non trovarci nei guai, non avendo alcuno zio Casimiro che ci possa difendere).

La maestra restò col braccio a mezz'aria, come una statua di sale. Non credeva alle sue orecchie: forse era stata un'allucinazione uditiva. Ma la faccia esterrefatta di tutte le alunne le confermò che non aveva sentito male.

— Maffei! Sei impazzita? Come si chiamava la terza nave di Colombo?

— La Santa M...! — ripeté Elisa, a cui era passata la paura, come quando uno si è tuffato da una grande altezza e si è accorto che l'acqua lo sostiene.

— Questo è troppo! — gridò la maestra. — Chi ti ha insegnato quella parola? Chi è stato?

— Nessuno — rispose Elisa.

— Come, nessuno?

— Me la sono inventata io.

Qualche bambina cominciò a ridacchiare. Una delle Gattemorte bisbigliò distintamente all'orecchio della compagna di banco: — La Santa M... Che idea!

— Silenzio! — urlò la maestra furibonda.

Non l'avevano mai vista cosí stravolta. Era sudata, le tremavano le mani, quasi non riusciva a parlare.

"Be', adesso deve proprio picchiarla. Non ne può fare a meno" pensò Rosalba. "Non riuscirà piú a farsi rispettare da nessuna di noi se non la picchia."

Elisa aspettava, in piedi, pronta a qualsiasi evenienza, molto fiera di sé, come l'eroina di un romanzo.

— Maffei! — disse la maestra puntandole un dito contro. — Se non mi dici chi ti ha insegnato quella parola io ti... io ti...

"Dài, forza, deciditi!" cercò di comunicarle mentalmente Prisca.

— ... io ti... — sembrava un disco rotto. Ma la sua espressione era cosí feroce che le Gattemorte avevano smesso di ridacchiare ed erano ammutolite. I Conigli tremavano come dei veri conigli.

— Chi te l'ha insegnata? — tuonò la signora Sforza.

— Io! — disse Iolanda alzandosi. Voleva fare anche lei la figura dell'eroina davanti alle compagne, come quel Garrone di cui avevano appena letto nel *Cuore* di De Amicis. Voleva liberarsi, nell'unico modo in cui poteva, del suo debito con Elisa e le altre per il dono natalizio. Detestava doversi sentire riconoscente. E poi ai colpi di bacchetta, agli schiaffi, alle sospensioni, lei ci aveva già fatto il callo, mentre Elisa era cosí delicata. Una vera pupattola tirata su a pane e zucchero.

Elisa, che non se l'aspettava, strillò: — Non è vero! Non è stata lei!

— Non cercare di difenderla! — disse la signora Sforza, felice di poter trasferire la sua indignazione su Iolanda. — Certo che è stata lei. E chi, se no? Ero sicura che una bambina per bene come te una parola cosí poteva averla sentita solo da queste due sporcaccione. Avevo i miei motivi, se non le volevo nella mia classe.

— Ma non è vero! — intervenne Rosalba. — Iolanda non c'entra. Sono stata io la prima a...

— Basta! Non crederai di confondermi le idee? È ora che la finiate voi tre, di giocare a fare le avvocatesse. Tanto non

163

riuscirete a imbrogliarmi. Non riuscirete a salvare queste due miserabili dalla giusta punizione... Insegnare una parolaccia simile, un'espressione da carrettieri, a una bambina di buona famiglia... Se lo sapesse la signora Gardenigo... Ma tu non la ripeterai mai davanti a tua nonna, vero Maffei? È inaudito! È gravissimo!

Iolanda tese le mani per i colpi di bacchetta con un gesto di impazienza. "Sbrighiamoci e facciamola finita!" diceva il suo sguardo.

— Eh, no, mia cara. Ci vuol altro! — disse la signora Sforza. — Marcella, sii gentile, va' in bagno e portami un catino pieno d'acqua e una saponetta.

— Mi scusi, ma non posso. Ho le scarpe nuove e mi è venuta una bolla al calcagno — inventò Marcella, che non voleva collaborare alla punizione di Iolanda, qualunque essa fosse.

— Allora ci andrà Sveva.

— Non sono mica la sua serva — rispose quella vipera.

"Basta una minima crepa perché l'indisciplina dilaghi" pensò la maestra. Ma non aveva la forza, oggi, di combattere su due fronti. Fece finta di non aver sentito.

— Va bene, cara — disse. — Vuol dire che allora ci andrà Alessandra.

Alessandra non si fece pregare e tornò in un batter d'occhio con gli oggetti richiesti.

La maestra conservò il registro nell'armadio, poggiò il catino sulla cattedra e preparò una bella saponata.

— Le parolacce sporcano la bocca — annunciò. — Quindi chi le dice dovrà lavarsela.

"Preferivo una bacchettata. Mi farà vomitare davanti a tutta la classe" pensò Elisa.

"Chissà se è un'offesa abbastanza grave da richiedere una carneficina" meditava Prisca.

Ma la maestra fece benevolmente cenno a Elisa di sedersi e chiamò: — Repovik! Alla cattedra!

Iolanda si avviò, a testa alta, ancora investita del suo ruolo di eroina.

— Ma non è giusto! La parolaccia l'ha detta Elisa — protestò Rosalba.

— Credi che io non sappia distinguere tra il corrotto e il corruttore? — rispose severa la maestra. — La tua amica Maffei è rimasta vittima della sua malintesa generosità. Se fosse rimasta alla larga da queste due delinquenti, non le sarebbe successo niente. Chi ha approfittato della sua ingenuità, chi ha cercato di trascinarla nel fango è stata questa scellerata di Repovik. Cos'hai da protestare? Lei stessa ha confessato.

Quando Iolanda fu vicina alla cattedra la maestra le ordinò: — Tira fuori la lingua — e ad Alessandra: — Strofinagliela per bene col sapone.

Alessandra eseguí.

— E adesso sciacquati — disse la maestra a Iolanda indicandole il catino. L'acqua era cosí insaponata che quando Iolanda ne aspirò un sorso, la superficie si riempí di bolle.

— Sciacquati. Muovi le guance. Falla girare dappertutto. Non deve restare una sola traccia di tutte le porcherie che hai detto.

Iolanda obbedí. Si rigirò l'acqua in bocca per quasi un minuto, poi fece per sputare nel catino.

— Ferma! Inghiottila! — ordinò la maestra.

Iolanda alzò il mento, fece il gesto di deglutire, poi rivolse la bocca verso la maestra e le sputò addosso un gran getto di liquido bavoso e bolloso.

### Capitolo quinto
*Dove Prisca scrive*
*una lettera al Direttore.*

*Egregio Signor Direttore,*
*lei forse non si ricorda di me. Io sono Prisca Puntoni e frequento la IV D nella sua scuola. Il mio banco è il terzo nella bancata di mezzo. A destra c'è seduta Elisa Maffei, che è bionda. Quella a sinistra con i capelli neri sono io. Non c'è il*

rischio di confondersi. Ci conosciamo da tre anni e mezzo e ci siamo visti l'ultima volta in gennaio, quando lei è venuto in classe per consegnarci le pagelle. Io sono quella che con la signorina Sole aveva nove in italiano. Invece la maestra Sforza mi ha dato solo sette, perché dice che sono troppo fantasiosa.

Oppure forse lei si ricorda meglio la fila dell'uscita, quando facciamo la marcia e cantiamo quella ridicola canzone. Io sono al settimo posto, e non può sbagliare perché vicino a me c'è Laura Bonavente, che è l'unica della classe ad avere i capelli rossi.

Bene, adesso che mi sono presentata, le dirò il motivo di questa mia lettera.

Nella nostra classe è stata commessa una gravissima ingiustizia, e io sono sicura che le hanno raccontato delle bugie per farle firmare l'espulsione, e che lei non sa come sono andate esattamente le cose.

Perché avete mandato via dalla scuola l'alunna Repovik Iolanda? Il bidello ci ha detto che l'avete accusata di insubordinazione gravissima perché ha sputato addosso alla maestra. E che questa era l'ultima goccia che ha fatto traboccare il vaso, perché Iolanda ne aveva già combinato tante ed è sempre stata perdonata, ma adesso non si poteva piú sopportare un comportamento cosí ribelle e irriverente.

E avete anche scritto che la sua presenza era pericolosa per noi compagne, e che ci insegnava le parolacce ed era un pessimo esempio per tutte. E che le nostre mamme avevano chiesto di allontanarla. E non è vero niente, perché nessuna mamma ha chiesto una cosa del genere (a meno che non l'abbia fatta in segreto, ma bisogna avere il coraggio delle proprie azioni, non come quelli che scrivono le lettere anonime).

E non è vero che ci insegnava le parolacce. Ne sapevamo già abbastanza per conto nostro, e lei non ne ha mai detto neppure una. Non ha mai fatto niente di male, e dunque non c'era bisogno di perdonarle, quindi ecco un'altra bugia. Perché avete scritto cosí? Se era un po' sporca non era colpa sua, perché non aveva il bagno in casa come noi, e neppure *la luce elettrica. Però ha cercato di lavarsi nella fontana, e la maestra Sforza ha fatto finta di non accorgersi della buona volontà, anzi ha tagliato le trecce di Adelaide, e non ne aveva il diritto, perché solo le mamme possono tagliare i capelli delle bambine.*

*Io non lo so cosa volesse fare Iolanda da grande, perché non me lo ha mai detto. Ma so che una bambina per prepararsi al futuro deve studiare e prendere almeno un diploma. Me lo dice sempre la nonna Teresa, che la laurea non è indispensabile, ma coi tempi che corrono un diploma sí. Invece voi non le lasciate prendere nemmeno la licenza elementare. Vi sembra giusto? Solo perché ha sputato alla maestra? Che poi non era sputo, ma acqua insaponata, ed è stata proprio lei a fargliela bere. E magari le è scappata dalla bocca senza intenzione. Lei non lo sa, Signor Direttore, che c'è l'omicidio volontario e l'omicidio colposo, che vuol dire che uno non ne ha colpa perché non l'ha fatto apposta? Al massimo era uno sputo colposo, e dovevate tenerne conto prima di condannare la povera Iolanda.*

*Lo so che non andava tanto bene, che era ripetente e che aveva tre e quattro in tutte le materie. Però, se restava a scuola, magari poteva migliorare. E poi con lei la signora Sforza non aveva nessuna pazienza, e neppure con Adelaide.*

*Quella a cui si dovrebbe fare il processo, Signor Direttore, è la maestra Sforza, che è una grande bugiarda e fa i favoritismi alle sue Leccapiedi. Lei non dovrebbe stare a sentire solo la maestra, ma chiedere anche a noi, che abbiamo visto tutto, e possiamo testimoniare che Iolanda è stata provocata. In un processo c'è l'accusa, ma c'è anche la difesa, che ha diritto di portare i suoi testimoni. Io queste cose le so perché mio papà è avvocato e anche mio nonno, e qualche volta mi fanno tenere il foglio quando imparano a memoria le arringhe.*

*Persino gli assassini hanno l'avvocato difensore, e Iolanda niente. Io le dico che avete fatto un gravissimo errore giudiziario.*

*Lei forse non ne ha colpa perché non l'hanno informata*

*bene. Però, adesso che conosce la verità, ha il dovere di rimediare e di richiamare a scuola Iolanda. I suoi genitori avranno creduto anche loro all'accusa e certamente l'avranno picchiata. E adesso la manderanno a lavorare, anche se la legge dice che prima di quattordici anni non si può. E tutto per colpa di quella strega della maestra Sforza. Le sembra giusto?*

*Lei che è la persona più importante di questa scuola, e tutti le devono obbedire, ci ripensi e richiami Iolanda. Magari la può mettere in un'altra classe.*

*Grazie e distinti saluti*

*Prisca Puntoni, IV D*

Questa lettera Prisca non si limitò a scriverla su una delle sue agende. Dopo molte esitazioni, la ricopiò su un foglio protocollo, la mise in una busta e la portò in segreteria. Era spaventata per le possibili conseguenze e visse per due settimane in grande apprensione. Si aspettava che il Direttore la mandasse a chiamare e le chiedesse spiegazioni. Oppure che desse la sua lettera alla maestra e che questa si vendicasse. Quello su cui non sperava molto, sebbene lo desiderasse intensamente, era che la sua richiesta venisse accolta e che Iolanda tornasse a scuola.

Iolanda infatti non tornò, e Adelaide riferí che l'avevano mandata a fare la servetta al paese di sua nonna. Ma Prisca non ricevette alcuna risposta alla sua lettera, né fu convocata in Direzione.

— Secondo me la segretaria ha gettato via la tua busta senza consegnarla al destinatario — diceva Rosalba.

Ma una sera di carnevale il nonno portò con sé Prisca al Teatro Civico per vedere la *Butterfly* di Puccini, un'opera lirica tristissima che parla di una ragazza giapponese che un militare americano, Pinkerton, sposa per scherzo e poi abbandona con un bambino piccolo. E lei, disperata, si fa harakiri, ossia si squarcia la pancia con un pugnale. Ma prima benda il bambino perché non si impressioni a vedere il sangue.

Durante l'intervallo Prisca e il nonno incontrarono il Direttore, vestito tutto elegante, che accompagnava la moglie al bar.

— Buonasera, avvocato Puntoni! — disse il Direttore. — Come sta? Le è piaciuto il baritono? Non le sembra che Suzuki abbia fatto un po' troppe stecche? (Suzuki era la fedele cameriera di Butterfly.)

Il nonno bofonchiò qualche cosa, perché non gli piaceva fare commenti su un'opera che non era ancora finita, e il Direttore: — E questa sarebbe dunque la sua famosa nipotina?

— Perché famosa? — chiese il nonno meravigliato.

— Ah, una bella testa! E una bella penna! — disse il Direttore scompigliando i capelli di Prisca in modo fastidioso. — Continuerà la tradizione familiare, eh? Un'avvocatessa coi fiocchi!

— Veramente per lei abbiamo altri programmi — disse il nonno sostenuto.

— Ma l'ha ricevuta o no, la mia lettera? — non poté trattenersi dal chiedere Prisca.

Il Direttore le strizzò un occhio con aria di complicità. — Sta' tranquilla — le disse tirandola da parte. — Non l'ho fatta vedere a nessuno, e specialmente alla tua insegnante. Non sei stata generosa con lei, eh? Io ti capisco, sai. Alla tua età si è troppo idealisti e non si riesce a capire quello che è veramente giusto. I grandi ci sono appunto per questo. Per guidarvi, per decidere quello che è meglio per voi. Quando sarai grande anche tu, ti renderai conto che certi elementi non sono in grado di profittare dei vantaggi dell'istruzione, e in una classe portano soltanto disordine, per cui è meglio allontanarli. Lo sai, no, cosa c'è scritto nel Vangelo? Se la tua mano destra ti scandalizza, tagliatela e gettala lontano...

Prisca era sicura che Gesú non intendeva parlare di Iolanda. Sentí che gli occhi le si riempivano di lacrime. Lacrime di amarezza e di rabbia impotente.

— Là, là — disse bonario il Direttore dandole un buffetto sulle guance. E per fare lo spiritoso si chinò verso di lei e le cantò sottovoce un'aria dell'opera che era stata appena eseguita dal tenore:

*Bimba, bimba non piangere*
*per gracchiar di ranocchi!*
*Tutta la tua tribú*
*e i Bonzi tutti del Giappone*
*non valgono il pianto*
*di questi occhi cari e belli!*

— Dio santo, come sei stonato! Non fare il buffone! — lo sgridò sua moglie. — E lascia in pace questa bambina! Non ne hai abbastanza a scuola, che le devi tormentare anche a teatro?

— Ho sentito che parlavate di una lettera. Sei in corrispondenza con quel signore? — chiese il nonno quando i due si furono allontanati.

— No — rispose Prisca.

Per tutto il secondo tempo dell'opera, seduta rigida sul panchetto di velluto del palco, pianse a calde lacrime, inzuppandosi il colletto di pizzo bianco. Ma nessuno se ne meravigliò. Molte signore e signorine nel teatro piangevano, commosse dal crudele destino di Butterfly.

# MARZO

# Capitolo primo
## *Dove Elisa fa l'alunna modello*
## *e Prisca adotta un orfano.*

Nella IV D con la partenza di Iolanda era tornata la quiete. La dimostrazione di forza della maestra, culminata con l'espulsione dell'allieva "colpevole" aveva fatto dimenticare i suoi momenti di debolezza verso Elisa e l'oltraggio pubblico della parolaccia e dello sputo. Chi aveva vinto, alla fine, era stata lei, e cosí sarebbe accaduto ogni volta che un'allieva avesse cercato di mettere in discussione il suo comportamento.

Altro che carneficina! Elisa era rimasta cosí male per le conseguenze della sua insubordinazione che era tornata immediatamente a comportarsi come un'alunna modello. Aveva paura. Non per sé, per Adelaide.

Rosalba qualche mese prima le aveva prestato un libro di racconti, uno dei quali parlava di un giovane principe, figlio di un re molto ricco e potente. Fra i suoi servitori questo principe aveva un ragazzo del popolo il cui compito era quello di prendere le frustate destinate al nobile padroncino, quando i suoi precettori decidevano che era necessario punirlo.

Questo fatto allora aveva riempito Elisa d'indignazione, ma adesso le sembrava di essere lei stessa la principessina egoista e intoccabile, della cui cattiveria facevano le spese altre bambine meno fortunate.

Era sicura che se avesse combinato qualche nuovo malestro, la signora Sforza avrebbe trovato il modo di darne la colpa ad Adelaide, per cacciare dalla scuola anche lei.

Adelaide, rimasta sola nel suo banco isolato in fondo all'aula, dal suo canto cercava di comportarsi meglio che poteva. Stava zitta e composta, attentissima alle lezioni, allungando il collo per riuscire a vedere almeno un pezzetto di lavagna. Quando la signora Sforza faceva una domanda, alzava sempre la mano per rispondere e, anche se non veniva mai interrogata, non si scoraggiava e la volta successiva ci tentava di nuovo.

Si era persino procurata un nuovo grembiule, chiaramente usato e un po' troppo grande per lei, ma senza strappi né macchie, e con tutti i bottoni al loro posto.

— Madamigella vuol farci schiattare d'invidia con la sua eleganza! — aveva commentato Sveva, e Prisca aveva sentito, come al solito, il fortissimo desiderio di darle un calcio sugli stinchi. Ma non ci aveva neppure provato, perché anche lei aveva paura di attirare le ire della maestra su Adelaide, e poi in quel periodo era meglio che evitasse qualsiasi scontro fisico, perché stava covando.

Era successo che i canarini di sua madre, dopo aver deposto cinque uova e aver cominciato a covarle amorevolmente, un bel giorno si erano stufati e le avevano sbattute fuori dal nido. Quattro si erano rotte, sporcando col loro contenuto il pavimento della gabbia. Ma Ines era riuscita a salvare il quinto uovo, che aveva un bel colore grigio-azzurrino, e l'aveva dato a Prisca, che aveva deciso di adottarlo.

Lo aveva avvolto con gran precauzione in uno strato di cotone idrofilo e poi lo aveva messo dentro a un sacchettino di tela che aveva contenuto, in origine, i confetti di un battesimo.

Per tenerlo al caldo, lo aveva messo sul termosifone della sua camera. Ma Gabriele le aveva fatto osservare: — Hai visto che gli uccelli, quando covano, non si allontanano mai dal nido? Ci vuole una temperatura costante e i termosifoni invece ogni notte li spengono...

Allora Prisca aveva deciso di tenere l'uovo sotto un'ascella, il punto piú caldo e protetto del suo corpo, come dimostrava il fatto che proprio lí le mettevano il termometro quando aveva la febbre.

Aveva fissato il fagottino alla maglia di lana con una spilla da balia e, ogni volta che faceva il bagno e si cambiava la biancheria, stava attentissima a non fargli prendere freddo.

Lei, che durante la notte si girava e rigirava nel letto come un'anima in pena, aveva imparato a dormire immobile, rannicchiata sul fianco destro (l'uovo lo teneva a sinistra). Non faceva dei bei sonni lunghi e profondi come una volta. Ogni tanto si svegliava di soprassalto col pensiero: "Oh, Dio, l'uovo! Lo avrò schiacciato!"

Ma era riuscita a conservarlo intatto per sei giorni, e non voleva metterlo in pericolo attaccando briga con Sveva, che certo le avrebbe dato pugni e spintoni.

Adesso Prisca ringraziava il cielo che il suo impegno con lo zio Leopoldo fosse quello di stare seduta a intrattenere Olimpia. Se avesse dovuto lavare l'automobile o sbattere i libri sul davanzale, come avrebbe fatto con l'uovo?

A dire la verità, quando l'iniziativa dei regali natalizi si era risolta in modo cosí spiacevole, lo zio Leopoldo aveva chiamato le tre bambine e si era offerto di condonare il debito. Ma Elisa, orgogliosa, aveva risposto: — Scusa, ma tu le trentamila lire le hai spese comunque. Nessuno te le ha ridate indietro — e aveva insistito per mantenere l'impegno assunto. Le altre due, che avrebbero accettato volentieri la generosità del dottor Maffei, a quel punto non avevano potuto fare altro che imitarla.

Per fortuna Pasqua quell'anno cadeva alla fine di marzo. Prisca sperava che per quell'epoca anche il suo canarino sarebbe uscito dall'uovo. Sebbene ne avesse visto altre volte di appena nati, e sapesse che erano bruttissimi, pelati, senza neppure una piuma, come gnocchetti di carne scura con grandissimi occhi sporgenti, il suo lo immaginava come un soffice pulcino giallo da cartolina pasquale.

## Capitolo secondo
*Dove la maestra fa un annuncio.*

Le cose stavano a questo punto quando la maestra Sforza disse che voleva parlare con i genitori delle alunne e dettò un messaggio per loro, da scrivere sul diario, dove li convocava tutti un sabato pomeriggio in casa dell'ingegner Golinelli, papà di Renata, che aveva messo gentilmente a disposizione la sua sala da pranzo.

Le bambine non erano invitate a questa riunione, ma lo zio Leopoldo disse a Elisa: — Visto che si parlerà certamente di cose che ti riguardano, è giusto che venga anche tu e che possa dire il tuo parere. — E se la portò dietro.

Era l'unica di tutta la classe. Non era presente neppure la Golinelli, che abitava in quello stesso appartamento. Anzi, la moglie dell'ingegnere, quando vide Elisa le disse: — Ti annoierai... Vuoi andartene di là a giocare con Renata?

Ma lei fece cenno di no con la testa e si tenne stretta al fianco dello zio.

Oltre al padrone di casa e al dottor Maffei, non c'erano altri uomini alla riunione. Erano venute solo le mamme. Alcune di loro si conoscevano già e si misero subito a fare pettegolezzi e a parlare di cose che non avevano niente a che fare con la scuola. Altre, come la madre di Anna Piu e quella di Paola Marradi, se ne stavano in disparte all'estremità piú lontana del tavolo. La madre di Luisella si scusava con un biglietto per non essere potuta venire. Doveva terminare un abitino di velluto rosso fragola per Sveva.

— La bambina domani va a una festicciuola e vuole indossare a tutti i costi il vestito nuovo — disse la signora Lopez, soddisfatta della serietà professionale della sartina, che anteponeva i desideri delle clienti ai suoi doveri materni.

Quando fu chiaro che non sarebbe arrivato nessun altro, la signora Sforza sedette a capotavola, si schiarí la voce e chiese un po' di attenzione.

— Probabilmente saprete — esordí — che all'Ascensione era mia abitudine far saltare la quinta alle mie allieve e presentarle all'esame di ammissione alla fine della quarta. Non ho mai avuto alcuna difficoltà a concentrare in un anno il programma di quarta e quinta, e all'esame le mie allieve hanno sempre avuto i voti migliori.

Le mamme assentirono. La bravura delle vecchie allieve della signora Sforza era famosa in tutta la città.

— Per tutti questi mesi — riprese la maestra — mi sono chiesta se era il caso di fare cosí anche con le vostre bambine. Avevo dei dubbi sulla loro preparazione e mi chiedevo se fossero all'altezza dell'impresa. — Fece una pausa per bere un sorso di vermut, lasciando, sia pure per pochi secondi, tutti i presenti in grande angoscia, a chiedersi se le proprie figlie fossero davvero piú stupide e ignoranti delle allieve dell'Ascensione.

La signora Sforza si asciugò la bocca col tovagliolino ricamato e riprese: — Devo riconoscere che negli anni passati la signorina Sole ha fatto un ottimo lavoro, probabilmente anche perché la classe era già stata selezionata. Ho constatato che le bambine sono ben preparate, hanno delle basi solide e sanno organizzarsi nello studio. Perciò vi informo che ho deciso di far saltare la quinta anche a loro. Siamo già molto avanti col programma, e non avrò alcuna difficoltà a concentrare nei prossimi mesi tutto quello che serve per affrontare l'esame.

Il discorso della maestra fu accolto da una serie di esclamazioni favorevoli. La signora Golinelli cominciò a far passare in giro il vassoio del vermut e dei salatini. Ma lo zio Leopoldo alzò la mano per fare silenzio e domandò: — Mi scusi, ma potrei sapere per quale motivo ha preso questa decisione?

— Il motivo?... Dio santo, ma è chiaro come il sole! — disse scandalizzata la signora Mandas. — Cosí le bambine guadagnano un anno.

— In che senso lo guadagnano? — chiese il dottor Maffei. — A me sembra che lo perdano. Perdono la quinta elementare.

— Dottore, non faccia dello spirito — lo rimproverò scherzosa la moglie del professor Artom, madre di Viviana. — Perdere, guadagnare... Questi sono giochi di parole. Di fatto le bambine andranno alle Scuole Medie con un anno d'anticipo rispetto alle coetanee.

— Appunto. Perdono un anno d'infanzia.

— Ma cosa dice! A me sembra un'ottima cosa! — squittí la signora Lopez del Rio.

Allora la signora Cocco, madre di Angela, alzò timidamente una mano. — E le nostre?

— Le vostre cosa?

— Le nostre figlie? Loro hanno bisogno di fare l'esame di quinta, perché non andranno alle Medie, ma all'Avviamento Professionale.

Sui presenti calò un gelo imbarazzato. La maestra restò impassibile come una sfinge e non disse niente. Fu la padrona di casa a rompere il ghiaccio, con un tono seccato, come se avesse ricevuto uno sgarbo.

— Quante siete? — chiese.

— Be'... Vediamo. La mia, la Mele, Agata Fiori, Anna Piu, la Marradi, Luisella Uras... e quella bambina nuova di via Mercato Vecchio! Guzzòn! Guzzòn Adelaide...

I Conigli al gran completo, pensò Elisa. Tranne naturalmente Marcella e Rosalba che stavano nel primo banco e oscillavano tra Conigli e Maschiacci.

La signora Golinelli contò rapidamente sulle dita. — Sette contro ventidue. Mi sembra che siate in minoranza. Le regole della democrazia...

— Cosa c'entra la democrazia! Noi facciamo il sacrificio di mandare le bambine a scuola perché prendano la licenza elementare. È una scuola pubblica, no? — protestò la signora Cocco, che era abituata a rompere le zolle di terra con la zappa e non si lasciava scoraggiare dalle difficoltà.

— Ha ragione — la sostenne lo zio Leopoldo.

La maestra Sforza non si aspettava di trovare opposizione. Aveva previsto soltanto elogi e ringraziamenti, e assunse un'aria di dignità offesa che la fece sembrare ancora piú arcigna. — Stia tranquilla, signora. E tranquillizzi anche le sue... ehm... colleghe. Vuol dire che alle vostre figlie continuerò a fare il programma di quarta e, se saranno promosse, l'anno venturo andranno in quinta con un'altra maestra.

Lo zio Leopoldo chiese a Elisa: — E tu cosa vuoi fare? Vuoi fare il salto o vuoi frequentare regolarmente la quinta come queste altre compagne?

— Che idea! — commentò scandalizzata la signora Puntoni. — Proprio Elisa che è cosí brava e diligente. Non vorrete mica mandarla all'Avviamento...

— Deve scegliere lei — insistette lo zio.

— Prisca e Rosalba cosa fanno? — si informò Elisa.

— Il salto, è ovvio — rispose decisa la signora Puntoni.

— Il salto, naturalmente — disse la signora Cardano, che durante la discussione si era incantata a guardare il tramonto fuori dalla finestra e non capiva cosa ci fosse da litigare.

— Allora faccio il salto anch'io — disse Elisa.

## Capitolo terzo
*Dove ci si allena per il salto.*

Era strano vedere la classe divisa in due gruppi che studiavano cose diverse.

Ai Conigli la maestra assegnava dei compiti facili, che correggeva in un baleno, e non le interrogava quasi mai. Dedicava loro unicamente il tempo in cui le altre facevano il tema in classe, e parlava a voce bassa, per non disturbare il gruppo delle saltatrici.

A queste dettava in continuazione brani lunghi una pagina da imparare a memoria. Non c'era tempo di stare a fare tanti ragionamenti o di dare spiegazioni. Il programma dell'esame di ammissione consisteva in un lunghissimo elenco di poesie, riassunti di libri, teoremi, biografie, notizie storiche geografiche e scientifiche.

La maestra Sforza era bravissima a ridurre ogni titolo dell'elenco in un'unica pagina di quaderno: le nazioni d'Europa, i martiri del Risorgimento, i mammiferi, i racconti mensili del libro *Cuore*, i grandi pittori italiani, le maree, le buone regole per governare una casa, i vulcani, "La cavallina storna" di Giovanni Pascoli, il punto croce... l'elettricità... Prisca aveva insinuato nei Maschiacci il sospetto che quei riassunti la maestra non li facesse giorno per giorno a loro beneficio, come pretendeva, ma che li avesse composti una volta per tutte vent'anni prima, a uso delle damigelle dell'Ascensione.

Comunque fosse, pagina dopo pagina i quaderni e le teste delle bambine si riempivano di parole.

Rosalba protestava: — Non mi piace studiare cosí. Sembriamo tanti pappagalli.

Non aveva molta memoria, e se non capiva perfettamente una cosa non riusciva a ricordarsela. Ogni brano, doveva leggerlo dieci o venti volte prima di mandarlo a mente. Cosí non le restava piú tempo per disegnare, per correre sul marciapiede con i pattini, per andare a giocare in casa delle amiche, o al cinema, quando davano qualche film di Tarzan, dei quali andava pazza.

Invece a Marcella Osio, che era un anno avanti e quindi alla fine di anni ne avrebbe guadagnati (o perduti?) due, bastava leggere un brano una volta sola per saperlo perfettamente, e per sempre. All'ordine della maestra, si alzava in piedi, poggiava le mani sul banco, rovesciava indietro la testa con gli occhi chiusi, e recitava tutto d'un fiato, senza intonazione, sparando le parole come una mitragliatrice.

— Cesare Battisti nacque a Trento da un'antica famiglia tatatà tatatà tatatà tatatà...

— La Spagna confina a nord col Golfo di Biscaglia tatatà tatatà tatatà...

Prisca la contemplava dal suo banco piena di ammirazione. Anche lei aveva una buona memoria, ma ci metteva una vita a recitare i brani, perché le piaceva dirli con sentimento, facendo sentire la punteggiatura, soprattutto i punti di domanda, con pause piene d'effetto, spesso accompagnando la dizione con gesti drammatici (che adesso, grazie all'uovo, erano a dire il vero molto piú misurati del solito).

La maestra dopo un poco si stancava e la interrompeva. — Basta! Basta! Ho capito che lo sai!

Adelaide invece la guardava con occhi sgranati e, sebbene il programma che doveva seguire lei fosse quell'altro, un giorno la sorpresero a ripetere a mezza voce i brani piú commoventi della vita di Giuseppe Garibaldi e la morte di Anita nella pineta di Ravenna.

— Cosa c'è? Pensi di iscriverti all'università, Raperonzolo? — le chiese maligna Alessandra.

Ma anche lei non aveva tanto tempo da perdere a inventare cattiverie.

## Capitolo quarto
*Dove Prisca fa una nuova conoscenza.*

Il 15 di marzo la signora Sforza mandò a chiamare la signora Puntoni.

— Cos'ha combinato, quella peste? — chiese subito la madre di Prisca allarmata.

— Niente. Anzi mi dà grandi soddisfazioni. Sono certa che avrà il massimo dei voti in italiano, in storia e in tutte le altre materie. Tranne che in matematica, dove è un po' deboluccia...

— Non la sa? — chiese la mamma. — È rimasta indietro? Sbaglia i problemi? Ha meritato qualche tre?

— No, no. La sufficienza la raggiunge senza sforzo. Ma se si applicasse di piú potrebbe avere otto o nove. Soltanto, mi rendo conto che in questi mesi deve già lavorare tanto per l'esame... però sarebbe un peccato guastare una bella pagella con un sei striminzito.

— Proprio un peccato! — sospirò la signora Puntoni, che ancora non aveva capito cosa ci potesse fare lei, in tutto questo. Era ovvio, no?, che se una è brava in italiano come Prisca non può essere brava anche in matematica.

— Se potesse avere un po' d'appoggio fuori delle ore di scuola... Se potesse prendere qualche ripetizione... — azzardò la maestra titubante.

— Ma certo! — disse la signora Puntoni sollevata; aveva sempre paura che la maestra le dicesse che Prisca era troppo stravagante, troppo ribelle per poter restare a scuola — tutte le lezioni che lei riterrà opportuno! Anzi, signora, non potrebbe lei stessa... Pagando il giusto, s'intende...

— No — rispose sostenuta la maestra. — Io, per principio non dò lezioni private.

Cosí dovettero cercare un'altra insegnante. Trovarono la signorina Múndula, che era stata raccomandata come ottima dallo zio Casimiro.

Prisca non era affatto entusiasta di dover perdere tre ore alla settimana con queste ripetizioni.

— Non c'è alcun pericolo che mi boccino, vedrai, mamma. Non sono brava come Rosalba, ma alla sufficienza ci arrivo.

— Non hai davvero amor proprio! La sufficienza! Devi prendere almeno otto per non rovinarti la media.

Cosí Prisca dovette rassegnarsi.

La signorina Múndula abitava al quinto piano di una vecchia casa del centro storico. Le scale erano poco illuminate e sui pianerottoli, filtrando dalle porte, ristagnava un forte odore di cavolo. La prima volta Prisca ci andò accompagnata da Ines, che la teneva per mano e gliela stringeva forte per dimostrarle la sua solidarietà. Anche lei era convinta che Prisca non avesse affatto bisogno di lezioni.

Arrivate in cima alle scale col fiatone, suonarono alla porta. Venne ad aprire una donna anziana, grassa e spettinata, con un grembiule da cucina tutto bagnato sulla pancia.

— Buongiorno signora. Questa è la bambina dell'avvocato Puntoni — disse Ines in fretta. Spinse avanti Prisca, girò sui tacchi e se ne tornò giú per le scale, lasciandola sola con quella sconosciuta.

"Sarà lei la professoressa?" pensava Prisca sconcertata. "O è forse la sua domestica?"

— Entra, entra! — disse la donna. — Mia figlia arriva subito — e la fece accomodare in una piccola stanza, metà salotto e metà sala da pranzo, col tavolo coperto da una tela cerata verde.

Prisca era scocciata e un po' intimidita. Chissà se la nuova insegnante sarebbe stata severa? Chissà se somigliava a quella sciattona della madre? In cuor suo mandava tanti accidenti alla signora Sforza per questa bell'idea delle ripetizioni di matematica.

Poi la porta si aprí e avvenne il miracolo.

182

La signorina Múndula era giovane e bel-lis-si-ma! Era la donna piú bella che Prisca avesse mai visto in vita sua, a parte le attrici del cinema, naturalmente.

Era alta, snella, elegante, nonostante indossasse un golf da casa e una gonna assolutamente comuni. Aveva la carnagione bianchissima e i capelli rosso fiamma, ondulati, fermati con un pettinino di tartaruga sulla tempia destra e sciolti sulle spalle. Gli occhi, un po' vicini, le davano un'aria spiritosa. Erano castano dorato, trasparenti come quelli di vetro delle bambole. E sulle guance, quando sorrideva, le si formavano due fossette («L'hanno pizzicata gli angeli mentre dormiva» avrebbe detto Antonia).

Sembrava tutto, tranne che una professoressa di matematica. Anzi, non sembrava neppure una professoressa.

E poi era simpatica. — Dunque, tu saresti la figlioccia di Leopoldo? — disse con calore, e le strinse la mano come se Prisca fosse stata un'adulta.

Appena terminata la lezione, Prisca, invece di tornare a casa, si precipitò da Elisa per raccontarle tutto.

— Se la vedessi! Sembra una fata irlandese! Sai, come quelle di quel libro...

— Che esercizi ti ha fatto fare? — chiese Elisa, che stava giusto ripassando la prova del nove ed era piú interessata alla matematica che alla beltà femminile.

Prisca allontanò con un gesto impaziente la domanda fastidiosa. Non ricordava assolutamente nulla della lezione, tranne il viso della signorina Múndula, quella vena azzurra sulla tempia, la sua voce un po' roca, le mani bianche e sottili che tenevano cosí delicatamente la matita, le gambe accavallate, il ciuffo che, nonostante il pettinino, le ricadeva continuamente sulla fronte... E poi la simpatia, gli scoppi di riso, il tono di complicità. — Vogliamo strabiliarli, questi professoroni esaminatori? Dovrai lavorare sodo.

— È fantastica! — sospirò. — Devi assolutamente conoscerla. Perché non ti fai mandare a lezione anche tu?

Ma lo zio Leopoldo trovava che i voti di Elisa erano abbastanza buoni, e non gliene importava niente della media dell'otto. — Mi importa di piú che ti resti del tempo per giocare e per fare del movimento all'aria aperta. Quanti giorni sono che non ti fai un bel giro in bicicletta?

— Ha una tale quantità di compiti, poverina! — intervenne la tata, disaprovvando.

— Appunto. Ci mancano le ripetizioni!

Cosí dovettero rassegnarsi a trovare un'altra soluzione. Decisero che l'indomani, all'uscita di scuola, avrebbero allungato la strada per passare davanti all'Istituto Tecnico.

— Magari la incontriamo!

Rosalba, quando lo seppe, volle andarci anche lei.

Arrivarono davanti al Tecnico che era appena suonata la campana. I ragazzi, quasi tutti maschi, con i pantaloni alla zuava, si precipitavano giú per le scale.

Poi ecco spuntare tra la folla una inconfondibile chioma rosso fiamma.

— Eccola! — disse Prisca. Il cuore nel petto le batteva furiosamente. Trascinò le due amiche dietro un'automobile.

— Non ce la fai conoscere? — chiese meravigliata Rosalba, che si aspettava di essere presentata alla professoressa.

— Sss!

La signorina Múndula, ignara di essere spiata, passò loro cosí vicino che avrebbero potuto toccarla.

— Non è vero che è bellissima? — chiese Prisca quando il suo idolo si fu allontanato.

— Ha gli occhi storti — disse Elisa.

— Non è vero. Li ha un po' vicini. Le danno un'aria cosí misteriosa.

— Somiglia a Maureen O'Sullivan — osservò Rosalba.

— A chi? — domandò Prisca sospettosa.

— A Jane. La fidanzata di Tarzan. Non ti ricordi?

— Come si chiama? — s'informò Elisa.

— Non lo so. Non ho avuto il coraggio di chiederglielo — confessò Prisca. Le altre la guardarono indignate. Era una lacuna gravissima!

— Lo chiederò allo zio Casimiro — annunciò Elisa.

— Chissà perché mi ha chiesto di salutare lo zio Leopoldo

e non lui? — ragionò Prisca a quel punto. Forse era molto tempo che non lo vedeva, mentre con Casimiro aveva appena parlato per via delle sue lezioni.

La signorina Múndula si chiamava Ondina, e mai nome femminile era sembrato alle tre amiche piú delizioso e piú adatto a chi lo portava.

Nei giorni successivi non fecero altro che parlare di lei.

— Chissà come mai non si è ancora sposata? Avrà almeno venticinque anni — si chiedeva Rosalba.

— Una donna cosí deve avere corteggiatori a bizzeffe — diceva Prisca. — Certamente anche tutti i suoi alunni sono innamorati di lei.

— Forse sta aspettando di incontrare il Grande Amore — suggerí Ines, interpellata in merito come esperta. — Forse in questa città non c'è nessuno che sia degno di lei...

— Oh, se fossi un bellissimo principe, oppure un aviatore americano, o uno zingaro violinista dagli occhi ardenti! — sospirava Prisca. — Mi getterei ai suoi piedi e non mi rialzerei prima di averle strappato un bacio.

— Lo zio Casimiro dev'essere proprio un uomo insensibile, se è vero che la conosce da tanti anni e non le ha mai fatto la corte — osservò Elisa.

— Forse gliel'ha fatta, ma lei ha risposto di no — suggerí Rosalba.

## Capitolo quinto
*Dove Prisca scopre
la delusione e la gelosia.*

Ogni lunedí, mercoledí e venerdí, Prisca saliva quelle scale odorose di cavolo con la stessa emozione che avrebbe provato sulle scale del Paradiso. E ogni volta, all'aspettativa del piacere che si riprometteva dall'incontro, si mescolava una sottile apprensione. E se la signorina Múndula questa volta l'avesse delusa? Se fosse stata meno bella, meno gentile? Se avesse fatto o detto qualcosa di sbagliato?

— Non sarebbe la fine del mondo. Ricordati che nessuno è perfetto — la ammoniva saggiamente Rosalba.

Ma la signorina Múndula era perfetta, e l'infatuazione di Prisca cresceva ogni giorno di piú.

Ogni tanto si chiedeva come mai due genitori cosí modesti, cosí poco distinti (il padre aveva una bottega da falegname al pianterreno della stessa casa dove abitavano), avessero potuto mettere al mondo e allevare una creatura cosí eterea, cosí raffinata, fragile e luminosa come una lampada di alabastro.

Prisca conosceva fiabe di bambini scambiati in culla dalle fate o dagli elfi. Se non si fosse trattato di fantasie, quella sarebbe stata un'ottima spiegazione.

Stranamente, lei che di solito era cosí disinvolta («sfacciata», diceva la nonna Teresa), quand'era a tu per tu col suo idolo non trovava il coraggio di esprimere in qualche modo la sua ammirazione. Anzi, diventava silenziosa, impacciata, arrossiva per un nonnulla.

— Su, non essere cosí timida! Non ti mangio mica! — le diceva la professoressa. — È proprio vero che gli uomini non s'intendono affatto di bambini. Pensa che Casimiro Maffei mi aveva messa in guardia, raccontandomi che eri un terremoto, una vera peste!

Quando tornava a casa, invece di fare gli esercizi di matematica o di studiare a memoria un nuovo martire del Risorgimento, Prisca riempiva pagine e pagine delle sue agende di poesie dedicate «*alla stupenda, straordinaria, fantastica, indescrivibile Ondina, figlia della schiuma del mare e dei cavalli alati.*»

A scuola era trasognata, indolente e prestava poca attenzione alle sempre nuove perfidie che la maestra inventava contro Adelaide, e persino alle provocazioni di Sveva e di Alessandra.

Sognava di compiere azioni eroiche, sacrifici sublimi, prodezze che attirassero su di lei l'ammirazione della sua dea. Sognava di soffrire per lei, di morire, di essere sepolta con un gran funerale, come quelli con pifferi e tamburi della

Settimana Santa, mentre Ondina e lo zio Leopoldo seguivano la sua bara singhiozzando disperati.

E finalmente l'occasione di soffrire le si presentò davvero, ma non nel modo che aveva immaginato.

Infatti, mentre la sua anima era travolta da questa nuova passione, Prisca non aveva mai cessato di covare coscienziosamente il suo uovo di canarino. Di notte, la paura di schiacciarlo le impediva di abbracciare il cuscino per piangere, come aveva visto fare, al cinema, alle eroine innamorate. Ma per il resto la sua attività di covatrice non aveva minimamente ostacolato i suoi rapporti con la signorina Múndula. Anzi, forse proprio quel tenere il braccio sinistro stretto al torace, quel muoversi con cautela, che ormai le veniva spontaneo, avevano contribuito alla sua nuova fama di bambina quieta, docile e un po' addormentata.

Ormai era passato piú d'un mese da quando aveva preso l'orfanello sotto la sua protezione e secondo Gabriele la nascita del pulcino era imminente.

— Sta' attenta se senti beccare contro al guscio — le diceva. — In quel caso devi togliere immediatamente l'uovo fuori dal cotone, altrimenti il pulcino potrebbe soffocare.

Prisca si augurava che le avvisaglie della nascita non si presentassero durante le ore di scuola, dove però forse avrebbe potuto fingere d'avere un bisogno urgente e correre a rifugiarsi in gabinetto. Molto peggio se si fossero presentate durante una lezione di matematica, dov'era sola con la signorina Múndula e le sarebbe riuscito decisamente piú difficile inventare una scusa.

L'ideale era che la nascita avvenisse a casa, magari dopo cena, quando Antonia e Ines fossero state disponibili per dare tutta l'assistenza e i consigli necessari.

Un venerdí la signorina Múndula la accolse con un viso raggiante di gioia. Sembrava una lampada d'opalina rosata con la luce accesa all'interno.

— Niente lezione, oggi, Prisca! Oggi dobbiamo fare festa! Mi è successa una cosa bellissima. Su fammi gli auguri, abbracciami!

Prisca si avvicinò piena di imbarazzo. Abbracciarla? Può un comune mortale, toccare e stringere il corpo d'una dea? Le tornò in mente la storia di Semele, la madre del dio Bacco, che per aver voluto guardare Giove in tutto il suo splendore, era rimasta incenerita (e il suo bambino, povero orfanello, aveva dovuto passarne di tutti i colori, come raccontava il libro di mitologia dello zio Leopoldo).

— Abbracciami! — ripeté la signorina Múndula, e poiché Prisca se ne stava lí ferma e rigida come un salame, tese le braccia, la attirò a sé e la strinse. Aveva un buonissimo profumo. La strinse forte forte...

CRACK! Fece l'uovo. Prisca lanciò un urlo.

— Cosa c'è? Ti ho fatto male?

— Oh Dio! Si è rotto! — ansimava Prisca, annaspando con le mani sotto al maglione e alla camicia di flanella.

— Si è rotto cosa? Avevi un foruncolo? Cos'è successo?

Ammutolita dallo stupore, Ondina stette a guardarla mentre, perso ogni ritegno, si contorceva e riusciva infine a pescare il fagottino dal suo rifugio, ad aprire la spilla da balia...

— Ma cos'hai, là dentro?

— Il mio uovo! — disse Prisca angosciatissima. E glielo tese. — Lo apra lei! Io non ne ho il coraggio.

— Un uovo! Ma benedetta bambina, perché te lo eri messo là sotto?

— Lo stavo covando. — Era terrorizzata all'idea di quello che sarebbe comparso all'apertura del sacchetto. — Lo apra lei! — supplicò concitata. — Magari il pulcino era già pronto per nascere, già maturo... Magari possiamo ancora salvarlo... metterlo in incubatrice.

La signorina Múndula prese il fagottino e lo svolse con grande precauzione. Il cotone idrofilo era inzuppato di una poltiglia vischiosa e giallastra che puzzava... puzzava... come un uovo marcio!

— Santo cielo, Prisca! Ma da quanto tempo lo tenevi lí?

— Da piú di un mese! — disse Prisca singhiozzando. — E adesso l'ho schiacciato, vero? È morto?

— Oh, santa ingenuità! No, che non è morto. Non è mai esistito. Dove lo avevi preso?

— Dalla gabbia. La madre lo aveva gettato fuori dal nido.

— Vedi, probabilmente non lo ha fatto per cattiveria, ma perché sapeva che era inutile covarlo. Che non era un uovo fecondato da cui si sarebbe sviluppato un embrione e dopo un uccellino... Che era un uovo e basta, di quelli da mangiare fritti...

— E io, per tutto questo tempo...

— ... e tu hai covato del tuorlo e dell'albume che, a lungo andare, si sono guastati. Non senti che puzza di uova marce? Oh, Prisca, che testolina matta che sei!

È terribile, quando l'oggetto della tua passione, colui o colei che tu vorresti ti ammirasse, ride invece di te. Non c'è al mondo nulla di piú umiliante. Prisca si asciugò le lacrime col dorso della mano, tirò su col naso e cercò di darsi un contegno.

— Prima mi ha detto che dovevo farle gli auguri. Cos'è questa cosa bellissima che le è capitata?

— Sono innamorata, bambina. E ho saputo finalmente che anche lui è innamorato di me.

— Lui chi?

— Non essere indiscreta! Abbiamo deciso di non raccontarlo ancora a nessuno. A te l'ho detto perché... perché oggi sono cosí felice che non riesco a stare zitta... E poi, perché mi sei simpatica; sei un tipo silenzioso, riservato, e sono sicura che non andrai a spiattellarlo in giro. Vero, Prisca, che non lo dirai a nessuno?

— Giuro! Croce di ferro, croce di legno! — disse Prisca solennemente, ma incrociò le dita dietro alla schiena per annullare l'obbligo del giuramento.

— D'altronde, lo verrai a sapere anche troppo presto — aggiunse la signorina Múndula.

— Mi dica almeno se lo conosco.

— Forse sí. Forse no — rispose l'altra in tono scherzoso. — Abbi solo un po' di pazienza! Ti prometto che quando ci sposeremo, ti farò reggere lo strascico. Come indennizzo per averti fatto rompere l'uovo.

— Anche a Elisa. La mia amica Elisa Maffei.
— Anche a Elisa Maffei. Puoi starne certa.

### Capitolo sesto
*Dove anche Sveva*
*fa un tema degno di nota.*

— Secondo me è lo zio Casimiro — disse Rosalba guardandosi con aria critica nello specchio. — Ahi! Mi fai male!
— E tu sta' ferma con la testa! — la rimbeccò Prisca, che stava cercando di trasformare i codini dell'amica in due mozziconi di trecce. — No! — disse poi scoraggiata. — Sono ancora troppo corti.
— Io dico che non è lui — intervenne Elisa. — Se fosse lui, sarebbe allegro e contento. Invece in questi ultimi giorni è sempre arrabbiato e nervoso... Ha persino risposto male alla nonna Mariuccia e ha litigato con lo zio Leopoldo che aveva preso in prestito una sua cravatta senza avvertirlo.
— E se fosse uno di fuori? Magari uno straniero? — suggerí Rosalba.
— Un cow-boy... un principe indiano...
— Ma dài, Prisca! E dove l'avrebbe incontrato? A una riunione di professori dell'Istituto Tecnico?
— Sentite — propose Elisa a questo punto. — C'è un solo modo per scoprire chi è. Quello di sorprenderli insieme. Magari di vederli mentre si baciano.
— Bisognerebbe pedinare Ondina — disse Rosalba.
Ma naturalmente questo non era possibile. Prima di tutto perché la maestra Sforza assegnava loro ogni giorno un numero sempre maggiore di brani da imparare a memoria, cosí che restava pochissimo tempo per andarsene in giro. E poi, perché probabilmente i due innamorati s'incontravano dopo cena, quando loro venivano spedite in camera a mettere in ordine la cartella per l'indomani, e poi a letto, e non potevano certo pensare di uscire di casa da sole.
L'unica cosa che potevano fare era quella di tenere gli

occhi e le orecchie bene aperti, le dita incrociate, e di sperare nella fortuna.

A scuola l'attività di dettatura e di copiatura dei brani era diventata cosí frenetica che le bambine quasi non riuscivano a respirare. Giocoforza, tra Leccapiedi e Maschiacci si era stabilita una tregua.

Soltanto Sveva non sembrava contagiata dal fervore generale. Dopo aver scritto poche pagine, cominciava a dimenarsi sul banco, lamentandosi che era stufa, che aveva le mani sudate, che le stava venendo il callo alle dita, che aveva spuntato il pennino, che aveva un crampo alla gamba...

"Tutte scuse!" pensava Prisca con disprezzo. "Se fossi io la maestra, non le crederei, ma neanche..."

La maestra invece le credeva, o almeno faceva finta.

— Va' pure nel corridoio a sgranchirti le gambe, cara. Emilia Damiani ti presterà il suo quaderno e ricopierai il resto dei brani a casa.

L'indomani, col pretesto che aveva dovuto ricopiare (ma il piú delle volte la calligrafia era quella di un adulto) Sveva non era in grado di recitare le lezioni a memoria. E neppure la povera Emilia, che aveva sempre il quaderno a casa della compagna, e doveva fare delle corse affannose per rimettersi in pari. Sveva invece era rimasta indietro di venticinque pagine. Ma se ne infischiava, anzi perdeva dell'altro tempo per stuzzicare le compagne e distrarle dal loro lavoro.

Un giorno la maestra assegnò un tema da svolgere in classe intitolato: *Una bella sorpresa.*

Sveva, che di solito passava almeno mezz'ora a grattarsi la testa con la penna, a fissare nel vuoto o a tormentare Emilia prima di trovare un'idea, questa volta si mise immediatamente a scrivere con un sorrisetto maligno sulle labbra. Terminò in fretta e consegnò prima di tutte le altre, cosí che la maestra fece in tempo a dare un'occhiata al suo tema mentre aspettava il resto dei compiti.

Prisca, che aveva finito anche lei e stava lasciando riposare le dita prima di mettersi a ricopiare in bella, vide che, man mano che leggeva, la signora Sforza cambiava faccia.

Da annoiata si era fatta attenta, poi compiaciuta, poi soddisfattissima. Poiché Sveva non aveva mai brillato né per la forma corretta né per i concetti originali, Prisca si chiese quale fosse il motivo di tanta soddisfazione. Ma non dovette aspettare a lungo per chiarire il mistero.

Dopo aver raccolto tutti i quaderni e averli riposti nella cartella, la signora Sforza prese quello di Sveva, che aveva lasciato fuori, ed esordí: — Voglio leggervi il componimento di Sveva Lopez del Rio, non perché sia particolarmente bello, ma perché contiene una notizia che penso vi interesserà conoscere. Non crediate che abbia fatto espellere la vostra compagna Repovik a cuor leggero. Mi chiedevo spesso cosa ne sarebbe stato di lei nella vita, se avesse continuato ad essere cosí ribelle e infingarda. Invece pare che abbia trovato anche lei la sua strada. Un modo onesto per guadagnarsi il pane. State un po' a sentire!

Si aggiustò gli occhiali sul naso e cominciò a leggere (eliminando gli strafalcioni man mano che li incontrava, ma dalla esitazione della sua voce le bambine capivano benissimo che lí c'era scritto qualche sproposito. D'altronde da un tema di Sveva non ci si poteva aspettare molto quanto a sintassi e a ortografia).

Tema: *UNA BELLA SORPRESA.*
*L'altro giorno sono andata a trovare mia nonna, che abita in un grande palazzo proprio al centro del paese di Osuni. È un palazzo molto antico, a due piani, con venti locali tra camere e saloni; due scalinate di marmo, tappeti e mobili antichi, quadri dei nostri antenati, oltre, naturalmente, a tutte le comodità moderne. Poi c'è un grande cortile con le scuderie, perché a mio nonno piacciono i cavalli. La nonna invece ha un giardino con i viali e le fontane e le gallerie di rose rampicanti.*

— Uffa, quante vanterie! — bisbigliò Marcella a Rosalba. — Chissà poi se è vero? Non l'ha mai vista nessuno, questa reggia principesca!

192

— Osio! Sta' attenta! — la richiamò la maestra. E proseguí la lettura.

*Per tenere in ordine una casa cosí grande, mia nonna ha biso-
gno di molto personale di servizio. Ma non se ne trova piú
come una volta. Adesso le domestiche sono maleducate,
hanno mille pretese, rispondono quando gli si fa un'osserva-
zione, rubano in casa e sono tutte delle gran scansafatiche.
Mio nonno dice sempre che prima della guerra non era cosí e
che adesso, da quando la peggior feccia dell'Italia si è coalizza-
ta per mandare via il Re, anche la gentucola si è messa delle
idee strane in testa e bisognerà trovare il modo per rimetterla
al suo posto.*
   *Con mia nonna comunque i domestici non osano fiatare e
stanno zitti, perché lei sa come trattarli. Non per niente di-
scende dai Viceré che hanno colonizzato quest'isola quando
era abitata da un branco di selvaggi primitivi.*
   *La sorpresa è stata quando mia mamma ha detto che voleva
un caffè e ha suonato il campanello. Indovinate chi è entrata
col vassoio, tutta vestita da cameriera col camice azzurro, il
grembiule bianco e la crestina? Repovik Iolanda! Proprio lei!
Non so se mi abbia riconosciuta, perché continuava a guardarsi i piedi e non ha mai alzato lo sguardo.*
   *La nonna ha detto: «Questa è una nuova. Ce l'ho da poco. È
ancora molto rozza, ma la sto formando.» E mamma allora
ha detto: «Magari, quando le hai insegnato le cose principali e
l'hai un po' raffinata, la mandi a noi. È cosí difficile trovare
una brava domestica, in città! Sono tutte delle gran spudora-
te.» E la nonna ha risposto: «Non correre! Bisogna vedere
come reagisce all'addestramento. Per adesso è ancora un po'
ribelle, ma ho buone speranze di domarla.» Poi Repovik Iolanda se ne è tornata in cucina senza salutare, ma io credo che
con la coda dell'occhio mi abbia riconosciuta. E forse verrà a
fare la serva a casa mia. Che bella sorpresa!*

Rosalba era cosí indignata che non riusciva a parlare. Elisa
guardava preoccupata Adelaide, ma Adelaide aveva alza-

to la ribalta del banco e ci frugava dentro con la testa china.

Marcella Osio alzò una mano e disse: — Ma Iolanda è ancora piccola! La legge dice che fino a quattordici anni bisogna andare a scuola. La potrebbero arrestare, la nonna di Sveva…

— Arrestare! Figuriamoci! Solo perché ha fatto una buona azione e ha tolto una piccola scellerata dalla strada. E poi, ricordatevi… Sta' attenta, Guzzòn! Parlo anche per te!… Ricordatevi che chi deve guadagnarsi il pane col sudore della fronte, è meglio che cominci presto.

— E poi, non è mica una storia vera. Mi sono inventata tutto! — disse Sveva, con un lampo maligno nello sguardo.


## Capitolo settimo
*Dove si crea in onore della bella Ondina.*

Il fatto di avere un innamorato misterioso invece di far diminuire il fascino della signorina Múndula agli occhi di Prisca, lo fece aumentare smisuratamente agli occhi delle altre due amiche, fino ad allora un po' tiepide nei confronti di tanta beltà. Adesso invece erano anche loro perdutamente invaghite della straordinaria creatura dai capelli di fiamma.

Rosalba andava ad appostarsi dietro a un cespuglio nei pressi dell'Istituto Tecnico per guardarsela bene. Poi tornava a casa e si metteva a disegnare separatamente occhi, nasi, profili, labbra, ciocche ondulate di capelli… Buttava giú schizzi a matita, a carboncino, con i pastelli colorati. Voleva fare un ritratto di Ondina il piú somigliante possibile. Sarebbe stato il suo primo lavoro a olio. Avrebbe chiesto la tela e i colori alla mamma, ma prima voleva impadronirsi alla perfezione di quei dolcissimi lineamenti.

Prisca un giorno annunciò: — Stanotte non riuscivo a dormire, allora ho composto un problema in onore di Ondina.

— Vorrai dire un poema — la corresse Elisa.

— No. Un problema. Leggi un po'…

Elisa lesse:

*C'era una volta un signore che faceva l'idraulico, ma in realtà era un samurai giapponese decaduto, e si chiamava Mirokasi.*

*Faceva l'idraulico per guadagnare in fretta molti soldi. Infatti si era messo in mente di ricomprare il diadema di smeraldi che la sua defunta madre aveva dovuto vendere a uno strozzino per pagare il conto dell'ospedale quando era stata ammalata. Considerando che il ricovero era stato di nove giorni, e che la stanza costava 70 lire al giorno, più 200 lire di cure mediche per tutto il periodo e 10 lire di mancia all'infermiera, qual era il debito della mamma del samurai? (......)*

*Il diadema era composto da dodici grossi smeraldi, del valore di 500 lire l'uno. La montatura era d'oro e pesava mezz'etto. Il costo dell'oro era di 35 lire al grammo. Ma lo strozzino aveva pagato il diadema soltanto 3000 lire. Quanto ci aveva rimesso la madre del samurai? (......) E quanto ci aveva guadagnato lo strozzino, considerando che, subito dopo, aveva rivenduto il diadema alla ricchissima signora Agonía Smorta per lire 12 000? (......)*

*Passarono gli anni. Un giorno Mirokasi fu chiamato in un appartamento a riparare una vasca da bagno che perdeva. L'appartamento era al quinto piano. Ogni piano aveva due rampe di scale separate da un pianerottolo. Ogni rampa era composta da 23 gradini, tranne le ultime due che ne avevano 25. Quanti gradini in totale dovette salire il signor Mirokasi e quanti pianerottoli ebbe a disposizione per riposarsi? (...... e ......)*

*La vasca aveva la capacità di 83 litri d'acqua. Il suo rubinetto, quando era completamente aperto, versava 2,5 litri d'acqua al minuto. Lo scarico normalmente eliminava 3 litri al minuto, e adesso che era rotto soltanto 1. Quanto tempo ci voleva perché l'acqua traboccasse, prima del guasto (......) e quanto tempo dopo il guasto? (......)*

*La padrona della vasca era una donna obesa di nome Ina Ula, talmente ricoperta di sudiciume che le si vedevano solo gli occhi. «Non ero cosí, una volta, quando lo scarico della vasca funzionava e potevo fare il bagno tutti i giorni!» confessò al signor Mirokasi. «Purtroppo, sa come succede! Il sudiciume si accumula strato dopo strato. Ogni giorno me ne re-*

*stano addosso 300 grammi. E pensi che non faccio il bagno
da tre mesi!»*

Considerato che Ina Ula attualmente pesava 80 chili, qual
era il suo peso originale quando era pulita? (......)

Mirokasi per riparare il guasto ci mise sette ore. Considerando che la sua tariffa oraria era di 50 lire, e che in piú aveva
dovuto sostituire un rubinetto del costo di 30 lire e un tappo
che ne costava 10, e che alla fine, per il motivo che si vedrà
piú avanti, praticò alla signorina Ula lo sconto del 20%, quale
fu la cifra che questa dovette pagare per la riparazione della
vasca? (......)

Quando ebbe finito, Mirokasi disse: «Su, vediamo se questo
scarico funziona! Signorina, si faccia il bagno!»

Ina Ula si lavò e la sporcizia si staccava dalla sua pelle strato dopo strato. Alla fine, come una farfalla che esce dalla cri-
salide, dalla vasca da bagno venne fuori una bellissima fanciulla dai capelli rosso fiamma. Proprio il genere di donna che
Mirokasi aveva sempre sognato.

Infatti, quando la vide cosí bella, l'idraulico se ne innamorò
e le disse: «Mi vuole sposare? Le regalerò il diadema di smeraldi della mia defunta madre.» Ma ancora non aveva i soldi per
poterlo pagare, perché la signora Agonía Smorta per darglielo
voleva 20 000 lire. Mirokasi ne aveva soltanto 11 300. Quanto
gli mancava per arrivare alla somma richiesta, tenendo conto
che per aiutarlo suo fratello Saldabarre era disposto a regalar-
gli 1000 lire? (......)

E quanto avrebbe guadagnato da questo affare la perfida e
ricchissima Agonía Smorta? (......)

Ina Ula gli disse: «Ti amo anch'io e ti sposerò. Per aiutarti a
raccogliere la somma necessaria cercherò di guadagnare qualcosa dando lezioni di matematica alle allieve della signora
Agonía Smorta, che non è capace di insegnare loro un bel
niente e quindi hanno tutte bisogno di ripetizioni.»

Trovò tre allieve, per complessive nove ore di lezione alla settimana. Considerato che la signorina Ula prendeva 20 lire al-
l'ora, quanti mesi le ci vollero per raccogliere la somma che
ancora mancava al signor Mirokasi? (......)

*Quando finalmente il diadema fu ritornato nelle sue mani, Mirokasi smise di fare l'idraulico e ritornò samurai. Sposò la signorina Ina Ula, e le tre allieve furono invitate a fare le damigelle.*

*Considerato che lo strascico della sposa era lungo 5 metri, quanti centimetri ne doveva reggere ciascuna di loro? (......)*

*E considerato che lo sforzo per reggere 10 centimetri di strascico richiedeva 18 calorie, e che un bignè alla crema ne conteneva 28, quanti bignè dovette mangiare ogni damigella per rifarsi della fatica? (......)*

*Gli sposi vissero felici e contenti tanti anni quante erano state le ore di lezione, piú i minuti impiegati a riparare la vasca, piú gli etti di sporcizia accumulati dalla signorina Ula in un mese e mezzo, piú le calorie di una dozzina di bignè. Quanti anni gli sposi vissero felici e contenti? (......)*

*P.S. I mesi durante i quali la signorina Ula non aveva potuto lavarsi erano marzo, aprile e maggio.*

# APRILE

# Capitolo primo
*Dove Prisca si congeda da Olimpia.*

Il 5 di aprile, Domenica delle Palme, Prisca andò a trovare per l'ultima volta la vecchia Olimpia. Non le disse che a Pasqua il suo impegno con lo zio Leopoldo sarebbe terminato, perché l'ex infermiera non ne sapeva niente e pensava che lei andasse a farle compagnia per gentilezza d'animo. Trovò facilmente una scusa, raccontandole del salto della quinta e della necessità di studiare il doppio per l'esame. Le disse anche che andava a ripetizione dalla signorina Múndula.

— E ti piace, di', ti piace quella monella di Ondina? — chiese interessata Olimpia.

Monella? Ma stavano parlando della stessa persona? Monella una donna cosí saggia, cosí equilibrata, che si muoveva con tanta armoniosa e tranquilla eleganza? Lo stupore di Prisca era cosí evidente che Olimpia scoppiò a ridere.

— Sai, la conosco da quando è nata e mi sembra sempre una bambina. Siamo lontani parenti, con i Múndula, e sua madre è la mia migliore amica fin da quando eravamo bambine. Ondina da piccola era una discola, che faceva sempre giochi da maschi. Un vero terremoto! Sempre a far saltare la palla giú per le scale, e faceva la lotta con tutti i ragazzi di strada, anche se lei era piccolina e quelli gliele suonavano senza riguardi. E che lingua aveva! Sua madre non è mai riuscita a insegnarle che un bambino deve obbedire senza discutere, e che se lo sgridano non deve rispondere... Una peste, ti dico io! Chi l'avrebbe mai detto che sarebbe diventata cosí studiosa, che avrebbe vinto tutte quelle borse di studio e sarebbe andata all'Università.

Prisca ascoltava incantata. Fino a quel momento non aveva mai riflettuto sul fatto che anche il suo idolo era stata una bambina come lei. Le riusciva sempre molto difficile immaginare che anche i grandi una volta erano stati dei ragazzini. Ondina da piccola... come avrebbe voluto conoscerla! Sarebbero diventate certamente grandi amiche!

— Non hai una sua foto di allora? — chiese.

— Sí. Dovrei avere quella della cresima. Vammi a prendere l'album dall'armadio. È sul primo ripiano a destra... Anzi, no. Aspetta. Ce l'ho qui sul comodino. Ieri è passato il dottore e ha chiesto anche lui di vederlo.

Prisca era cosí agitata e ansiosa di scoprire che faccia aveva Ondina da piccola che non fece caso a quel "dottore".

Olimpia sfogliò con precauzione le pagine di cartoncino ricoperte di fotografie... — Ecco! Dovrebbe essere qui. Ha fatto la cresima lo stesso giorno di mia nipote Ada.

Ada sorrideva, bruna e ricciuta, con un gran fiocco bianco che le cingeva la fronte e tratteneva il velo. Ma al posto della foto di Ondina, sul foglio, c'erano soltanto quattro triangolini adesivi vuoti che incorniciavano un rettangolo di colore piú chiaro.

— Si è staccata! Queste orecchiette non servono a niente — disse Olimpia. — Cerca per terra. Dev'essere finita là sotto.

Prisca si mise a quattro zampe e cercò sotto al letto, sotto alla poltrona di Olimpia, sotto al comodino. Alzò persino i lembi del tappeto consumato e polveroso. Ma della foto, neppure l'ombra.

— Sarà caduta nell'armadio — disse Olimpia. — Sapessi quante cose trova mia sorella sul fondo, sotto i cassetti, quando fa le pulizie generali! Quante cose ci si vanno a nascondere!

Prisca avrebbe voluto andare a guardare subito nell'armadio, ma Olimpia le disse: — Lascia perdere: i cassetti sono pesanti e da sola non ce la fai. Te la farò vedere un'altra volta che vieni.

E per consolarla le raccontò una storia di tanti anni prima, quando un compare del signor Múndula, che faceva il pastore a Osuni, per Pasqua gli aveva regalato un agnello.

— Glielo aveva portato la Domenica delle Palme perché, prima di ammazzarlo per mangiarselo, ci facessero giocare un poco la bambina. Era cosí piccolo che ancora non brucava l'erba e dovevano dargli il latte con la bottiglia. Glielo dava Ondina, e l'agnello la credeva sua madre e la seguiva per tutta la casa dandole testate contro le gambe per farle capire che le voleva bene. Lei lo aveva lavato nel mastello per farlo diventare tutto bianco e gli aveva messo al collo un fiocco azzurro dell'uovo di Pasqua dell'anno prima. Quando scendeva a giocare per strada lo portava in braccio, perché l'agnello non sapeva fare le scale. Non c'era bisogno del guinzaglio, perché quello non scappava, ma le stava sempre incollato alle gambe e se lei fingeva di allontanarsi, la inseguiva facendo "bè bèè". Ondina non aveva ancora capito che il destino dell'agnello era quello di finire al forno per il pranzo di Pasqua. Ma la sera del Venerdí Santo, mentre lavavano i piatti della cena, la madre le disse: «Con la pelle dell'agnellino ti faremo uno scendiletto» e allora capí tutto. Però non disse niente. Durante la notte aspettò che babbo e mamma fossero addormentati, si alzò, prese l'agnellino sulle spalle come Gesú Cristo e in camicia da notte, scalza, se ne scese in strada. Ti puoi immaginare lo spavento della madre quando la mattina non la trovò nel letto. Si mise a gridare, chiamò tutto il vicinato, il padre andò dai carabinieri. Nessuno pensava all'agnello. Credevano che l'avessero rubata gli zingari, perché era davvero una bella bambina, distinta, che sembrava figlia di signori. Alle nove Ondina ritornò, con i piedi tutti sporchi di terra e non volle dire a nessuno dove era stata. Certamente aveva camminato fino alla campagna, oltre le mura vecchie, ed era andata avanti fino a che aveva trovato un pastore col gregge e gli aveva regalato l'agnellino. Questo l'ho pensato io dopo. Lei non volle dire niente, e il padre le dette una bella bastonata, primo per lo spavento che aveva fatto prendere a tutti, secondo perché di sabato i macellai erano chiusi e quell'anno, il giorno di Pasqua, i Múndula rimasero senza mangiare l'agnello.

Prisca si sentiva piena di ammirazione per la piccola Ondina. Camminare tutta sola di notte attraverso la città buia, e poi in campagna, dove poteva succederle qualsiasi cosa... Si sentiva traboccare di solidarietà, e dispiaciuta per gli schiaffi che Ondina si era presa, proprio nel giorno della pace e dell'amore.

"Chissà se teneva anche lei un registro degli scapaccioni non meritati? Chissà se se ne ricorda ancora..." pensava.

Però il mercoledí seguente, quando andò a lezione, non ebbe il coraggio di chiederglielo, e neppure le disse che aveva parlato di lei con Olimpia. La guardava, cercando di immaginarsela con l'agnello sulle spalle come Gesú Cristo, ma non ci riusciva.

## Capitolo secondo
*Dove la maestra riceve un omaggio floreale.*

A Pasqua faceva ancora un po' di freddo e pioveva. Ma pochi giorni dopo tornò il bel tempo, arrivò il caldo e bisognò conservare i vestiti pesanti. Le bambine adesso mettevano il grembiule nero direttamente sulla sottoveste, e questo voleva dire che era primavera.

Il giardino della nonna Lucrezia si riempí di fiori, ed Elisa riprese la vecchia abitudine di andarne a cogliere un mazzolino tutti i giorni, all'uscita di scuola, per darlo alla nonna Mariuccia che lo portasse al cimitero.

La nonna Lucrezia al cimitero non ci andava mai, però non le dispiaceva che le sue rose, le sue pervinche, i suoi giaggioli andassero a finire sulla tomba di Isabella.

Un giorno Angela Cocco si presentò a scuola con un bel mazzo di anemoni e di tulipani, che suo padre coltivava in un angolino dell'orto. Timidamente si avvicinò alla cattedra e li poggiò di fianco al registro. — Sono per lei, signora — disse alla maestra senza guardarla in faccia, e se ne andò in fretta a sedersi nel suo banco.

— Grazie, Angela. Hai avuto un pensiero veramente gentile — disse la signora Sforza. Tuffò il viso tra i fiori per aspirarne il profumo, poi mandò Rosalba a chiedere un vaso al bidello, per metterli a bagno.

"Angela è proprio un vero Coniglio" pensava Prisca. "Che bisogno c'era?... Capirei se l'avesse fatto una Leccapiedi. Ma lei, che non farà neppure il salto e l'anno venturo avrà una nuova maestra..."

Angela però sedeva tutta orgogliosa nel suo banco. Sapeva che le compagne la invidiavano. Che avrebbero voluto essere state loro le prime ad approfittare della primavera per conquistare la benevolenza della maestra.

Fu ancora piú orgogliosa quando la signora Sforza interruppe per un quarto d'ora la dettatura dei brani e spiegò alla classe la differenza fra i tulipani e gli anemoni, e parlò dell'Olanda e dei mulini a vento, anche se non erano materia d'esame.

Quando suonò la campana, la maestra tolse i fiori dal vaso, ne asciugò i gambi con un giornale e si avviò al fianco della classe tenendo il mazzo nella mano libera dalla cartella. Adesso anche tutti gli altri bambini e anche gli insegnanti e i genitori, giú nell'atrio, avrebbero visto i fiori, pensava Angela, e poi la maestra li avrebbe portati a casa, li avrebbe messi in un bel vaso e almeno per una settimana avrebbe pensato a lei ogni volta che li guardava.

Per la prima volta dall'inizio dell'anno scolastico era orgogliosa del mestiere che faceva suo padre.

La classe eseguí alla perfezione le Grandi Manovre, cantò la canzone, chinò il capo nel saluto, e ancora Angela continuava a covarsi con gli occhi quella bella macchia colorata tra le mani della maestra. Poi la fila si ruppe e le bambine sciamarono verso l'uscita. Anche la signora Sforza uscí dal portone.

Sulle scale, crogiolandosi al sole primaverile nel suo elegante tailleur blu a puntini bianchi, aspettava la signora Mandas, madre di Alessandra.

La maestra, come vide la signora, s'illuminò in viso e le andò incontro tutta contenta.

— Ma che bella sorpresa, signora Mandas! Ma che piacere vederla! Come sta? E come sta il professore?

— Bene, grazie. E lei, signora Sforza? Alessandra non la fa disperare troppo, spero...

— Ma no, ma no. È un tesoro la sua bambina! Cosí intelligente, cosí affettuosa...

— Sono contenta che dica cosí. Su, Alessandra, saluta la maestra che andiamo a casa. Arrivederci, signora.

La maestra sorrise ossequiosa. Poi, d'impeto, tese il mazzo di fiori.

— Signora Mandas, vuole gradire questo omaggio? Un po' di fiori in casa portano allegria...

— Ma no. Non posso accettarli — si schermí senza troppa convinzione la signora.

— La prego! Mi fa solo un piacere. Li prenda!

La signora Mandas sorrise benevolmente e accettò i fiori.

Angela, che aveva seguito la scena con estrema preoccupazione, diventò pallida. Tanto piú che, scendendo le scale per mano alla madre, Alessandra si era girata per farle di nascosto uno sberleffo.

— Cosí un'altra volta impari! — le disse Prisca, che aveva visto tutto anche lei. — Un bel mazzo di carciofi, le dovevi portare! E dovevi metterglieli sulla sedia per farcela sedere sopra!

Quando loro si dimenavano nel banco, la maestra chiedeva sempre: — Cos'hai? Sei seduta sui carciofi? — Sarebbe stato bello se un giorno fosse stata lei a pungersi davvero il sedere con quelle spine.

Nessun'altra bambina si era accorta della fine che avevano fatto i fiori di Angela Cocco.

Il suo esempio scatenò una gara tra le alunne della signora Sforza. Improvvisamente diventò di moda portare fiori alla maestra. Non c'era giorno che sulla cattedra non arrivassero almeno due o tre mazzi di varie dimensioni. Li portavano le Leccapiedi, per antica abitudine. E poi perché le loro madri dicevano: — Siamo in debito con la signora Sforza. Di solito la maestra, nella scuola pubblica, prepara gli alunni soltanto per l'esame di quinta. Per l'esame di ammissione bisogna mandarli a lezione privata e spendere un bel po' di quattrini. — Non che pensassero di sdebitarsi con i fiori. Avevano già parlato tra loro di un altro progetto. Ma intanto questo era un modo gentile per dimostrare la loro riconoscenza.

Li portavano anche molti dei Maschiacci, per non farsi accusare dalle Leccapiedi di essere delle "morte di fame".

Li portavano i Conigli, per semplice spirito di imitazione.

La signora Sforza spesso usciva dal portone con le braccia cariche di fiori di tutte le qualità.

Prisca, che la teneva d'occhio, si era accorta che spesso, se c'era una madre di Leccapiedi o di Maschiaccio ad aspettare la figlia, i mazzolini dei Conigli passavano di mano. Magari a riceverli era la stessa signora che al mattino aveva messo dei fiori per la maestra in mano alla figlia. E in quel caso le due ridevano, come due bambine che si scambiano le figurine.

I Conigli soffrivano molto per questo, ma non rinunciavano a portare i loro mazzolini, ogni volta con la speranza che la signora Sforza li avrebbe tenuti per sé.

Prisca non riusciva a sopportarlo, e neppure Elisa. Nel registro di quest'ultima i mazzi di fiori ceduti alle mamme importanti venivano segnati nella colonna delle ingiustizie. Quanto a loro, si guardavano bene dall'imitare le compagne. In un certo senso si stava ripetendo la stessa situazione dei regali natalizi per gli scatoloni. Ormai erano pochissime le bambine che non avevano ancora deposto un mazzolino di fiori sulla cattedra. E fra queste c'erano Elisa, Prisca, Rosalba e Adelaide.

E Sveva, che evidentemente si riteneva troppo superiore per abbassarsi a fare omaggio alla maestra. Sua madre, però, all'uscita, aveva già ricevuto tre omaggi floreali provenienti dalla bancata dei Conigli.

# Capitolo terzo
*Dove Elisa fa una scoperta*
*che le dà un gran dispiacere.*

Un pomeriggio di domenica, Prisca andò a fare i compiti da Elisa e trovò l'amica con gli occhi rossi e gonfi, come se avesse passato la mattina intera a piangere.

— Vedi un po' se riesci a farti dire cos'ha — le disse la nonna Mariuccia. — Noi non siamo riusciti a cavarle una parola di bocca...

Ma Elisa se ne stava zitta, tirando su col naso. Quando nonna e tata furono uscite dalla camera, andò a chiudere la porta a chiave.

Prisca aveva portato nella cartella Dinosaura, che era appena uscita dal letargo, per fargliela salutare. La tartaruga splendeva di bellezza e di pulizia. Quella mattina Prisca le aveva fatto un bagno tiepido per toglierle ogni traccia di polvere, e bisognava vedere come si stiracchiava nell'acqua la tartaruga, con quale voluttà tirava fuori dal guscio le zampe e la testolina intelligente. Prisca l'aveva lasciata nuotare un po' nella bacinella, poi l'aveva asciugata e le aveva lustrato il guscio con due gocce d'olio d'oliva.

Dinosaura, dopo il lungo digiuno invernale, era affamata, e quando Prisca la poggiò sul tavolo, si mise subito a mangiare le foglie di una piantina di primule che Elisa teneva in un vasetto.

— Smettila, scema! — le disse Prisca ridendo.

Ma Elisa non le prestò alcuna attenzione.

— Si può sapere cos'hai? — le chiese l'amica spazientita.

— Ho deciso di fuggire di casa — rispose Elisa. Alzò un lembo del copriletto e le fece vedere che aveva già preparato la valigia.

— Cosa ti hanno fatto?

— Lo zio Leopoldo non mi vuole piú bene.

— Ma va'!

— Sí, invece. Vuole prendere un'altra bambina. Forse mi manderà all'orfanotrofio.

— Non ho mai sentito una stupidaggine simile! Come sarebbe a dire, un'altra bambina? Sua nipote sei tu.

208

— Vieni a vedere — disse Elisa. — Però togliti le scarpe, altrimenti la nonna e la tata ci sentono.

Cosí, scalze e in punta di piedi, attraversarono il corridoio ed entrarono nella camera dello zio Leopoldo, che era in penombra perché aveva le persiane accostate.

Elisa si avvicinò alla mensola del caminetto, dove in una serie di piccole cornici d'argento c'erano sempre state le foto della nonna Mariuccia da giovane, col povero nonno Terenzio, quelle dei gemelli da piccoli, dei suoi genitori il giorno delle nozze, di Baldassarre e Casimiro vestiti da soldati, e poi quelle sue, a tutte le età, nuda come un verme quand'era solo un bebè, al mare, a cavalcioni sulle spalle dello zio Leopoldo, col primo grembiule di scuola, vestita da Tremal Naik a carnevale, con l'abito bianco della Prima Comunione...

Adesso tra queste foto familiari ne era apparsa una nuova, in una cornice piú grande di tutte le altre.

Era la fotografia di una bambina, piú o meno della loro età. Mostrava solo la faccia e un pezzettino del collo.

Prisca la prese in mano e la portò vicino alla finestra per guardarla meglio.

— Chi è? — domandò sottovoce.

— Non lo so — rispose Elisa. — Non la conosco. Non l'avevo mai vista prima di stamattina.

— Ma, a lui, gliel'hai chiesto chi è?

— Sí. Ma non me lo ha voluto dire. Mi ha detto solo: «Vedrai che imparerai a volerle bene.» Hai visto che la vuol portare a vivere qui!

Era una bella bambina, niente da dire. Con i capelli chiari trattenuti da una coroncina di fiori finti, il naso dritto, la bocca seria, nonostante una fossetta sulla guancia destra rivelasse che cercava di trattenere un sorriso. Gli occhi erano allegri, luminosi. Forse un po' troppo ravvicinati, con dell'ombra intorno, e questo dava al suo viso un'espressione un po' da uccello. Simpatica, però.

Prisca sentí una fitta di gelosia. C'erano molte sue foto in casa Maffei, ma lo zio Leopoldo non ne aveva mai fatto incorniciare nessuna, né se l'era messa in camera. Forse però la colpa era sua, che era troppo timida e non gli aveva mai dichiarato il suo amore. Guardò con dispetto la bambina sconosciuta. Chi era? Cosa voleva? Da dove era arrivata?

— Somiglia a qualcuno! — esclamò a un tratto.

Ma a chi? Era una somiglianza molto vaga, a cui non sapeva dare un nome. E comunque la odiava. Adesso era perfettamente d'accordo con la decisione di Elisa. Non era possibile restare sotto lo stesso tetto con quell'intrusa. Bisognava andarsene. Ma dove?

— Dalla tua nonna Lucrezia?

— Mi riporterebbe subito indietro.

— Potresti nasconderti nella soffitta di casa mia. Ti porterò da mangiare tutti i giorni, come in quel libro della Biblioteca dei miei Ragazzi.

— Gabriele finirebbe per scoprirci. Va sempre a chiudersi in soffitta per costruire quelle sue invenzioni...

— Potresti fuggire in campagna, finché trovi una capanna di pastori abbandonata. Ti verrei a trovare.

Ma Elisa era troppo fifona per poter pensare di vivere da sola, di restare sola di notte con i banditi che se ne andavano in giro per la campagna e i cani che abbaiavano, e gli scorpioni sotto al letto, e magari i topi... Bisognava trovare qualcuno con cui stare! Qualcuno fidato, che non la denunciasse.

— Ho trovato! — esclamò Prisca, a cui il pensiero della campagna di notte e dei pastori aveva risvegliato un ricordo.

— Ti nasconderai a casa di Ondina! Lei certamente capirà che non potevi restare a casa, e non lo dirà a nessuno...

— Ma abita con i genitori!

— Inventerà qualche scusa. Dirà che sei una nuova alunna e che ti hanno messo a pensione da lei.

— Ma non mi conosce nemmeno...

— Io però le ho parlato di te tante volte... Su, dài, sbrigati! Andiamoci subito!

Presero la valigia e la portarono sul pianerottolo. Poi Elisa si affacciò alla porta di cucina: — Nonna! Noi andiamo a fare un giro!

— Bene. Cosí almeno ti passa il malumore. State attente alle macchine, mi raccomando.

210

— Forse andiamo anche al cinema — disse Prisca per guadagnare un altro po' di tempo.

— D'accordo. Ce li avete i soldi per il biglietto?

Si guardarono l'un l'altra sgomente. Fra tutte due non avevano una lira, ma non si può scappare di casa con le tasche vuote. Meno male che la nonna aveva parlato di soldi!

— Sí, sí! — Era meglio non insospettirla con una richiesta. E poi non era onesto imbrogliarla fino a quel punto. Elisa tornò in camera, prese il salvadanaio e lo dette a Prisca, che lo nascose sotto la giacca.

— Divertitevi — disse la nonna Mariuccia accompagnandole verso la porta.

"Dio, fa' che non si affacci sul pianerottolo e che non veda la valigia!"

La nonna si fermò a metà del corridoio. — Mi raccomando. Se andate al cinema scegliete dei posti ai bordi della fila, vicino a una porta. E se qualcuno butta per terra un mozzicone ancora acceso, correte subito a pestarlo. — Era ossessionata dalla paura che nella sala cinematografica scoppiasse un incendio. — E se sentite odore di fumo, scappate subito per prime, se no gli altri spettatori vi calpestano e vi schiacciano. Ah! E se qualche signore sconosciuto vi offre una caramella, non accettate per nessun motivo e chiamate la maschera.

Elisa le gettò le braccia al collo e la strinse forte forte: — Ciao, nonna. Addio!

— Eh! Non stai mica andando in America! — rise la nonna Mariuccia.

Non sapeva, poveretta, che era l'ultima volta che abbracciava la nipotina, e che Elisa non sarebbe tornata mai piú.

## Capitolo quarto
*Dove Elisa finalmente conosce Ondina.*

Per arrivare alla casa dei Múndula fecero un giro lungo lungo, evitando tutte le strade dove potevano incontrare qualcuno che le conoscesse e che, vedendole trascinare la valigia, capisse che stavano scappando e desse l'allarme.

Arrivarono col fiato grosso, perché la valigia era pesante. E ancora dovevano fare dieci rampe di scale!

Erano fra il secondo e il terzo piano quando Prisca si fermò di botto ed esclamò: — Dinosaura! L'ho dimenticata sul tavolo in camera tua!

— Tornerai domani a riprendertela.

— Tua nonna mi ucciderà, quando saprà che ti ho aiutato a fuggire!

— E tu non dirglielo. Dille che a un certo punto mi sono messa a correre e ti sono scappata. E che non hai visto da che parte andavo.

Man mano che si avvicinavano all'ultimo piano, Elisa era sempre piú preoccupata. Cosa avrebbero raccontato a Ondina? E se non l'avessero trovata in casa? C'era una soffitta dove nascondersi, in quell'edificio?

Anche Prisca, gradino dopo gradino, perdeva la sua baldanza. Come sempre, l'idea di trovarsi a tu per tu col suo idolo, la intimidiva. Oltretutto non era un giorno di lezione. E avrebbero dovuto spiegarle, chiedere la sua complicità, coinvolgerla in un crimine.

Perché Prisca sapeva benissimo che un bambino minorenne non può andarsene a vivere per conto suo senza il permesso dei parenti. È contro la legge.

Se fossero state scoperte, chissà, forse avrebbero messo Ondina in prigione, e loro due le avrebbero portate al Riformatorio, che è una via di mezzo tra il piú orribile degli orfanotrofi e una prigione per ragazzi cattivi, di quelli che rompono le lampade stradali con la fionda e incidono il nome sul banco col temperino.

Il cuore le batteva cosí forte, quando arrivarono all'ultimo piano, che prese una mano di Elisa e se la premette sul petto. BUM BUM BUM! Un giorno o l'altro sarebbe morta d'infarto. E tutto per colpa dello zio Leopoldo!

Ormai era troppo tardi per pentirsi e tornare indietro. Emozionatissime suonarono il campanello.

La porta si aprí e immediatamente tutto diventò molto piú facile di quanto avevano immaginato.

Al vederle entrare trascinandosi dietro la valigia, Ondina non fece una piega.

— Questa è la mia amica Elisa — disse Prisca.

— Lo so. Venite in sala. Avete caldo, eh? Volete bere qualcosa?

Portò tre gazose e bevette anche lei con la cannuccia.

— Allora, cosa succede? In cosa posso esservi utile?

Se volevano il suo aiuto, era meglio sputare subito la verità. Elisa non era affatto intimidita. Anzi, le sembrava di conoscere Ondina da sempre, come se fossero amiche da lunga data. Vedendola cosí disinvolta, anche Prisca si fece coraggio e perdette un po' del suo timore reverenziale.

Raccontarono dello zio Leopoldo e di come fosse lui che faceva la parte del padre di Elisa, da quando quello vero era morto. Anzi, le veci, come c'era scritto sul diario, nelle pagine delle giustificazioni: «Firma del padre o di chi ne fa le veci» c'era scritto, (e Rosalba tutti gli anni correggeva la v in f, e tutte e tre si scompisciavano dalle risate all'idea che qualcuno potesse fare le feci, cioè andare al gabinetto, per conto di un altro).

Poi raccontarono che adesso lo zio Leopoldo aveva cambiato idea, e non voleva piú essere il padre di Elisa, ma voleva prendere un'altra bambina. E siccome la signorina Múndula non ci voleva credere, le spiegarono della fotografia che era comparsa improvvisamente quella mattina e che era stata messa al posto d'onore.

Ondina le ascoltava seria e attenta. Quando sentí della fotografia, si meravigliò molto anche lei, e se la fece descrivere nei minimi particolari. Poi commentò: — Che pasticcio!

Quando ebbero finito, disse subito: — Elisa, se vuoi rimanere qui da me, sei la benvenuta. Puoi fermarti tutto il tempo che vuoi. Ho un altro letto in camera, e con i miei genitori me la vedo io. Però voglio dirti una cosa. Non devi avere paura di quell'altra bambina... Non può farti alcun male. Lei...

— La conosce? — intervenne Prisca meravigliata.

— La conoscevo — disse la signorina Múndula con un sorriso triste. — Ma adesso non c'è piú. È scomparsa da molti anni.

— È morta? — chiese Elisa sollevata.

Ondina fece cenno di sí. Poi abbracciò Elisa. — Ti sarebbe piaciuta, sai. E tu saresti piaciuta a lei, ne sono sicura.

Prisca era sconcertata. Per quale motivo lo zio Leopoldo si era messo in camera la fotografia di una bambina morta da tanti anni? Era forse una sua parente? Un'altra nipotina, come Elisa? E la signorina Múndula, perché sembrava cosí commossa? Cosa c'entrava, lei?

— Ho capito! — esclamò a un tratto, tutta orgogliosa della sua perspicacia. — È, anzi era, una figlia segreta dello zio Casimiro... e sua! — Puntò il dito su Ondina e continuò: — Una figlia che avete avuto di nascosto tanti anni fa e che poi è morta. Oh, come mi dispiace! Ecco perché lo zio Casimiro in questi giorni è cosí di malumore!

Elisa era sbalordita. Una cuginetta misteriosa? Ma perché nessuno gliene aveva mai parlato?

Guardò anche lei Ondina, che invece di mettersi a piangere per l'emozione di vedere scoperto il suo segreto, scoppiò in una risata irrefrenabile.

— Oh, Prisca, Prisca, Prisca! Ma dove le vai a pescare certe idee? Hai una fantasia davvero straordinaria.

— Non è mica una cosa impossibile — protestò Prisca un po' offesa. — Nei fotoromanzi di Ines...

— Appunto. Nei fotoromanzi — rise ancora Ondina.

— Allora non è vero? Non è sua figlia? — chiese Elisa.

— Ti giuro di no. E neppure dello zio Casimiro.

— E allora chi è? Anzi, scusi, chi era?

— Questo non ve lo posso dire. Non ancora. Vorrei farlo, sapete. Ma non dipende da me. Dovrete aspettare ancora un poco. Ma quello che conta, Elisa, è che tu sei e resterai sempre la nipotina preferita dello zio Leopoldo, l'unica, come dite voi, a fare le veci di sua figlia. Questo te lo posso garantire. Te lo giuro sul mio onore.

— Allora, se è cosí, me ne torno a casa mia — disse Elisa.

Prisca contemplava estasiata la sua Ondina e pensava: "È davvero straordinaria. Come fa a leggere cosí bene nel pensiero dello zio Leopoldo, che è soltanto il fratello di un suo corteggiatore respinto?"

Nascosero la valigia nel garage, e alla nonna Mariuccia raccontarono di avere visto un film bello e tristissimo, di una bambina che era morta proprio il giorno della Prima Comunione.

— Povera creatura! Ma almeno sarà volata dritta dritta in cielo — disse la nonna, che si commuoveva facilmente. — Prisca, guarda che di là c'è la tua tartaruga che ti sta aspettando. Non te la dimenticare un'altra volta.

## Capitolo quinto
*Dove la foto misteriosa prende il volo.*

L'indomani mattina, durante la ricreazione, Elisa e Prisca non fecero che parlare della povera bambina morta. Naturalmente avevano raccontato tutto a Rosalba, che cercava di aiutarle a risolvere il mistero azzardando mille ipotesi, una piú strana dell'altra.

Rosalba il giorno prima era andata con i fratelli a trovare il signor Piras, che aveva una piccola casa di campagna, e cosí si era persa tutto: la fotografia, la fuga da casa di Elisa, la conoscenza di Ondina...

Nonostante il suo buon carattere, e nonostante si rendesse conto che le altre non lo avevano fatto apposta a far capitare tutte quelle cose emozionanti proprio quando lei non c'era, si sentiva esclusa, tagliata fuori, ed era molto dispiaciuta.

Allora Elisa le disse: — Oggi pomeriggio vieni a fare i compiti da me. Cosí vedrai almeno la foto... Anzi, vieni a pranzo. La nonna Mariuccia sarà contenta.

All'uscita di scuola entrarono in un bar e fecero due telefonate: una alla signora Cardano per chiederle il permesso e l'altra alla nonna perché aggiungesse un posto a tavola.

Poi si avvicinarono verso casa Maffei, sempre parlando della bambina misteriosa.

— Se è morta, bisognerebbe pregare per lei — disse Rosalba, che aveva appena finito di andare al catechismo.

— E magari portarle dei fiori... — aggiunse Elisa. Si sentiva un po' in colpa per i sentimenti ostili che aveva nutrito verso quella povera morticina che non si poteva difendere e che non voleva farle niente di male.

— Passiamo da tua nonna Lucrezia a cogliere un po' di fresie — disse Rosalba. Ma avrebbero dovuto fare un giro molto piú lungo e, tra una chiacchiera e l'altra, erano già in ritardo per il pranzo.

Camminavano svelte verso casa, quando si accorsero di costeggiare un'alta siepe di biancospino tutta fiorita. Senza stare a pensarci su, si fermarono e colsero furtivamente due o tre rametti che sporgevano oltre la cancellata. Cosí facendo Elisa vide che al di là della siepe il giardino della villetta era pieno di calle, di giaggioli bianchi e azzurri, di fresie, di roselline gialle a mazzetto, di grandi peonie rosa. Porte e finestre erano chiuse. I proprietari dovevano essere partiti, oppure pranzavano in una stanza sul retro. La strada era deserta.

— Tienimi la cartella — ordinò Elisa, e cominciò ad arrampicarsi sulla cancellata.

Ma a Rosalba non piaceva fare quella che sta a guardare e si arrampicò anche lei. Senza il minimo scrupolo – quello secondo loro non era rubare, perché tanto, dopo, i fiori ricrescono – colsero un mazzo enorme, facendo razzia nelle aiuole. Si sentivano molto eroiche, quasi come Sandokan e Yanez quando strisciavano tra i cespugli e le canne della Giungla Nera per sorprendere i Thugs nel loro Tempio Segreto.

Poi, spaventate dal rumore di una finestra che sbatteva, si arrampicarono velocissime sull'inferriata, la scalarono in senso inverso e scapparono ansanti verso casa.

Una volta che si furono rifugiate dentro al portone, Elisa volle fermarsi a dividere i fiori in due mazzi. Uno grande, da dare alla nonna per il cimitero, e uno piccolino, da mettere in un vasetto davanti alla foto della bambina morta.

Ma quando, dopo mangiato, le due amiche entrarono guardinghe nella stanza dello zio Leopoldo, che era già uscito per andare all'ambulatorio, trovarono che la foto non c'era piú. Sparita!

— Forse lo zio si era reso conto che ieri era stata la fotografia di quella bambina a farmi piangere, e l'ha nascosta da qualche parte — disse Elisa.

Frugarono dappertutto, ma non la trovarono. Rosalba era molto delusa. — E adesso di questi fiori che cosa ne facciamo?

— Ho un'idea fantastica. Li portiamo a Ondina, con la scusa che la voglio ringraziare per la sua gentilezza di ieri. Cosí la potrai vedere anche tu da vicino e le potrai parlare.

Ondina si mostrò cosí entusiasta dei fiori e cosí contenta di vederle che, dopo aver chiacchierato un po' e averle raccontato della sparizione della fotografia – notizia che sembrò farle molto piacere – Rosalba si fece coraggio e le disse che voleva farle un ritratto a olio.

— Ma cosí, a memoria, è difficile. Non vorrebbe posare per me? Verrei io qui da lei. Magari mentre fa lezione a Prisca. Non le farei perdere tempo...

— È meglio che aspettiamo quest'estate — disse Ondina — quando saranno finite le scuole. Adesso dovete prepararvi all'esame. E anch'io allora avrò risolto certi miei problemi.

Ma non dovevano essere dei problemi gravi, perché parlandone, le ridevano gli occhi.

Nei giorni seguenti la maestra Sforza continuò a dettare nuovi brani e le "saltatrici" continuarono a impararli a memoria. I Conigli erano praticamente abbandonati a se stessi. Adelaide aveva perfezionato al massimo grado l'arte di mimetizzarsi e di non attirare su di sé l'attenzione della maestra. Era diventata cosí quieta e silenziosa, si faceva cosí piccola dentro a quel banco solitario e isolato, che se non fosse stato per la cerimonia quotidiana dell'olio di fegato di merluzzo, maestra e compagne si sarebbero dimenticate della sua esistenza.

Adesso la bacchetta sibilava per i Maschiacci e per le Leccapiedi. Quando erano interrogate e non sapevano recitare alla

217

perfezione il brano richiesto, la maestra faceva gli occhiacci e vibrava un colpo in direzione delle loro dita poggiate sul banco. Ma stava bene attenta a colpire sempre un centimetro piú in là, e ogni volta il legno del banco faceva un rumore secco. Era evidente che la signora Sforza voleva soltanto far paura, però tutte pensavano: "E se sbagliasse la mira?"

Sveva, che il piú delle volte faceva scena muta, non tollerava neppure quel gesto dimostrativo. Invece di poggiare come tutte le mani a dita divaricate sul banco, incrociava le braccia sul petto e fissava la maestra negli occhi con aria di sfida. Ed era sempre la signora Sforza ad abbassare per prima lo sguardo.

### Capitolo sesto
*Dove la maestra*
*perde la pazienza con Adelaide.*

Il 20 di aprile, con grande meraviglia di tutta la classe, appena entrata nell'aula Adelaide, invece di sgattaiolare furtiva verso il suo banco come faceva sempre, si fermò sulla soglia, aprí la vecchia cartella e ne estrasse un voluminoso involto di carta di giornale. Svolse la carta e, mentre tutte la stavano a guardare con curiosità, liberò un mazzo di tulipani rossi e gialli. Un mazzo non tanto grande, senza cellofan né carta crespata, e senza neppure uno spago per tenere insieme i fiori.

Adelaide lo scrollò, gli dette una aggiustatina e andò a deporlo solennemente sulla cattedra, pronunciando la formula di rito: — Questo è per lei, signora.

Ma la maestra, che aveva seguito i suoi gesti con lo sguardo vitreo e inespressivo di un serpente, invece di rispettare il copione dicendo a sua volta: — Grazie. Che pensiero gentile! — guardò i fiori con aria disgustata e chiese in tono d'accusa: — Dove li hai presi?

— In giardino — balbettò Adelaide, che non si aspettava una simile accoglienza.

— In *quale* giardino? Non mi verrai a raccontare che possiedi un giardino, Raperonzolo!

Adelaide non rispose.

Lo sapevano tutti che in via Mercato Vecchio giardini non ce n'erano.

— Allora, dove li hai presi? — incalzò la maestra.

Silenzio.

— Li hai comprati dal fioraio, per caso?

— Sí! Dal fioraio! — disse Adelaide, aggrappandosi a quel suggerimento come a un'ancora di salvezza.

— E con quali soldi? Ti scappano fuori dalle tasche, eh, i quattrini? Ne hai tanti che non sai dove metterli... Ma chi credi di prendere in giro, brutta pezzente?

Adelaide si morsicò il labbro inferiore e chinò il capo.

— Non li hai comprati dal fioraio, bugiarda! Altrimenti avrebbero la carta trasparente, e il nastro, e l'etichetta...

Adelaide continuò a fissarsi le scarpe in silenzio. Era inutile negare l'evidenza.

— Te lo dico io da dove arrivano questi fiori, Raperonzolo — disse con aria sempre piú feroce la signora Sforza. Fece una pausa guardandosi in giro per controllare che tutta la classe la stesse a sentire con la massima attenzione, poi tuonò, puntando l'indice contro Adelaide: — Li hai rubati!

Adelaide, presa alla sprovvista, sussultò. — Non li ho rubati — disse con una vocina tremante.

— Sí, invece. È inutile che lo neghi, stracciona. Sei una ladra. È chiaro come il sole. Sei una bugiarda e una ladra. E io nella mia classe di ladre non ce ne voglio!

La voce della maestra si faceva sempre piú alta e stridula, il tono sempre piú minaccioso. I Conigli, benché l'accusa non li riguardasse, tremavano spaventati. Ma anche i Maschiacci e persino le Leccapiedi seguivano la scena col fiato sospeso, piene di apprensione.

— Non li ho rubati. Non li ho rubati. Non è vero — insistette testarda Adelaide.

— Ah. Non è vero! Dunque la bugiarda sarei io! Di bene in meglio, Raperonzolo. Mi offendi, anche.

— Io non... — balbettò Adelaide.

— Tu sei una ladra, e faresti meglio a confessare! Dov'è che li hai rubati? In quale giardino?

"Quante storie per quattro tulipani!" pensava Rosalba e aveva una gran voglia di alzarsi e di gridare: «Glieli ho regalati io!», ma temeva di metterla ancora di piú nei guai, perché sul viso della maestra si poteva leggere un'espressione feroce e determinata, come quella che doveva avere il lupo quando discuteva con l'agnello nella favola di Esopo.

Adelaide continuava a negare ostinatamente. — Non li ho rubati.

— Benissimo — disse gelida la maestra. — Vuol dire che manderò a chiamare la polizia. Vedremo se, quando sarai in prigione, ti deciderai a dire la verità.

La minaccia fece il suo effetto. Adelaide perse completamente il controllo.

— No, no! In prigione no! — si mise a strillare. Stava lí in piedi, di fianco alla cattedra, scossa dai singhiozzi, col naso che le colava, le mani tremanti.

— Neanche un cane... Neanche un cane si tratta cosí! — sussurrò Prisca aggrappandosi alla mano di Elisa e conficcandole le unghie nel palmo. — Io non ci resisto. Ascolta il mio cuore!

BUM BUM BUM BUM!

— Se vuoi, dico che ti senti male e ti accompagno al gabinetto — fece Elisa.

— No. Voglio vedere fino a che punto arriva. Ma gliela farò pagare! Non so quando, non so come. Ma gliela farò pagare, te lo giuro.

— Guzzòn, te lo chiedo per l'ultima volta — disse la maestra lentamente, con voce calma e terribile. — Dove hai rubato questi fiori?

— Non li ho rubati! — urlò Adelaide, e piangendo, con frasi sconnesse, raccontò finalmente la verità.

Erano tanti giorni che desiderava portare anche lei un mazzolino alla maestra, come avevano fatto le altre compagne. Ma non aveva un giardino, è vero, e neppure i soldi per il fioraio. Però quella mattina, passando davanti a una casa signorile, aveva visto una cameriera che gettava la spazzatura nel bidone. E tra la spazzatura c'era un grande mazzo di tulipani ancora non completamente appassiti. Allora aveva aspettato che la ragazza rientrasse in casa, aveva rovesciato il bidone e aveva scelto uno per uno i fiori che le sembravano piú presentabili, quelli che avevano ancora tutti i petali. Alcuni erano cosí freschi che non erano neppure sbocciati completamente. Li aveva messi a bagno nella fontanella per lavarli e per farli riprendere, poi li aveva asciugati col vecchio giornale in cui portava avvolto il cucchiaio.

— Ecco il motivo di quello schifoso puzzo di pesce! — disse la maestra. — Hai finito?

— Sí — rispose Adelaide, e ribadí: — Non li ho rubati. Non erano di nessuno.

La maestra la guardò in silenzio per quasi un minuto, come se stesse meditando. Adelaide ne approfittò per pulirsi la faccia, strofinandosela con un fazzoletto lurido.

Le altre bambine, pensando che il dramma fosse concluso, cominciarono a rilassarsi, ad armeggiare sotto alla ribalta del banco. A un Coniglio scappò una risatina nervosa. Due o tre Leccapiedi cominciarono a chiacchierare sottovoce. Si poté sentire distintamente Emilia Damiani che diceva: — In fondo è una storia commovente...

— SILENZIOOOO! — urlò la signora Sforza drizzandosi paonazza sulla cattedra come un diavolo a molla. Fulminò Emilia con lo sguardo, poi la sua rabbia si rovesciò sulla povera Adelaide come un uragano.

— E tu, delinquente, hai avuto il coraggio, hai avuto la spudorataggine di regalarmi dei luridi fiori raccolti dalla spazzatura. A me, alla tua maestra. Questo è il rispetto che mi porti! Hai osato mettermi dell'immondizia sulla cattedra, senza alcun rispetto per l'igiene... Già! Ma tu l'igiene neppure sai dove sta di casa... E mi hai detto che quel luridume era un omaggio per me. Mi hai insultata. Questo è un affronto che non posso tollerare! Non c'è punizione abbastanza severa per una delinquente come te.

Adelaide, rassegnata, tese le palme delle mani.

— No! Insudicieresti la bacchetta. Prendi i tuoi fiori puzzolenti e vattene! Osio, ecco il registro. Accompagnala in Direzione. È sospesa per quindici giorni... E voglio che torni... se torna... accompagnata dai genitori. Devo far loro un certo discorsetto...

Ma l'indomani, nonostante la sospensione, Adelaide si presentò in classe accompagnata dalla madre, una donnetta con la permanente e con un abito stinto degli scatoloni.

La maggior parte delle bambine si aspettava che la donna fosse venuta a protestare per l'ingiustizia, a proclamare l'innocenza della figlia, a chiedere che la punizione venisse ritirata. Da una donnina cosí piccola, pensava Elisa, non ci si poteva aspettare una vera e propria carneficina. Ma una bella scenata con urla e improperi, e i pugni stretti sotto al naso della maestra, una scena da lavatoio, insomma, che avrebbe messo in grande imbarazzo la signora Sforza, quella sí! E si dispose a godersela.

Ma la signora Guzzòn, tenendola stretta per un orecchio, trascinò Adelaide fin sotto la cattedra.

— Chiedi scusa alla maestra! — ordinò.

— Mi scusi — disse Adelaide a testa bassa.

— È troppo poco — disse la maestra.

— Ha ragione — disse la madre. Afferrò Adelaide per i capelli, che le stavano ricrescendo a ciuffi disordinati, e lí, davanti a tutte, cominciò a picchiarla con metodo, sul viso, sulla testa, sulle spalle, sulle braccia. E intanto le lanciava insulti terribili:

— Cosí ti caschino gli occhi! Che un fulmine ti possa incenerire! Vergogna della famiglia, avanzo di galera, cane rognoso... — e altri epiteti che lasciarono le compagne esterrefatte.

Adelaide non faceva un verso, ma diventava sempre piú pallida e cercava di proteggersi la testa con le braccia incrociate.

— È soddisfatta, signora? — chiese la madre alla maestra quando ebbe finito. — Le ho dato tutto quello che meritava?

La signora Sforza non rispose. Con un gesto di disprezzo le indicò la porta. Sempre tenendola per i capelli la madre trascinò fuori Adelaide.

— Selvaggi — disse la maestra fra i denti. Poi fece un bel sorriso alle bambine. — Vi prego di dimenticare la scena increciosa cui siete state costrette ad assistere. Adesso capirete perché ritenevo che Guzzòn non fosse la compagna ideale per voi.

E quella fu l'ultima volta che videro Adelaide.

Poco tempo dopo Elisa, andando con la tata al Mercato Vecchio, incontrò Luciana e le chiese della sorella.

— È a lavorare da una signora — disse la bambina, e le strizzò un occhio con aria di complicità. — Ti ricordi di tutte quelle buone paste? Di tutte quelle paste finite in m...?

Ma Elisa non aveva nessuna voglia di ridere.

— Cos'hai a che fare, tu, con delle bambine cosí maleducate? — chiese la tata, che aveva sentito la parolaccia. E la trascinò via senza lasciarle neppure salutare Luciana.

## Capitolo settimo
*Dove Prisca scrive un brano patriottico
da imparare a memoria.*

*Primo Tonipúm nacque a Milano nel 1841 da una celebre famiglia di briganti.*

*In quegli anni a Milano c'erano gli Austriaci, che odiavano gli Italiani, specialmente i Carbonari, e li sottoponevano alle piú terribili angherie. Gli davano schiaffi, li colpivano con la bacchetta sulle mani, li deridevano, li insultavano, li mettevano in prigione, li impiccavano, e se qualcuno si azzardava a raccogliere dei fiori nelle aiuole del Comando Austriaco, li lasciavano marcire (i fiori) dentro a un secchio d'acqua sporca e poi glieli facevano mangiare (ai patrioti).*

*E tutte le volte che qualcuno gridava: «Viva l'Italia», gli Austriaci gli lavavano la bocca col sapone.*

*In tutta la città era vietato usare cucchiai di qualsiasi tipo, perché il Generale in capo delle truppe austriache, un vecchio terribile che si chiamava Argus von Sfortzesky, detestava quel tipo di posate. La minestra bisognava mangiarla con la can-*

nuccia, e lo zucchero nel caffellatte bisognava girarlo col dito. Per questo motivo molti milanesi che avevano l'abitudine di bere il caffellatte bollente, se ne andavano in giro con l'indice della mano destra fasciato. Alcuni di loro però non si erano davvero scottati, ma facevano finta, perché erano dei leccapiedi e volevano vantarsi di obbedire agli ordini del Generale.

Quando ebbe compiuto nove anni, Primo Tonipúm si arruolò nella società segreta dei Carbonari, che si nascondevano nelle cantine e non avevano paura né dei topi né di nessun altro. Durante la prima riunione il capo dei Carbonari disse: «Ieri quel bastardo di Argus von Sfortzesky ha compiuto un'altra delle sue nefandezze. Bisogna che qualcuno si incarichi di punirlo e di renderlo inoffensivo. Vi avverto che l'impresa è molto rischiosa.»

Primo non se lo fece dire due volte e si offrí come volontario. Si fece spiegare la strada per arrivare agli appartamenti privati del Generale e, col favore delle tenebre, raggiunse le cantine del palazzo dov'era alloggiato il Comando Nemico. Qui si travestí da donna, si mise una parrucca, poi andò a bussare alle cucine dicendo che cercava lavoro come sguattera. Fu assunto, e fu incaricato di fare le pulizie nella stanza del Generale.

Nei primi giorni si comportò in modo cosí astuto e prudente che il Generale prese a benvolerlo, anzi a benvolerla, perché la credeva la sguattera Primina.

Quando Primo si fu conquistato interamente la fiducia di von Sfortzesky e del suo corpo di guardia, decise di passare all'azione.

Una mattina, rifacendo il letto, ci mise in fondo un porcospino. Poi, svuotato il cuscino delle piume d'oca, lo riempí d'ortiche e dentro al materasso mise dei sassi pieni di spigoli. Lucidò benissimo il pavimento di marmo e ci sparse sopra un po' di borotalco per renderlo scivoloso. Dentro alle pantofole del Generale mise due fichi d'India, ben nascosti in punta. Svuotò nel lavandino la bottiglia di cognac che Argus von Sfortzesky teneva sul tavolino da notte, e la riempí di sciroppo purgativo.

*Intanto il Generale stava seduto nel suo ufficio a piantare spille su una grande carta geografica dell'Italia. E a ogni spilla, diceva tutto contento: «Zac! Ecco un altro patriota infilzato!» Questo per rendere l'idea di che uomo crudele e spietato fosse.*

*A mezzogiorno ordinò che gli portassero il pranzo.*

*Primina si fece dare dal cuoco il vassoio per il Generale e si avviò. Strada facendo sputò dentro la minestra, mise dei vermi vivi nelle polpette e degli scorpioni nell'insalata. Versò nel vino una boccetta d'inchiostro rosso e al posto del formaggio mise un bel pezzo di sapone. Tolse la panna montata dalla torta e ci mise della schiuma da barba.*

*Il Generale, che era affamato, mangiò in fretta, senza fare molta attenzione. Quando ebbe finito si mise una mano sullo stomaco e gridò: «Aiuto! Sto male! Chiamate il dottore!»*

*I servi lo sollevarono di peso e lo portarono su in camera per metterlo a letto. Ma scivolarono sul borotalco e lo lasciarono cadere cosí bruscamente che il Generale si ruppe una gamba. Molto dispiaciuti, i servi lo raccolsero e gli infilarono le pantofole.*

*«Ahia!» gridò il Generale. «Le mie povere dita dei piedi! Mettetemi dentro al letto, deficienti!» (Li trattava cosí perché i servi erano italiani.) «Sistematemi il cuscino dietro le spalle.»*

*Sentí un bruciore tremendo, ma non sapeva che erano le ortiche. E quando il porcospino si mosse e gli infilzò gli aculei nei polpacci, pensò che fosse il dolore della frattura.*

*«Ma quand'è che arriva questo tiratardi di un dottore!» protestò. «Io sto per morire e lui si ferma a chiacchierare con le sentinelle giú per la strada. Magari è un dannato Carbonaro che vuole la mia morte.»*

*«Ma no, Generale! È uno dei nostri» gli disse il suo attendente. «È una persona fidatissima. Prima di essere assunto nel nostro esercito come Ufficiale Medico, faceva il boia a Vienna.»*

*«Va bene. Ma che si sbrighi!» disse il Generale. «Intanto che aspetto berrò un bicchiere di cognac per tenermi su.»*

*Bevette, e gli venne subito un terribile mal di pancia.*

Il dottore non arrivava perché Primo gli aveva teso un agguato in un corridoio deserto. Lo aveva tramortito, legato come un salame e chiuso dentro un armadio. Prima però gli aveva tolto la divisa, si era messo un paio di baffi finti e si era travestito da Ufficiale Medico dell'Esercito Austriaco.

Sotto queste spoglie entrò nella camera del Generale, si avvicinò al letto e gli prese il polso.

«Dottore, sto male. Sto morendo» gemette l'ammalato.

«Esatto» disse Primo in austriaco (perché era cosí intelligente che conosceva tutte le lingue). «Le restano solo pochi minuti di vita.»

«E lei sta lí a guardarmi come un mammalucco! Ma faccia qualcosa, dannazione! Che razza di medico è lei? Cosa l'ho chiamato a fare?»

«Tenterò una cura» disse Primo in tono distaccato «ma la avverto che ci sono poche speranze.»

Gli fece sette punture in diverse parti del corpo. Per fargli piú male aveva storto e spuntato tutti gli aghi delle siringhe che aveva trovato nella valigetta del dottore. Poi gli mise dei cerotti nei punti piú pelosi, e subito dopo glieli strappò dicendo che si era sbagliato. Gli fece un enorme clistere d'acqua gelata e gli fece bere due litri di medicina amarissima.

Il Generale stava sempre piú male. Le ortiche gli avevano riempito di vesciche la nuca, il collo e le orecchie. Il porcospino continuava a dimenarsi tra le lenzuola. I sassi del materasso gli ammaccavano la schiena...

«Il caso è disperato» disse Primo. «Le consiglio di mandare a chiamare il confessore.»

«Sí, sí. Fate venire il Capellano Militare» disse il Generale.

«Andrò io a chiamarlo» si offrí Primo, e uscí dalla stanza. Prese dalla valigetta da dottore una tonaca che aveva preparato in precedenza, si tolse i baffi finti e si travestí da prete. Poi tornò nella camera da letto.

«Sono venuto a confessarti» gli disse in latino (perché era molto intelligente e sapeva tutte le lingue). «Dimmi tutti i tuoi peccati.»

I servi e l'attendente li lasciarono soli e il Generale cominciò *a raccontare di tutte le prepotenze e le ingiustizie che aveva fatto ai patrioti italiani, e specialmente ai Carbonari.*

*A ogni peccato, Primo gli dava un fortissimo colpo di bacchetta sulle mani e gli diceva: «Pentiti, brutta carogna! Pentiti, avanzo di galera! Per penitenza dovrai dare le dimissioni da Generale e rinchiuderti in un convento, dove mangerai solo pane secco e ortiche bollite.»*

*«Ma allora non muoio!» protestò il Generale.*

*«Per questa volta no. La prossima si vedrà.»*

*«Non è giusto! Io volevo un bel funerale, con i cavalli neri col pennacchio, i cannoni sulle ruote, e la banda, e tutti i miei soldati in fila che piangono e dicono che ero un eroe. E volevo una tomba nella Cattedrale e un gran monumento in piazza, con la catena intorno perché i monelli non si possano arrampicare.»*

*«E invece non avrai un bel niente. Non te lo meriti» disse Primo senza lasciarsi commuovere.*

*Fece un fischio e cinque Carbonari travestiti da frati entrarono dalla finestra. Uno puntò una pistola contro l'ex moribondo e gli disse: «Adesso prendi un foglio e scrivi: "Dò le dimissioni da Generale. Sono un verme schifoso. Viva l'Italia, viva i patrioti, viva i Carbonari! Firmato Argus von Sfortzesky"»*

*Poi lo avvolsero nella trapunta del letto e lo portarono via. E da quel giorno di lui non si seppe piú niente.*

*Primo Tonipúm ricevette i complimenti di tutti i patrioti, i quali, quando ebbero finito di fare il Risorgimento, gli fecero erigere una bellissima statua nella piazza del mercato.*

# MAGGIO

# Capitolo primo
*Dove Elisa decide di riaprire le ostilità
e fa un sondaggio.*

— Le stagioni non sono piú quelle di una volta! — si lamentava Antonia sbuffando per il caldo e facendosi vento con un cartone da torta. — Quando mai si sono visti trenta gradi ai primi di maggio?

Al di là delle persiane accostate, il terrazzo di cucina, con le sue piastrelle chiare, splendeva d'un bianco accecante. L'aria tremava per il calore e le piante di geranio nei vasi si ammosciavano come verdura bollita.

— Ines — chiese Prisca entrando in cucina. — Per caso hai visto Dinosaura?

— No. Qui non c'è. Ho appena spazzato e lavato per terra e l'avrei vista.

— E in terrazzo? Sei sicura che non sia uscita in terrazzo?

Bisognava trovarla assolutamente. Prisca sapeva per esperienza che le tartarughe sono bestie robustissime, resistenti a qualsiasi privazione, a qualsiasi incidente. Solo una cosa può considerarsi davvero micidiale per una tartaruga: il sole a picco nelle ore piú calde, se la poveretta non trova un cantuccio d'ombra dove rifugiarsi. Oltre una certa temperatura infatti il suo cuore non resiste, e la tartaruga muore, come aveva spiegato lo zio Leopoldo, di collasso cardiocircolatorio.

Prisca aveva già fatto la triste esperienza, quando era piccola, con una tartarughina che teneva in una scatola da scarpe e

231

che un dopopranzo aveva dimenticato sul davanzale di una finestra dove il sole estivo picchiava senza tregua per tutto il pomeriggio. Quanto piangere, e quanti buoni proponimenti quando, per consolarla, le avevano regalato Dinosaura!

Ora sapeva che anche in terrazzo, a una cert'ora, non ci sarebbe stato un filo d'ombra, neppure dietro i vasi dei gerani. Aprí la porta della cucina e si mise a chiamare: — Dinosaura! Dinosaura! — Niente. Andò a prendere in frigorifero due ciliegie e le posò allettanti sotto al gradino. — Su, bella! Vieni a fare merenda! — Niente.

Allora uscí e si mise a perlustrare il terrazzo palmo a palmo, spostando tutti i vasi, ma Dinosaura proprio non c'era. Al di là della ringhiera il catrame che ricopriva la tettoia di quelli del piano di sotto si scioglieva per il caldo.

— Hai guardato nel terrario? — chiese Ines. Il terrario, una grande cassetta di legno piena di terra, sassi, erba e persino una bacinella d'acqua che faceva da laghetto, si trovava sul balcone della camera da letto di Prisca. Ma Dinosaura non ci stava volentieri e preferiva andarsene in giro per la casa.

— Ho guardato. Lí non c'è — disse Prisca, piena di tristi presentimenti.

— Smettila di preoccuparti. Sarà in salotto o in camera da letto di tua madre, nascosta sotto qualche mobile — la consolò Ines. — A ogni modo, sai cosa facciamo? Mettiamo fuori una sedia e la copriamo con un asciugamano bagnato che penda su tre lati. Cosí se per caso Dinosaura salta fuori da qualche parte, trova un po' d'ombra dove rifugiarsi.

Ines aveva sempre delle idee straordinarie! Prisca le mandò un bacio sulle dita e corse a vestirsi. Era in ritardo per la lezione di matematica.

Ormai mancava poco piú d'un mese all'esame. La maestra aveva annunciato che c'erano solo ancora una decina di brani da imparare a memoria, e che poi la classe si sarebbe dedicata a un Grande Ripasso Generale.

La signora Sforza era serena, di buonumore, orgogliosissima della sua classe, adesso che aveva eliminato anche quell'ultima nota stonata di nome Guzzòn Adelaide.

Ancora non sapeva che Elisa, nel suo registro delle ingiustizie, aveva scritto in grande con la matita rossa

BASTA

e poi, nella riga piú sotto

VENDETTA

e in quella ancora piú sotto

CARNEFICINA

Adesso che non c'era piú il rischio di procurare guai alla povera Adelaide, Elisa aveva deciso di riprendere la sua battaglia e di costringere la signora Sforza a picchiarla, in modo da provocare la vendetta dello zio Casimiro. E probabilmente anche degli altri due zii, perché era improbabile che Leopoldo e Baldassarre se ne sarebbero restati con le mani in mano, non fosse altro che per emulazione nei confronti del fratello piú giovane.

Aveva fatto un sondaggio, per verificare che lo zio Casimiro fosse sempre nella stessa disposizione d'animo.

Un giorno, al ritorno da scuola, invece di salire di corsa a casa, si era seduta sul primo gradino delle scale e si era messa a pensare alle cose piú tristi che riusciva a farsi venire in mente. Non si era dovuta sforzare molto. C'erano il papà e la mamma lassú al cimitero, e quella povera bambina morta della fotografia. E c'era Iolanda che doveva fare la serva a quella superbiosa della nonna di Sveva, e Adelaide che veniva picchiata in quel modo terribile dalla madre, e poi c'era Domenico che mangiava gli avanzi tutti mescolati nel barattolo, e lo zio Casimiro, anche lui, poverino, che amava Ondina Múndula, e lei invece era innamorata di uno sconosciuto.

Elisa era una bambina molto sensibile, e dopo cinque minuti stava già piangendo a dirotto. Stando attenta a non pensare a niente di allegro che facesse cessare le lacrime e aiutandosi con dei singhiozzi, che sono come le ciliegie (diceva Prisca) perché uno tira l'altro, salí le scale, suonò il campanello e si gettò fra le braccia della tata che era venuta ad aprire.

— Santo cielo! Cosa c'è? Cosa ti hanno fatto? — strillò la tata, liberandola dalla cartella e spingendola verso la stanza da pranzo, dove gli zii e la nonna erano già seduti a tavola.

La nonna Mariuccia balzò in piedi e cominciò ad asciugarle la faccia col tovagliolo. — Cos'è successo?

— Ha detto... — singhiozzò Elisa. — Ha detto... che mi picchia... se lo faccio ancora.

Piú andava avanti e piú le riusciva facile. Quasi quasi le sembrava che quello che stava per raccontare fosse accaduto davvero e non fosse invece un'invenzione di Prisca, che naturalmente, insieme a Rosalba, la sosteneva e la assisteva in tutta la faccenda.

— *Chi* ha detto che ti picchia, se fai ancora *cosa*? — domandò lo zio Baldassarre.

— La maestra. Ho fatto cadere il calamaio sul pavimento e l'inchiostro è schizzato dappertutto. È dovuto venire il bidello, a pulire con lo straccio... — disse Elisa, fra un singhiozzo e l'altro. — E lei mi ha detto che se lo faccio un'altra volta mi picchia con la bacchetta. Ma io non l'ho fatto apposta.

— Con la bacchetta, eh? Che ci si provi! — disse subito lo zio Casimiro in tono feroce.

— Magari mi darà solo uno schiaffo... — suggerí Elisa smettendo di singhiozzare, ma con tono piagnucoloso.

— Uno schiaffo? Se ti mette le mani addosso l'avrà a che fare con me — disse lo zio Baldassarre.

— Non mi piacciono questi metodi di punizione — disse lo zio Leopoldo. — Quasi quasi domani passo a prenderti, all'uscita di scuola, e con l'occasione le dico che non si azzardi a toccarti. Se fai qualcosa di male, che ci avverta, e saremo noi a decidere se punirti e in che modo.

— No, no! Lascia stare. Altrimenti le mie compagne mi prendono in giro, mi dicono che sono una fifona... — disse Elisa, preoccupata che la sua bugia potesse venire scoperta. La maestra non si era mai sognata di minacciarla, e comunque non l'avrebbe certo picchiata soltanto per un calamaio.

— Hai ragione. I tuoi problemi scolastici li devi risolvere da sola — disse lo zio Leopoldo.

— Però se quella strega si azzarda a torcerti... che dico a torcerti? Se si azzarda a sfiorarti un capello, dillo a me — ripeté lo zio Casimiro.

Rassicurata da questa promessa, Elisa la riferí alle due amiche e insieme concordarono di riprendere il vecchio piano allo stesso punto in cui l'avevano lasciato, al momento cioè dell'espulsione di Iolanda.

— Però m... non lo voglio piú dire — protestò Elisa. — È una parola troppo volgare, e mi vergogno.

— D'accordo. Inventeremo qualche altra cosa.

Prisca e Rosalba si sentivano un po' in colpa, perché il piano prevedeva che loro due restassero dietro le quinte a dare suggerimenti, e che fosse soltanto Elisa a sfidare apertamente le ire della maestra.

D'altronde non era affatto certo che – se la maestra avesse messo le mani addosso a una di loro due – qualche grande sarebbe intervenuto a chiedere vendetta. Nel caso di Prisca anzi, era probabile che suo padre le avrebbe detto: — Arrangiati — e a Rosalba, sua madre si sarebbe limitata a sospirare che le punizioni corporali non hanno niente di artistico, e suo padre, forse, avrebbe affidato il compito di protestare al signor Piras, che non era all'altezza di affrontare la maestra e comunque il suo intervento avrebbe coperto Rosalba di ridicolo.

Il loro sacrificio sarebbe dunque risultato inutile. — Sarebbe uno spreco farsi picchiare senza provocare in cambio una carneficina — le tranquillizzava Elisa.

## Capitolo secondo
*Dove Elisa si esibisce come cantante solista.*

Prisca era di pessimo umore perché non riusciva a trovare Dinosaura. L'aveva cercata dappertutto, ma la tartaruga sembrava scomparsa nel nulla.

— Sei sicura che Filippo non l'abbia gettata dalla finestra?
— chiedeva angosciata a Ines. Loro abitavano al quinto piano.

— Non lo lascio mai avvicinare alla finestra, sta' tranquilla — la rassicurava la bambinaia. — Se poi si arrampica e casca di sotto, altro che tartaruga! E chi la sente la signora?

— Gabriele! Sei stato tu! L'hai portata in soffitta per i tuoi esperimenti!

— Io sono contrario alla vivisezione — protestava Gabriele indignato.

— Vedrai che torna! — diceva Antonia. — Vedrai che me la ritroverò ancora tra i piedi. La mala erba non muore mai...

— Ma da DOVE torna? Dov'è, che è andata?

Nonostante lo sconforto causato da quella scomparsa, Prisca riuscí a dedicare mezz'ora al "Piano Carneficina" e il risultato fu una composizione poetica che Elisa imparò subito a memoria (con tutti quei brani, ormai era allenata!).

L'indomani, nell'ultima fase delle Grandi Manovre, Marcella, che era stata ingaggiata perché si infiltrasse come spia tra le Leccapiedi, disse sottovoce a Sveva, che dopo la scomparsa di Adelaide era tornata ad aprire la fila al suo fianco:
— Ascolta un po' cosa sta cantando Elisa Maffei! Secondo me non sono le parole giuste della canzone.

Sveva ascoltò, e un sorriso maligno le illuminò la faccia.

Il giorno seguente, a ricreazione, aspettò che Prisca, Elisa e Rosalba se ne andassero insieme al gabinetto (lo avevano fatto apposta: faceva parte del piano) e ordinò al resto della classe: — Oggi, all'uscita, che nessuna canti "Finito è un giorno" per intero. Solo le prime due o tre parole. Poi tacciamo all'improvviso. Sentirete che bella sorpresa.

I Conigli protestarono che la maestra le avrebbe punite.

— Se punirà qualcuno, quella non sarà nessuna di noi, ve lo garantisco. Mentre se non mi ubbidite, un paio di schiafoni a testa non ve li leva nessuno.

Cosí, al momento della canzone, tutta la classe intonò "Finito è un giorno..." e si interruppe. Nell'atrio risuonò alta e limpida la voce solista di Elisa che cantava a gola spiegata:

*In fronte ha un corno lavato nel cloro,*
*gli occhi ha porcini: non è una beltà*
*la mia maestra, medaglia d'oro*
*di cattiveria e di falsità.*

La gente che si trovava piú vicino, grandi e piccoli, si misero a ridere, mentre le compagne guardarono Elisa esterrefatte. Era diventata pazza all'improvviso? Ma no! Se Sveva se n'era accorta fin dal giorno prima, evidentemente quei versi oltraggiosi venivano cantati già da qualche tempo. E la signora Sforza come l'avrebbe presa?

La maestra era impietrita. Non riusciva a dare l'ordine successivo "Salut!", e neppure "Fronte Destr! Avanti, marsch!".

L'unica cosa che riuscí a dire dopo qualche secondo, con voce tremante e col dito puntato verso Elisa fu: — Maffei!

Ed Elisa, poiché la regola era che il dito alzato dava il segnale di partenza alla canzone, attaccò di nuovo: — In fronte ha un corno lavato nel cloro...

— Basta! Zitta! — ordinò la maestra. Ma Elisa ormai era lanciata e cantò la strofa fino alla fine, con enorme divertimento dei bambini di seconda e di terza.

Poi ci fu una grande gazzarra. Chi la tirava da una parte, chi dall'altra. Chi rideva, chi diceva con voce spaventata (i Conigli): — Ma vuoi farti ammazzare?

Alla maestra era mancato il respiro e il bidello l'aveva fatta sedere su una sedia e le aveva portato un bicchier d'acqua.

— Su, tutti a casa! Via, via! Uscite! Devo chiudere il portone! — strillava il signor Piu, scacciando i curiosi.

Rosalba prese Elisa per mano e se la tirò dietro tra la folla prima che qualcuno potesse fermarla.

— E adesso vediamo cosa succede.

Questa volta Elisa era sicura che l'indomani sarebbe stata picchiata. Era un po' preoccupata, ma soprattutto curiosa, perché nessun adulto le aveva mai messo le mani addosso in vita sua, e non sapeva che effetto le avrebbe fatto. A vederla, non sembrava una cosa piacevole. Ma Prisca le prendeva quasi tutti i giorni da sua madre, e anche Adelaide, alla fine, era sopravvissuta. Cos'aveva, lei, in meno di loro due, da non poter sopportare quella prova?

Invece nel pomeriggio, mentre la nonna Mariuccia era al cimitero, arrivò una telefonata della maestra. Per fortuna anche gli zii erano già usciti, e cosí rispose la tata.

— Lei fa parte della famiglia? — chiese la signora Sforza dopo essersi presentata.

— Certamente! — rispose la tata.

— Allora vorrei suggerirle di far vedere la bambina da un dottore. Un neurologo, possibilmente. Oggi a scuola si è messa a fare cose strane, a dire frasi insensate. Si è resa ridicola davanti a tutti, e questo non è bello. Forse il caldo le ha dato alla testa. Oppure la fatica per il troppo studio. Mi sembra un tipo dai nervi un po' fragili. Ha detto anche delle cose spiacevoli nei miei confronti. Ma non è questo il punto. Fatela controllare, perché se no ci dovremo pensare noi. Sarebbe molto spiacevole se avesse una nuova crisi e fossimo costretti a chiamare il medico scolastico, e saltasse fuori che la vostra nipotina ha bisogno di cure psichiatriche.

La tata stava ad ascoltare con gli occhi fuori dalla testa. — Stia tranquilla, signora. Provvederemo — disse alla fine. Poggiò il microfono e si rivolse costernata a Elisa che si era fermata vicino sforzandosi di sentire qualcosa della conversazione. — Praticamente mi ha detto che sei pazza. Cos'hai combinato?

Questa poi! Era astuta la maestra... Una povera bambina malata nel cervello può dire quello che vuole, e le sue parole non offendono nessuno. Non l'avrebbe picchiata, ma forse, fingendo di preoccuparsi per lei, avrebbe manovrato in modo da farla rinchiudere in manicomio. E cosa avrebbe detto lo zio Leopoldo quando avesse saputo che lei si comportava in modo da procurarsi quella fama cosí difficile da smentire? Nei film gialli, quando uno veniva fatto passare per matto (di solito una moglie un po' cretina che non capiva che il marito era un delinquente), poi doveva fare i salti mortali per convincere tutti del contrario.

Bisognava assolutamente fare in modo che nessuno in casa venisse a sapere di quella telefonata.

— Allora? Cos'hai combinato?

— Ma niente! Mi ha sentito mentre cantavo una canzoncina ridicola... Sai, una di quelle tiritere senza senso...

— A scuola non si canta — disse severamente la tata.

Elisa si finse molto pentita. — Non lo farò piú. Promesso. Ma ti prego, tata, non dirlo alla nonna. Le daresti una preoccupazione inutile: sai quanto è apprensiva! E neppure agli zii...

— Va bene. Per questa volta passi. Ma tu d'ora in poi comportati bene. Non voglio piú sentire storie di questo genere, capito?

Prisca e Rosalba, convocate d'urgenza, furono d'accordo con Elisa. Era chiaro che il piano non funzionava. Se a ogni nuova trasgressione di Elisa la signora Sforza invece di picchiarla avesse telefonato alla nonna o agli zii, alla fine la carneficina forse non sarebbe avvenuta a scuola, ma a casa Maffei.

— Bisogna inventare qualche altra cosa — sospirò Prisca.

— Qualcosa di cosí grave che le faccia saltare i nervi e la faccia reagire immediatamente. E dopo che ti avrà mollato un ceffone, avrà un bel raccontare in giro che sei pazza...

L'impresa adesso sembrava meno facile di quanto fosse apparsa all'inizio. La maestra era furba, ed era ben decisa a evitare a ogni costo lo scontro frontale.

## Capitolo terzo
*Dove la maestra diventa*
*sempre piú nervosa.*

— Ti vedo inquieta — diceva Ondina a Prisca. — Da un po' di tempo non mi ascolti quando ti parlo, sbagli di nuovo tutti i problemi e ti dimeni sulla sedia come San Lorenzo sulla graticola... Si può sapere cos'hai?

Ma nonostante tutto l'amore e tutta la fiducia che Prisca

nutriva in lei, la signorina Múndula faceva pur sempre parte del mondo degli adulti. E poi, era lei stessa un'insegnante. Non si poteva metterla a parte del Piano Carneficina. Ne avrebbe parlato certamente con lo zio Casimiro e avrebbe mandato a monte tutto.

Cosí Prisca giustificava la propria irrequietezza parlando della scomparsa di Dinosaura (che non era poi una scusa, perché non riusciva a farsene una ragione), e della nuova mania che era venuta alla maestra e che rendeva ancora piú difficile la vita di tutta la classe.

Adesso non bastava piú che i quaderni fossero puliti e in ordine. Dovevano essere perfetti, senza l'ombra di un'orecchia, di una ditata. Senza correzioni né cancellature, con i margini laterali allineati al centesimo di millimetro. Dei libri stampati piú che dei quaderni, insomma.

Il fatto è che quell'anno era entrata in vigore una nuova regola per gli studenti che facevano l'esame di ammissione.

L'esame di quinta si faceva tranquillamente nella propria scuola, con una commissione di maestri delle altre sezioni, che in un modo o nell'altro conoscevano ugualmente tutti i bambini per averli incontrati migliaia di volte, nel corso di cinque anni, in cortile, nell'atrio, per le scale e per i corridoi.

L'esame di ammissione invece bisognava andare a farlo nella sede della Scuola Media, e la commissione era formata da professori sconosciuti. Gli insegnanti che avevano preparato i bambini non avevano il permesso di accompagnarli né di assistere alle interrogazioni. Era una prova che bisognava affrontare completamente da soli.

A meno che non si provenisse da una scuola privata. La signora Sforza fino a quell'anno aveva sempre accompagnato le sue preziose pupattole dell'Ascensione. Adesso l'idea di dover mandare la IV D allo sbaraglio non le sorrideva affatto. C'erano un paio di alunne sulle quali non nutriva molta fiducia. Chissà che figuraccia le avrebbero fatto fare!

Ma c'era dell'altro. Quell'anno la Scuola Media aveva ri-

chiesto che ciascuno degli alunni portasse all'esame un quaderno personale, col programma che presentava convalidato
dal Direttore della scuola di provenienza. E non era ancora
finita. Se una classe tutta intera (o a gran maggioranza) voleva fare il salto della quinta, bisognava che ottenesse l'auto-
rizzazione dell'Ispettore Scolastico.

Costui sarebbe venuto in classe, avrebbe interrogato i
bambini per vedere se erano abbastanza maturi e preparati,
avrebbe esaminato il programma che portavano all'esame e
avrebbe messo una firma e un timbro di approvazione sui
registri dell'insegnante.

La prospettiva di questa visita aveva fatto piombare la
maestra Sforza in una frenetica agitazione.

I colpi di bacchetta cadevano come grandine sulle mani
dei Conigli e sul legno dei banchi delle altre. Era persino
successo che Sveva Lopez – fatto assolutamente inaudito –
per aver fatto le orecchie a un quaderno e averlo sporcato
di cioccolata era stata mandata in castigo dietro la lavagna.
E, cosa ancora piú incredibile, come ipnotizzata dallo
sguardo furibondo della maestra, Sveva aveva obbedito
senza protestare.

Prisca ed Elisa sbuffavano insofferenti, ma Rosalba si
lambiccava il cervello per trovare il modo di sfruttare la
nuova fissazione della maestra a vantaggio del Piano Carneficina.

### Capitolo quarto
*Dove Antonia viene aggredita*
*da un mostro sconosciuto.*

— Vedrai che finirò per ritrovarmela tra i piedi! — aveva
predetto Antonia a proposito di Dinosaura. Ma certo non
pensava che la sua previsione si sarebbe avverata in modo
cosí terrificante.

— Per colpa di quell'accidente di bestiaccia stavo per ri-
manerci secca — avrebbe protestato in seguito con Prisca.

241

— Lo sai che per lo spavento si può morire? Soprattutto quando si ha un cuore debole come il mio.

Non che questa prospettiva creasse molto allarme in casa Puntoni, da quando lo zio Leopoldo, dopo averla visitata, aveva detto che Antonia aveva il cuore debole solo quando le faceva comodo.

E poi, di chi era la colpa se Dinosaura era riuscita a scalare il muretto di divisione fra il terrazzo di cucina e la tettoia incatramata oltre la ringhiera?

Chi aveva poggiato sul muretto un mucchio di lenzuola da lavare, sulle quali Dinosaura si era arrampicata come su uno scivolo che le facilitava il passaggio dall'altra parte?

Antonia, era stata! E quindi adesso era meglio che non sbraitasse tanto.

La nonna Teresa, quando aveva sentito raccontare del ritorno di Dinosaura, era quasi morta dalle risate, e se una donna paurosa di tutto come lei aveva reagito cosí, vuol dire che Antonia aveva proprio esagerato.

Erano le otto meno un quarto di una mattina fresca e luminosa. In sala da pranzo Gabriele e Prisca facevano colazione, già pronti per la scuola, con le due cartelle poggiate per terra ai piedi della sedia accanto a loro. Ines imboccava Filippo che, seduto nel seggiolone, invece di inghiottire, sputava la pappa tutto intorno.

— Meno male che quel gran caldo è passato — stava dicendo la bambinaia, quando dalla cucina arrivò uno strillo altissimo, poi un urlo di Antonia: — Aiuto! Aiutooo! Un mostro!

Ines strappò il bambino dal seggiolone e lo strinse in braccio cercando con gli occhi un punto dove metterlo in salvo dall'aggressione imminente. Prisca e Gabriele scattarono in piedi e si precipitarono verso la cucina in soccorso di Antonia. Attraversando il corridoio, Prisca staccò una gruccia di legno dall'attaccapanni. In caso di necessità poteva usarla come una spada. Gabriele estrasse dalla tasca il suo temperino svizzero milleusi. Entrarono in cucina, mentre dalla stanza da bagno la voce dell'avvocato Puntoni sbraitava: — Ma che diamine sta succedendo lí fuori? Cos'è questo baccano?

Antonia era salita in piedi su una sedia e continuava a strillare, brevi urla intermittenti come le sirene della polizia. Fissava con gli occhi sbarrati dal terrore un essere mostruoso che dalla terrazza avanzava lentamente verso di lei.

Prisca e Gabriele si arrestarono interdetti. Non avevano mai visto niente di simile. Era uno strano mostro, grande pressapoco come una gallina, ma con le zampe molto piú corte, tanto che era costretto a trascinare il ventre sul terreno. Aveva anche qualcosa del porcospino, ricoperto com'era di strani aculei. Questi però erano ispidi e disuguali, in parte lunghi e duri, in parte lanosi, in parte simili a penne di piccione, in parte giallo tenero... Aculei, oppure una pelliccia incolta e variegata, nella quale crescevano anche qualche rametto con le fogline verdi e dei fili di lana d'angora rosso cardinale.

— Ma che bestia è? — chiese sconcertato Gabriele. — Come ha fatto ad arrivare quassú?

— Magari vola... — azzardò Prisca, scrutando il mostro per vedere se riusciva a distinguere qualcosa che somigliasse a delle ali. Certo che se si fosse sollevato da terra e si fosse diretto volando contro di lei...

Ma il mostro si trascinava per terra lento e inesorabile, con un rumore frusciante, puntando deciso in direzione di Antonia.

— Ce l'ha con me! Aiuto! Fate venire qualcuno! Chiamate l'avvocato!

Sulla soglia di cucina apparve il papà, a torso nudo e con un asciugamano arrotolato sulle spalle.

— Antonia, vuoi smetterla? Sveglierai la signora. Scendi immed... Accipicchia, ma cos'è quell'affare?

— Un mostro, papà — strillò Prisca eccitata, agitando per aria la gruccia nella speranza di mettere in fuga la strana creatura.

Gabriele invece la aspettava a gambe larghe, impugnando il temperino nella destra.

Dietro l'avvocato apparve il viso di Ines, che nel frattempo aveva messo in salvo Filippo nella culla. Ines guardò il mostro, e invece di strillare spaventata, scoppiò a ridere: — Ma è Dinosaura. È ritornata! Come ha fatto a conciarsi a quel modo?

L'enigma fu risolto da Gabriele, che raccolse e analizzò tutti gli indizi con la pazienza e l'acume di un novello Sherlock Holmes.

Dunque, da sola Dinosaura non era in grado di scavalcare il muretto alto circa trenta centimetri che reggeva i ferri della ringhiera e divideva la zona piastrellata del terrazzo di casa Puntoni dalla tettoia incatramata che apparteneva alla casa di fianco. Qualche giorno prima, però, grazie alle lenzuola sporche di cui si è già detto, la tartaruga, senza che nessuno se ne accorgesse, era riuscita a passare dall'altra parte. Probabilmente, dopo aver esplorato quel territorio sconosciuto, si era rifugiata all'ombra di un grande serbatoio che, essendo dietro l'angolo, non era visibile dal terrazzo dei Puntoni.

Chissà cosa aveva fatto in quei cinque giorni? Probabilmente col fresco tornava a gironzolare e si avvicinava al muretto per tornare a casa. Ma le lenzuola erano state ritirate e non c'era niente che le desse l'appiglio.

Intanto il catrame si scioglieva per il calore e le si appiccicava addosso, le entrava in tutti gli interstizi e le fessure, denso e vischioso.

E, come vischio o pece, raccoglieva tutta la sporcizia che il vento aveva portato sulla tettoia: rametti secchi, penne d'uccello, cartacce, bioccoli di lana dei materassi disfatti al sole sulle terrazze vicine e altre delizie del genere. Cammina cammina, Dinosaura si trasformava in una palla di sporcizia sempre piú grossa. Cammina cammina, e la sua "pelliccia" cresceva piú lunga e piú folta.

Poi finalmente, prima che la povera bestia potesse morire di caldo, di fame o di sete (o magari di nostalgia della sua padroncina) il vento aveva spinto sotto al muretto una tale quantità di cartacce, foglie secche e altra spazzatura, che Dinosaura si era potuta arrampicare ed era tornata a casa.

Antonia era arrabbiatissima. Era sicura che la tartaruga l'aveva fatto apposta per farle fare una figuraccia davanti a tutti, per farla diventare lo zimbello dei bambini, lei, che aveva piú di cinquant'anni, ed era una persona seria.

Prisca invece non sapeva se ridere o se piangere. Ridere per la felicità di aver ritrovato Dinosaura sana e salva. Piangere per la disperazione di doverla ripulire da tutto quel sudiciume. La mise dentro una scatola di cartone bucherellata dai bordi molto alti, sistemò la scatola, coperta con un panno antisole, nel balcone della sua camera da letto, e scappò a scuola. Per tutta la mattina non fece che pensare alla tartaruga e rischiò di prendersi una bacchettata sulle dita non prevista dal Piano Carneficina.

Nel pomeriggio si accinse all'impresa, aiutata da Gabriele e con la consulenza di Ines che, con Filippo in braccio, stava lí a guardare e a dare consigli.

— Prima staccale i rametti, le piume, i fili ingarbugliati. Non è difficile. Piú o meno è come spennare un pollo.

La tartaruga era stranamente irrigidita, non agitava le zampe e la testa, né le ritirava dentro al guscio.

— È piena di catrame in ogni fessura, povera bestia! — disse Ines. — Il grosso glielo puoi togliere via con un bastoncino, ma poi bisognerà usare un solvente.

Man mano che veniva liberata da quell'appiccicume nero grazie a dei batuffoli di cotone imbevuti di benzina, Dinosaura riprendeva il suo aspetto di sempre, e anche i movimenti erano piú liberi.

— Guardala! Respira male, con la bocca aperta! — osservò a un certo punto Gabriele. — Il catrame le ha otturato persino le narici!

Allora Prisca cercò uno stuzzicadenti dei piú sottili, ne tuffò la punta nella benzina e, con infinita precauzione, liberò le microscopiche narici della tartaruga, che dimostrò la sua soddisfazione con un poderoso starnuto.

— Bene. Siamo a posto. Adesso un bel bagno e poi i massaggi con l'olio — disse Ines soddisfatta.

Ma a Prisca era venuta in mente un'altra cosa: — Se quel maledetto catrame le è entrato dappertutto, le avrà otturato anche il buco sotto la coda. Oh, povera Dinosaura! Cinque giorni senza fare i suoi bisogni. Che tortura!

Se la mise in grembo rovesciata, le prese la coda per l'estremità a unghia e la tirò fuori dal guscio. I suoi sospetti erano fondati. Anche lí era tutto un grumo di catrame.

— Stuzzicadenti! — ordinò, col tono del chirurgo che chiede: «Forbici! Bisturi!»

— Che schifo! Ma guarda dove vai a mettere le mani! — esclamò Ines.

— Vorrei vedere te, con un tappo di catrame in quel posto per cinque giorni!

Una volta "stappata" Dinosaura emise un lungo sospiro di sollievo e scaricò sul pavimento del terrazzo una enorme quantità di feci verdastre.

— Che schifo! — ripeté Ines.

Era buffo che fosse cosí schizzinosa, proprio lei che da quando era nato Filippo non faceva altro che cambiargli i panni e lavargli il sedere. Almeno, gli escrementi di Dinosaura, che era vegetariana e aveva un sistema digestivo molto semplice, non avevano odore, o al massimo puzzavano un po' d'erba come quelli dei cavalli.

Ma fu proprio quell'esclamazione di schifo a suggerire a Prisca un modo raffinatissimo e insospettabile di colpire la signora Sforza.


## Capitolo quinto
*Dove si preannuncia la visita dell'Ispettore.*

Con grande meraviglia e disappunto di tutta la famiglia, l'umore dello zio Casimiro andava peggiorando ogni giorno di piú.

— È sempre piú cupo, nervoso, irascibile — riferiva Elisa alle amiche.

Lui, che era il piú chiacchierone dei tre, che voleva essere sempre informato di tutto, e su tutto esprimeva polemico la sua opinione, adesso, dopo mangiato, invece di restare una mezz'ora in salotto a fumare e a conversare con i fratelli, andava subito a chiudersi in camera e ci restava fino al momento di uscire.

— E poi si è messo a mangiare caramelle — raccontava Elisa. — Ci pensate, un uomo della sua età! Non le succhia, le mastica, le rompe con i denti. Dovreste sentire che rumore! La tata lo ha sgridato come fa con me, gli ha detto che ogni caramella era un giro di trapano del dentista, e lui l'ha mandata al diavolo. Allora la tata si è messa a piangere, e lo zio Leopoldo ha chiesto: «C'era bisogno di essere cosí sgarbato?» e sapete cosa gli ha risposto lo zio Casimiro? Gli ha detto: «Smettila di rompermi le scatole. Lo sai bene che è per colpa tua che mi sono ridotto cosí» e lo zio Leopoldo è diventato rosso e non ha piú detto niente.

Questo era molto strano, perché lo zio Leopoldo era sempre stato gentilissimo con lui, anzi, negli ultimi tempi era ancora piú gentile del solito.

— Poverino! Quando uno soffre per un amore non ricambiato, ogni cosa gli dà fastidio... — commentava Prisca, che di amori se ne intendeva. C'era un ufficialetto brasiliano, in un fotoromanzo di Ines, che per sfogare il suo malumore, sparava a tutti i conigli selvatici della pampa, che non gli avevano fatto niente.

Elisa non sapeva cosa pensare di questa improvvisa metamorfosi dello zio Casimiro. Da un lato quel suo umore rabbioso era la disposizione d'animo ideale per reagire a un'offesa con una bella carneficina. Dall'altro aveva paura che lo zio finisse per lasciarsi assorbire completamente dal suo problema personale e dimenticasse il dovere di proteggere e vendicare la nipotina maltrattata.

Bisognava sbrigarsi. Altrimenti c'era il pericolo di scatenare la furia della maestra e di farsi picchiare per nulla. E non c'è niente di piú stupidamente inutile di un inutile sacrificio, come diceva sempre lo zio Leopoldo.

Per fortuna il 15 di maggio la signora Sforza, tutta emozionata, informò le alunne che il giovedí successivo avrebbero ricevuto la visita dell'Ispettore Scolastico.

— Mi raccomando. So che avete studiato. Siate calme e disinvolte. Non fatemi fare una brutta figura.

Ma non era tanto preoccupata per loro, quanto per il suo registro e per il fascicolo col programma che l'Ispettore doveva esaminare e giudicare.

Per non sporcarli si era portata da casa un paio di guanti di filo bianco, di quelli che si mettono le cameriere per servire a tavola. Verso le dieci del mattino li tirava entrambi fuori dal cassetto della cattedra e li maneggiava con enorme precauzione, sfogliandone le pagine con la punta delle dita, come se fossero ali di farfalla.

Guardava e sorrideva, compiaciuta di se stessa. Era proprio un bel lavoro, sostanzioso per quanto riguardava il contenuto, e presentato in modo impeccabile. L'Ispettore avrebbe capito subito che la maestra Sforza aveva inculcato nelle bambine non solo tutta la scienza necessaria, ma anche l'abitudine al decoro, l'amore per l'ordine e la precisione.

Poi apriva una pagina a caso e faceva girare lo sguardo sulla classe. — Qui c'è scritto «Storia: Enrico Toti.» Vediamo chi mi sa recitare alla perfezione la vita di Enrico Toti. — Prisca di lui ricordava solo che aveva la strana abitudine di scagliare stampelle, invece che frecce o schioppettate, contro gli Austriaci, perciò non si azzardava a offrirsi per rispondere. Le piaceva molto di piú la storia di Silvio Pellico, quando era stato tanto tempo chiuso in prigione e aveva imparato ad addomesticare i ragni e a tagliare una gamba agli amici senza anestesia.

Dopo aver interrogato a quel modo tre o quattro bambine, la maestra chiudeva con precauzione registro e fascicolo, li avvolgeva nella carta velina e li riponeva nel cassetto, che chiudeva a chiave guardandosi in giro con aria sospettosa.

Era diventata un'ossessione, e come tutte le ossessioni osservava un rituale molto preciso. Ogni gesto veniva eseguito sempre allo stesso modo e nello stesso ordine, e sempre alla stessa ora.

Dopo qualche giorno Prisca avrebbe potuto sedersi bendata in un'aula all'altra estremità della scuola e avrebbe potuto dire con la certezza di non sbagliare: «Ecco, adesso prende la chiave dalla borsetta... Apre il cassetto. Adesso si mette i guanti. Tira fuori il registro e lo poggia sulla cattedra. Lo svolge dalla carta velina. Adesso prende il fascicolo del programma e lo poggia sopra il registro.»

Questa regolarità di comportamento si prestava in modo ideale al suo nuovo piano.

### Capitolo sesto
*Dove Elisa e Rosalba fanno una scoperta.*

Quella domenica Rosalba andò come al solito a trovare il signor Piras nella sua casetta di campagna, tra i filari di ceci, fave e piselli, e chiese a Elisa se voleva accompagnarla.

Si divertirono un mondo, aiutando l'anziano magazziniere a zappare e a strappare le erbacce, a innaffiare, a raccogliere le lumache. Il signor Piras era un grande mangiatore di lumache e aveva contagiato la sua passione a Rosalba, che era anche capace di farle purgare con la crusca e di cucinarle.

— Che schifo! — diceva invece Elisa.

Schifo e pena, per quelle povere bestiole che se ne andavano in giro senza sospetto sui rami e sulle foglie, e che nonostante avessero ben quattro occhi (due nella testa e due in cima alle corna) per accorgersi del pericolo, non erano in grado di scappare.

E se anche si ritiravano tutte dentro al guscio, era una difesa ridicola, perché cosa c'è di piú fragile di un guscio di lumaca? Non regge certo il confronto con quello robusto di una tartaruga!

— Altro che schifo! I francesi preferiscono le lumache alle

ostriche e al caviale! — diceva il signor Piras, tutto fiero di essere anche lui cosí raffinato.

Ma a Elisa facevano schifo anche le ostriche e il caviale, e cosí aveva deciso che non sarebbe mai andata in Francia.

Tornarono in città dopo il tramonto, e il signor Piras le volle accompagnare a tutti i costi fino a casa: — Perché con i tempi che corrono, due bambine sole, non si sa mai...

Per andare verso il centro dovevano passare sotto la casa della maestra Sforza, che abitava in un viale di periferia, al piano rialzato di una villetta con diversi appartamenti.

Faceva caldo. Grandi alberi di acacia pieni di fiori bianchi profumavano l'aria. Le finestre erano tutte aperte, ma una soltanto, quella sopra la panchina, era illuminata. La tentazione fu improvvisa e irresistibile.

— Se ci arrampichiamo, riusciamo a guardare dentro — propose Rosalba.

Elisa si dichiarò d'accordo.

— Signor Piras, lei controlli che nella strada non passi nessuno! — ordinò Rosalba, consegnando al vecchio il cestino di lumache che portava per il manico.

— Ma Rosalba! Non si fa! Non è buona educazione — disse il signor Piras poco convinto, perché quella indemoniata d'una ragazzina non gli obbediva mai. — Sta' attenta almeno a non cadere! Non fatevi male!

Rosalba in due salti era passata dalla panchina al cornicione, e adesso stava lí, nell'ombra appesa al davanzale, guardando di sghembo dentro alla stanza per non farsi scoprire. Elisa, aggrappata alla persiana, spiava dall'altro lato.

Si aspettavano di vedere la signora Sforza seduta in poltrona a contemplare il suo prezioso registro, oppure a cena col marito. Ma non erano preparate allo spettacolo che si presentò ai loro occhi.

Al centro della stanza c'era un grande tavolo da pranzo. E attorno al tavolo stavano sedute otto ragazzine, ciascuna con libri e quaderni davanti a sé. Elisa riconobbe Ester Panaro, Renata Golinelli e Camilla Ranidda. Quelle di schiena sembravano Ursula Usini, Alessandra Mandas, Flavia Landi,

Emilia Damiani. E a capotavola sedeva, con aria imbronciata, Sveva Lopez del Rio. La bancata delle Leccapiedi al gran completo!

La signora Sforza stava all'altra estremità del tavolo, anche lei con un quaderno in mano, e, nonostante l'ora tarda, faceva lezione. Spiegava, interrogava, correggeva i compiti sui quaderni... Non aveva alcuna bacchetta e il suo modo di parlare era severo ma affettuoso.

Elisa e Rosalba potevano cogliere brandelli di frase come: — Bambina mia, che pasticcio hai combinato? Guarda, qui dovevi fare una divisione, non una moltiplicazione... Riprovaci... — oppure — Flavia, la memoria ti fa cilecca poverina, quel brano è molto difficile. C'è un'unica cosa da fare. Lo so che è noiosa, ma ti assicuro che funziona. Vattene di là col tuo quaderno e ricopialo per altre due volte. Vedrai che ti resterà impresso nella mente e che non lo dimenticherai piú.

Rosalba era allibita. Ecco perché le Leccapiedi, che con la signorina Sole, e anche all'inizio di quest'anno, arrivavano a malapena alla sufficienza, nell'ultimo trimestre avevano preso tutte dei bellissimi voti e si presentavano all'esame con una media dignitosa. La maestra, di nascosto dal resto della classe, dava loro ripetizioni private!

Chissà se lo faceva gratis, da quella gran leccapiedi che era anche lei, o se si faceva pagare?

E che false, che gattemorte Ester, Renata e le loro degne compagne. Erano sempre pronte a fare la spia, a raccontare in giro ogni cosa sgradevole che venissero a sapere sui Maschiacci e sui Conigli, a spifferare ogni segreto. Ma su queste lezioni serali clandestine avevano saputo tenere la bocca chiusa. Neppure una di loro si era tradita. Neppure quell'anima candida di Emilia Damiani.

Rosalba era indignata. Avrebbe voluto avere una liana per lanciarsi dentro alla stanza come Tarzan. E atterrare con i piedi sul tavolo battendosi i pugni sul petto e urlando: «Ooooooo!» e sparpagliare a calci libri e quaderni e...

— Psss! Scendete, presto! Sta arrivando qualcuno! — sussurrò dal basso il signor Piras.

Elisa saltò giú per prima, leggera leggera sulle scarpette da tennis, senza fare rumore. Rosalba invece per lo slancio cadde addosso al signor Piras.

— Sta' attenta, ché schiacci le lumache.

— Che bugiarda! — commentò Elisa quando furono abbastanza lontane da non farsi sentire. — Sai cos'ha detto alla madre di Prisca, quando le ha consigliato di mandarla a ripetizione di matematica? «Io per principio non dò lezioni private.» Per principio! Dovrebbe vergognarsi.

— Be', meno male! Almeno cosí abbiamo conosciuto la signorina Múndula — disse Rosalba. Poi si fermò di colpo, colta da una ispirazione improvvisa. — Aspettate un attimo.

Si frugò in tasca e tirò fuori un foglio bianco tutto spiegazzato. Se ne portava sempre dietro qualcuno, nel caso le venisse una voglia irrefrenabile di disegnare. Poiché aveva rotto la punta della sua, si fece dare dal signor Piras un mozzicone di matita che il vecchio teneva sempre nel taschino, e scrisse bello in grande sulla carta:

BUGIARDA!

Poi raccolse da terra un sasso e lo avvolse ben stretto nel biglietto.

— Andate avanti, voi due! Girate l'angolo. Io torno subito.

— Ma cosa fai? Sta' buona! — protestava il signor Piras. — Vieni qui! C'è buio...

— Farà in un attimo — lo rassicurò Elisa che aveva capito le intenzioni dell'amica, e lo trascinò avanti, in una zona di ombra cosí fitta che nessuno dalla casa avrebbe potuto vederli. Non aveva nessuna intenzione di girare l'angolo. Voleva assistere alla prodezza di Rosalba.

La quale tornò di corsa sotto la finestra illuminata, prese bene la mira e scagliò il sasso dentro alla stanza. Sentí il rumore di un oggetto di vetro che si rompeva, e nello stesso istante mancò la luce.

Aveva preso la lampadina! Nel buio si alzarono strilli, tonfi di sedie rovesciate, frasi che si accavallavano...

— Cosa è stato?

— Ho sentito uno scoppio...

Poi un'ombra si profilò contro il riquadro della finestra. Ma Rosalba era già lontana, nel buio protettore, a fianco di Elisa e del signor Piras.

Li trascinò dietro l'angolo, afferrò entrambe le mani dell'amica e, ridendo come una matta, cominciò a saltare in un vorticoso girotondo.

*Bugiarda e Leccapiedi!*
*Bugiarda e Leccapiedi!*

cantavano seguendo il ritmo.

*Bugiarda e Leccapiedi*
*Tu ancora non ci credi,*
*Ma aspetta, ma aspetta,*
*Bugiarda maledetta!*
*Tu ancora non lo sai*
*Che presto saran guai!*
*Già l'ora si avvicina*
*Della Carneficina!*

Neppure Prisca sarebbe stata capace di inventare, cosí sul momento, una canzone altrettanto bella.

— Le lumache! Fate attenzione alle lumache! — strillava allarmato il signor Piras, cercando di riparare dagli urti il prezioso cestino.

Durante il resto della strada, fino al portone di casa Cardano (lo zio Leopoldo sarebbe passato dopo cena a riprendersi Elisa) le due amiche continuarono a cantare sottovoce:

*Vendetta! Vendetta!*
*Bugiarda maledetta!*
*Già l'ora si avvicina*
*Della Carneficina.*

# Capitolo settimo
*Dove si parla della caccia alle tartarughe*
*e si cantano le lodi di Dinosaura.*

L'indomani in classe la signora Sforza non fece alcun cenno a quanto era accaduto la sera prima. E neppure le Leccapiedi parlarono della sassata misteriosa.

— Per forza! — disse Rosalba. — Altrimenti dovrebbero tradirsi e rivelare a tutta la classe che vanno a lezione privata dalla maestra.

I giorni passavano. Lunedí, martedí, mercoledí... L'Ispettore doveva venire giovedí verso le undici e mezzo.

E mentre la maestra continuava a lustrare e a rendere sempre piú perfetti i suoi incartamenti, Prisca, Elisa e Rosalba passavano ogni minuto libero a perfezionare il loro piano.

Era un piano che sarebbe potuto venire in mente solo a una perfetta conoscitrice della natura e del comportamento delle tartarughe. E chi, meglio di Prisca, poteva vantare una simile competenza?

Fin da quando era molto piccola e suo cugino Alfonso, al mare, la portava con sé a caccia di tartarughe, Prisca aveva capito che, dopo il cuore, il secondo punto debole di quegli animali era l'intestino.

La caccia ovviamente non consisteva nell'inseguire le tartarughe per i campi cercando di acchiapparle. Una tartaruga avvistata, in genere può considerarsi già bella e presa. Ma non è facile riconoscere un guscio che con i suoi colori spenti si mimetizza perfettamente col terreno, con i sassi, con i cespugli della macchia mediterranea. Bisogna avere la fortuna di sorprendere la bestia mentre sta camminando, magari mentre attraversa la strada e si distingue nettamente sul bianco della polvere o sul grigio dell'asfalto.

Prisca aveva anche imparato a riconoscere, fra tutti gli altri rumori della campagna, quello prodotto da una tartaruga che cammina fra l'erba secca credendosi, poveretta, ben nascosta agli occhi di eventuali cacciatori. Le altre bambine temevano che si trattasse di una biscia e si allontanavano strillando (e agli strilli il rumore cessava, perché la tartaruga, spaventata, si era fermata e si era ritirata dentro il guscio). Ma lei sapeva che quel ritmo lento e cadenzato, cosí diverso dal rapido fruscio saettante delle bisce, denunciava quattro zampe impegnate a farsi strada in mezzo alle stoppie e agli sterpi secchi, trascinando un guscio pesante e ingombrante.

Il metodo piú sicuro per fare buona caccia però era quello di uscire dal paese e di raggiungere la zona degli orti, in aperta campagna, fra le due e le tre del pomeriggio, quando il sole picchiava piú forte.

— Ti verrà un'insolazione! — pronosticava Antonia in tono drammatico, e Ines la inseguiva per cacciarle in testa il cappellino di tela bianca bagnato nell'acqua fredda e poi strizzato.

Gli orti erano recintati da bassi muretti a secco, non contro i ladri, che potevano scavalcarli in un solo balzo, ma contro gli asini o le capre vagabonde, ghiottissime di melanzane e di pomodori.

Tra una pietra e l'altra di questi muretti restavano degli interstizi di varie dimensioni, all'interno dei quali, nelle ore piú calde delle giornate estive, le tartarughe dei dintorni cercavano riparo da quel sole che altrimenti, come abbiamo già visto, le avrebbe uccise.

Quindi bastava che i cacciatori esaminassero con cura un muretto dopo l'altro, cacciando la mano nei pertugi piú profondi. Naturalmente bisognava non aver paura dei ragni, delle bisce, delle lucertole... In meno di un'ora poteva capitare di snidare anche otto o nove tartarughe di tutte le dimensioni, che spaventate e intimidite si ritiravano completamente dentro al guscio come a dire: "Ripassate domani. Oggi in casa non c'è nessuno."

Però, a meno che non ci si fosse portati dietro uno scatolone o un grande cestino – cosa che non veniva considerata né sportiva né leale – la maggior parte delle prede, dopo essere state esaminate e picchiettate amorevolmente sul guscio, dopo aver ricevuto una quantità di moine, vezzeggiamenti e raccomandazioni di non essere cosí sceme e di non tornare a nascondersi in un posto cosí facile da trovare, venivano rimesse in libertà.

Infatti ogni cacciatore non poteva portarsi a casa piú di due tartarughe per battuta di caccia. E questo non per una regola stabilita dall'esterno, ma per una semplice precauzione igienica. La tartarughe, dopo il primo momento di terrore paralizzante che le faceva ritirare completamente dentro il guscio, si rilassavano un poco, ma venivano colte da una fortissima emozione che si manifestava con torrenziali scariche di diarrea.

I cacciatori inesperti ne venivano inondati e spesso, con un urlo di schifo, si liberavano dalla preda gettandola con malgarbo ai bordi della strada. E c'era da augurarsi che le disgraziate bestiole non cadessero sul dorso, ma sulla pancia, in modo da poter riguadagnare al piú presto la macchia e la libertà.

I cacciatori esperti come Alfonso e Prisca invece, sapevano che al ritorno dalla caccia bisognava camminare tenendo una tartaruga in ciascuna mano, le braccia allargate e le mani il piú possibile lontane dal corpo. Anche cosí c'era il rischio di prendersi qualche schizzo sugli stinchi e sui piedi. Per fortuna l'emozione delle tartarughe di solito si manifestava a metà strada, prima della fontanella che segnava l'inizio del paese, dove ci si poteva fermare a ripulirsi e anche a fare un bel bagno alle poverine, carezzandole e rassicurandole sulla sorte che le aspettava.

Con molte cure e discorsi mielati e offerte di frutta era possibile convincerle fin dal primo giorno dopo la cattura a tirar fuori la testa per lasciarsela carezzare, a mangiare dalle mani del padrone, pur se ancora sospettose e pronte a ritirarsi al primo cenno un po' brusco.

Perché accorressero quando venivano chiamate ci voleva un addestramento piú lungo, tanto piú che non era cosí semplice fargli imparare il nuovo nome (quello vecchio restava sempre sconosciuto e misterioso, ma Prisca era convinta che anche nella precedente vita selvatica ne avessero uno). A quel punto ogni tartaruga aveva manifestato il proprio carattere, la propria personalità, i gusti alimentari, le simpatie o antipatie per i membri della famiglia. Sarebbe un folle chi osasse sostenere che le tartarughe sono tutte uguali!

Dinosaura, per esempio, non amava essere accarezzata sulla testa, ma preferiva essere grattata dolcemente sotto la gola morbida e palpitante. Quando Prisca le parlava, chinava la testa di lato per ascoltarla meglio. Sapeva anche scendere le scale. Aveva elaborato una tecnica personale: si portava sul bordo di un gradino e si sporgeva a guardare di sotto per valutarne l'altezza; poi si sistemava col corpo esattamente a metà sul gradino e sul vuoto e cominciava a dondolarsi spingendosi impercettibilmente in avanti e calcolando la spinta finale in modo da cadere sul gradino sottostante nella posizione giusta, cioè sulla pancia. Un po' intontita dal colpo, si riposava un attimo e riprendeva la discesa.

Naturalmente non era in grado di risalire. Allora, quando voleva tornare di sopra, si metteva ai piedi della scala con la testa tesa verso l'alto e aspettava pazientemente che passasse qualcuno e la portasse su.

Aveva poi un'abilità preziosa per una bestia della sua specie: se cadeva sul dorso, a meno che non si trovasse su un pavimento lucidato a piombo e spazzato alla perfezione, era in grado di rimettersi da sola sulle quattro zampe. Cominciava a dondolare lateralmente, prima piano piano, poi con ritmo sempre piú veloce, fino a quando arrivava a sfiorare il suolo con le zampe. A quel punto bastava un minimo appiglio, un sassolino, una irregolarità del terreno, la fessura tra due mattonelle. Dinosaura ci infilava sotto un'unghia per fare presa, raccoglieva tutte le sue forze e, usando la zampa come una leva, si dava una spinta per ribaltarsi.

Se non ci riusciva la prima volta, continuava senza stancarsi per due, tre, quattro, cinque volte ancora, fino a che otteneva il risultato che cercava. Prisca era piena di ammirazione per tanta pazienza e per tanta infaticabile tenacia. Le sarebbe piaciuto essere come Dinosaura, lei che invece era cosí impaziente e si stufava subito.

Dinosaura era anche una creatura tollerante e magnanima. Qualche volta Prisca, colta dal demone maligno che spinge a tormentare i piú deboli, si strappava un capello e glielo infilava in una narice per farla starnutire. Dinosaura ritirava la testa nel guscio e per un po' faceva l'offesa. Ma bastava una carezza, o l'offerta di una fragola per farle dimenticare completamente il dispetto della padroncina.

Dinosaura andava matta per le fragole. Al solo sentirne l'odore veniva colta da una frenesia che la spingeva a correre verso il bel frutto rosso con un'incredibile velocità.

Lo zio Casimiro aveva raccontato a Elisa la storia del velocissimo Achille che, in una gara di corsa, non era riuscito a raggiungere e superare una tartaruga.

— Certamente vicino al traguardo cresceva una pianta di fragole! — aveva commentato Prisca.

Dinosaura andava matta anche per il gelato di fragole. Ma Prisca aveva scoperto che era piú prudente non soddisfare questa golosità, perché il gelato (qualsiasi tipo di gelato, anche quello di crema) produceva sulla tartaruga lo stesso effetto di una fortissima emozione. Pochissimo tempo dopo averne tranguggiato voracemente una quantità anche minima, un quarto di cucchiaino offertole da Prisca sulla punta del dito, ecco che Dinosaura cacciava fuori la coda, e giú le cascate del Niagara!

Non che poi si sentisse male o che ne riportasse qualche sgradevole conseguenza. Era Prisca che si ritrovava con i quaderni sporchi, se il fattaccio avveniva sulla scrivania; i vestiti inzuppati o il pavimento in condizioni tali da dover chiamare Ines in aiuto con lo straccio (perché Antonia, cui in realtà toccavano le pulizie, se la sarebbe presa con Dinosaura e le avrebbe fatto qualche dispetto per rappresaglia).

## Capitolo ottavo
*Dove Dinosaura, caricata a orologeria,*
*diventa strumento di vendetta.*

In quei primi giorni della settimana, lunedí, martedí e mercoledí, in attesa della visita dell'Ispettore, Dinosaura dovette pensare che la sua padroncina fosse completamente impazzita. Le veniva concesso infatti di mangiare tutto, ma proprio tutto il gelato alla fragola che desiderava, e inoltre non veniva rimproverata quando sporcava, anzi riceveva delle lodi e delle parole di incoraggiamento.

Il gelato lo procurava Rosalba, di quello buonissimo della pasticceria Manna. Come al solito non lo pagava, ma lo faceva segnare sul conto. Il compito di Prisca era di farlo mangiare alla tartaruga e di trattenere Dinosaura su uno strato di vecchi giornali fino a che la digestione non avesse compiuto interamente (e piuttosto rapidamente) il suo corso.

Elisa, munita di cronometro (aveva preso in prestito di nascosto quello dello zio Leopoldo) era incaricata dei calcoli. Doveva segnare su un foglio: A, la quantità di gelato ingerita dalla tartaruga; B, il tempo che passava tra l'ingestione del gelato e la sua espulsione; C, la quantità e la consistenza delle feci che uscivano dall'altra estremità del guscio.

Fecero diversi esperimenti e constatarono che le funzioni digestive di Dinosaura erano estremamente regolari. I rapporti fra i punti A, B e C si potevano controllare al millesimo di secondo e di milligrammo. E, naturalmente, variando la quantità dell'elemento A, si poteva variare a piacimento anche l'elemento C. Il punto B rimaneva sempre lo stesso, anzi, aumentando la quantità di gelato, il tempo tendeva ad accorciarsi, ma in misura quasi inavvertibile.

— Bene! — esclamò Prisca quando fu sicura del fatto suo. — E a questo punto, se non scoppia una bella carneficina, mi faccio iscrivere alla Scuola Media dell'Ascensione!

La mattina del giovedí la maestra arrivò in classe con un vestito nuovo. Era la prima volta che le bambine non la vedevano vestita di grigio. Si era messa un abito di seta verde a disegnini rossi e blu, era andata dal parrucchiere e il rossetto color ciclamino era piú lucido che mai.

Anche le bambine avevano i grembiuli lavati e stirati, i colletti candidi e il nastro rosa a pallini celesti annodato alla perfezione, un po' gonfio, con le cocche tagliate a coda di rondine che scendevano sul petto a ingentilire il nero del grembiule.

Poiché l'Ispettore sarebbe arrivato solo dopo la ricreazione, nelle prime ore la maestra Sforza cercò di tenere a freno la propria ansia e quella delle bambine facendo le cose di sempre. L'appello, la preghiera, l'ispezione corporale, qualche esortazione a non lasciarsi intimidire, ma a rispondere educate e disinvolte... Poi tirò fuori il registro e il fascicolo col programma e controllò per l'ultima volta che fossero in condizioni perfette. Poiché lo erano, soddisfatta, cominciò a interrogare, spostando le bambine dai loro banchi e facendo andare a sedere in fondo quelle che le sembravano meno sicure.

Fra una cosa e l'altra arrivarono le undici meno un quarto. La campana della ricreazione sarebbe suonata alle undici e mezzo.

La signora Sforza aveva già avvertito che per quel giorno non si sarebbe allontanata dalla classe, casomai l'Ispettore dovesse arrivare in anticipo, e che le bambine non dovevano muoversi dai loro banchi. In fondo si trattava solo di dieci minuti. Se qualcuna aveva un bisogno impellente che uscisse adesso, perché fino all'una non se ne sarebbe piú parlato.

Mentre la maestra faceva ripetere pazientemente a Sveva Lopez "La cavallina storna" di Giovanni Pascoli, Elisa tirò fuori dalla cartella il cronometro dello zio Leopoldo, il foglio con le tabelle degli A, dei B e dei C, e disse sottovoce: — Ci siamo. Ora o mai piú.

Rosalba tirò fuori il bicchierino di carta impermeabile pieno di gelato alla fragola, che nonostante il ghiaccio secco messogli attorno dal cameriere, si era un po' sciolto.

Prisca sollevò di pochi centimetri la ribalta del banco e accarezzò Dinosaura, che aveva tenuta fino ad allora avvolta in un fazzoletto e poggiata su un pezzo di tela cerata di Filippo perché non facesse danni. L'aveva lasciata digiuna per ventiquattr'ore, consolandola con parole affettuose e promettendole una bella scorpacciata di gelato alla fragola.

Il pacchettino della pasticceria Manna passò dalle mani di

Rosalba a quelle di Angela Cocco. Angela controllò che la maestra stesse guardando da un'altra parte e gli fece varcare il corridoio fra le due bancate, deponendolo rapidamente fra le mani di Elisa. Dinosaura, sotto la ribalta del banco, si vide mettere davanti quella montagna di delizie quasi più grande di lei.

— Su, bella — la incitò Prisca in un sussurro. — Mangiane quanto più puoi!

Era evidente che aumentando la quantità del fattore A, quella del fattore C sarebbe cresciuta in proporzione. Il lungo digiuno aveva prodotto l'appetito desiderato. In un batter d'occhio Dinosaura trangugiò l'intero contenuto del bicchierino.

— Dodici minuti — disse Elisa consultando la tabella e azzerò il cronometro passandolo a Prisca, che cominciò il conto alla rovescia.

Al "meno sei" Elisa prese la tartaruga e alzò una mano: — Signora, posso venire alla cattedra a mostrarle una cosa?

— Vieni pure! — disse la signora Sforza, che non desiderava altro che un pretesto qualsiasi per ingannare il nervosismo di quegli ultimi minuti.

Elisa si avvicinò e poggiò Dinosaura sul bordo della cattedra. — Mi scusi — disse — non ho ancora capito se la mia tartaruga appartiene alla classe dei rettili o a quella degli anfibi.

Non era la prima volta che una scolara portava in aula una bestiola domestica o selvatica per mostrarla alle compagne e alla maestra, che anzi incoraggiava queste iniziative e ne approfittava per fare una lezioncina di zoologia dal vivo. Non aveva battuto ciglio neppure quella volta che Marcella Osio aveva portato un pipistrello appena nato.

Però era la prima volta che la bestiola veniva lasciata passeggiare sulla cattedra nei pressi del registro e del fascicolo col programma. Ma la maestra era così agitata e nervosa che non si rese conto del pericolo.

— Che bella tartaruga! — disse, pensando che era un'ottima occasione per mostrare all'Ispettore quanto erano all'avanguardia le sue lezioni di scienze. — Se guardi nel tuo sussidiario, Maffei, vedrai che la tartatuga, o testuggine, è classificata tra i rettili.

( — Meno tre — contò Prisca.)

— E poi — aggiunse Elisa — non riesco a capire quanti anni ha. Mi hanno detto che devo contare i quadretti... Ma, anche quelli del bordo?

E fingendo di indicare i quadretti di cui parlava, sollevò appena Dinosaura e la depose sopra il registro, proprio al centro.

— Toglila di lí — disse la maestra. Non aveva ancora alcun sospetto, ma le dava fastidio vedere una bestiola, sia pure pulitissima (Prisca l'aveva lavata e poi lucidata fregando il guscio con due gocce d'olio d'oliva e un panno di lana) a contatto col suo prezioso registro.

— Mi scusi — disse Elisa, e riprese in mano la tartaruga, tenendola sempre sollevata sulla cattedra.

(— Meno uno — disse Prisca sottovoce.)

— Mi hanno detto che una tartaruga cosí può vivere anche trecento anni, è vero? — proseguí Elisa. — In questo caso avrà trecento quadretti?

— Meno zero — disse Prisca, e tossí. Era il segnale convenuto. Elisa poggiò Dinosaura sul fascicolo del programma.

— Ma insomma, Maffei! Toglila di lí! — ripeté la maestra infastidita. — Quante volte te lo devo ripetere?

Ma Elisa invece di obbedire si era messa le mani in tasca e stava a guardare la tartaruga, sapendo che la maestra ne aveva un po' schifo e che prima di toccarla avrebbe esitato un pochino.

"Su, dài, bella! Forza che ci siamo!" disse Prisca, ma solo mentalmente, perché la colpa doveva risultare interamente di Elisa, se no, addio carneficina!

E, come se le leggesse nel pensiero, Dinosaura tirò fuori la coda e dalla coda sgorgò un enorme lago di feci semiliquide che inzupparono il fascicolo del programma e andarono a finire anche su una buona metà del registro.

La maestra gridò come se l'avessero pugnalata: — Maffei! Guarda cos'hai combinato!

Era sconvolta. L'Ispettore sarebbe arrivato tra meno di venti minuti. Non c'era il tempo di procurarsi un nuovo registro e un nuovo fascicolo e di riscriverci sopra tutto. E non c'era neppure tempo per tentare di ripulire per bene quelli che la tartaruga aveva sporcato.

— Riprenditi quella bestiaccia! — urlò con la voce strozzata. La sua faccia aveva preso un bel colore rosso vivo, cosí vivo che quasi il rossetto color ciclamino non si notava piú.

Elisa prese Dinosaura, la pulí alla bell'e meglio col fazzoletto e se la mise in tasca. Poi contemplò il fascicolo e il registro e disse tranquilla: — Davvero un bel guaio!

Le compagne la guardavano pallide d'angoscia. Non capivano perché se ne stesse lí, vicina a quella furia in cui si stava trasformando di secondo in secondo la maestra. Perché non cercava di mettersi in salvo rifugiandosi nel banco? Tra poco sarebbe suonata la campana della ricreazione. Marcella Osio avrebbe aperto la porta sul corridoio e magari, col rischio di essere vista, la maestra avrebbe cercato di controllarsi.

Ma Elisa se ne stava lí, a contemplare il disastro con aria cosí soddisfatta che un sospetto attraversò la mente della maestra: — Lo hai fatto apposta!

— Sí — rispose Elisa senza altri commenti.

SLAM!

Il ceffone le arrivò sulla guancia sinistra con la rapidità di un fulmine e la fece barcollare. Non immaginava che le avrebbe fatto cosí male alla parte carnosa della guancia, che le avrebbe bruciato l'orecchio e glielo avrebbe fatto rintronare dentro la testa. Le si riempirono gli occhi di lacrime. Immagini diverse le si affollarono veloci nella mente, e tra queste Adelaide che si riparava la testa con le braccia alzate. Cos'è un solo schiaffo, per quanto doloroso, di fronte a una bella bastonata? Forse non è neppure sufficiente a scatenare una carneficina. Bisognava insistere.

— E sono stata io a lanciare il sasso dentro alla sua finestra — aggiunse provocatoria sporgendo il mento con un gesto insolente.

La maestra saltò giú dalla cattedra, la afferrò per il colletto (sgualcendole il bel nastro rosa a pallini celesti) e cominciò a pestarla, in preda a un vero e proprio attacco isterico.

CIAFF! CIAFF! facevano le sue mani bianche e molli. Un rumore di straccio bagnato, che però faceva maledettamente male. Elisa aveva la testa rintronata, le orecchie in fiamme, ma la sua preoccupazione era quella che, per gli strattoni che riceveva, Dinosaura non le cadesse per terra facendosi male e magari rompendosi il guscio, e cosí invece di ripararsi il viso, teneva le due mani serrate sulla tasca.

Rosalba, con gli occhi pieni di lacrime, si teneva stretta al bordo del banco: "Basta! Basta per carità! Non ci resisto!" pensava. Ma Prisca non aveva perduto la calma e annotava su un foglio il numero degli schiaffi e degli strattoni, perché lo zio Casimiro e la famiglia Maffei fossero esattamente informati di ciò che Elisa aveva dovuto subire.

In quella si sentí bussare alla porta. Anzi, Elisa con le sue orecchie rintronate e la maestra resa sorda dall'ira non sentirono. Ma Rosalba si precipitò ad aprire

— Cosa succede qua dentro? — tuonò la voce del Direttore, che era venuto ad accompagnare l'Ispettore arrivato leggermente in anticipo.

### Capitolo nono
*Dove la maestra ha una crisi di nervi.*

Nell'aula calò un grande silenzio.

Elisa fu tolta dalle mani della signora Sforza e, poiché perdeva sangue dal naso, fu spedita in infermeria a farsi medicare.

— Chi l'accompagna? — chiese il Direttore

— Io! — scattò Marcella Osio.

— Io! — scattò contemporaneamente Prisca. — Sono io la sua amica del cuore!

— Basta una — disse il Direttore, e fece cenno a Marcella.

Cosí Prisca, sebbene provasse un po' di rimorso per non essere al fianco di Elisa in quei frangenti dolorosi (ma ormai il peggio era passato), poté restare in classe a godersi il seguito del dramma.

La signora Sforza si era lasciata docilmente togliere Elisa dalle mani, ma non aveva ancora detto una sola parola. Era in uno stato pietoso, con l'abito in disordine, sporco qua e là di sangue e, a voler dire tutta la verità, anche di moccio, schizzati dal naso della sua vittima. I capelli arruffati, i lineamenti del viso stravolti, sudava e tremava in tutto il corpo senza riuscire a smettere. Le bambine non l'avevano mai vista in quello stato, neppure quando Iolanda le aveva sputato addosso l'acqua insaponata. Quella di allora, adesso se ne rendevano conto, era una rabbia a freddo, volontaria, intenzionale. La maestra, in definitiva, lo faceva apposta.

Questa volta invece aveva veramente perduto il controllo, e la furia l'aveva trascinata dove non avrebbe voluto andare, e ancora la vergogna e la paura delle conseguenze la dominavano senza che riuscisse a controllarle. Era strano e penoso vedere un adulto ridotto in questo stato.

Rosalba pensava che come vendetta fosse piú che sufficiente.

Prisca invece non era soddisfatta e pregustava l'intervento dello zio Casimiro.

Il Direttore porse la sedia alla maestra, che vi si afflosciò come un pupazzo di segatura. Poi ordinò a Rosalba di andare a prendere un bicchier d'acqua. Le bambine stavano zitte, ancora turbate da quello che avevano visto. Mai avrebbero creduto che una bambina come loro, una di buona famiglia, potesse essere picchiata e malmenata in quel modo selvaggio.

Anche l'Ispettore stava zitto e si guardava attorno con occhi severi.

— Allora, si può sapere cos'è successo? — ripeté il Direttore, dopo aver fatto bere la signora Sforza e averle dato un paio di colpetti incoraggianti sulle spalle. La maestra, in silenzio, indicò il piano della cattedra.

Prisca avrebbe giurato che negli occhi del Direttore si affacciasse il guizzo di una risata subito repressa.

— Chi è stato? — domandò.

La maestra aprí e richiuse la bocca senza riuscire a parlare.

— È stata Maffei! — saltò su Sveva dal suo banco.

Emilia Damiani pensò a Elisa che si arrampicava sulla cattedra per fare i suoi bisogni e le scappò da ridere.

— Silenzio! — riuscí a gracchiare la signora Sforza, ma la sua voce era solo un pallido fantasma di quella di una volta.

— Ma che roba è? — chiese l'Ispettore perplesso, avvicinandosi a guardare bene quella poltiglia che si allargava sempre di piú sulle carte.

Silenzio. Forse, se ci fosse stata Luciana Guzzòn, avrebbe detto col suo bel sorriso impudente di bambina di strada: «M...!»

Ma nessuno dei presenti osava pronunciare la parola proibita, e neppure uno dei nomignoli familiari che venivano eufemisticamente usati al suo posto.

— Che roba è? — ripeté l'Ispettore rivolgendosi direttamente alla maestra.

— Una tartaruga... — rispose la signora Sforza torcendosi le mani, e non fu capace di proseguire.

L'Ispettore la guardò sconcertato. — Una tartaruga?

Allora Prisca capí che bisognava prendere in mano la situazione. Si alzò.

— Sono feci di tartaruga, signor Ispettore. Escrementi — disse con aria distaccata. — È successo un incidente e la maestra se l'è presa con Maffei. Ma non è stata colpa di nessuno.

— Be', visto che sembri l'unica qui dentro ad avere la lingua, raccontami un po' come è andata — disse l'Ispettore.

E Prisca raccontò tutto, senza dire, ovviamente, che Dinosaura era stata programmata da loro come una bomba a orologeria. — Sono cose che possono succedere, con gli animali — concluse con aria innocente.

— Verissimo — convenne l'Ispettore. — La bambina non poteva prevedere...

— L'ha fatto apposta! — protestò la maestra con voce rotta.

— Suvvia, signora! Come faceva la bambina a...? Gli animali mica la fanno a comando. E poi, alla fine, non mi sembra un danno tanto grave. Basterà dare una bella pulita...

— Ma il registro! Deve restare in archivio! Sarà conservato per sempre... E il programma dell'esame...

— La signora Sforza è una donna molto ordinata e molto precisa — osservò il Direttore.

— Ottima cosa. Ma quello che è importante è la preparazione delle allieve. Sentiamone qualcuna.

La prima ad essere interrogata fu Sveva, che balbettò alla bell'e meglio la vita di Giuseppe Mazzini. Ma la maestra era già troppo abbattuta per accusare anche quest'altro colpo.

Poi fu la volta di Ester Panaro che se la cavò un po' meglio con l'attività dei vulcani. Rosalba ebbe la fortuna di essere interrogata in matematica e Prisca, invitata a dire una poesia a sua scelta, recitò con grande sentimento quella di Sebastiano Satta che comincia:

*Ululi come un cane, anima uccisa!*
*Io ti sento nel vento della notte.*
*— Senza fucile, vò per piani e grotte*
*con la gola recisa.*

La diceva in modo da far venire i brividi a tutta la classe, specie quando finiva con la drammatica risposta del morto che chiede vendetta:

*— Padre! la medicina è nelle vene*
*del mio coral nemico!*

La maestra intanto si era un po' ripresa e si augurava che Marcella Osio tornasse presto dall'infermeria, non tanto per far strabiliare l'Ispettore con la sua memoria prodigiosa, quanto per dare notizie di Elisa.

La maestra adesso si augurava di non averle fatto veramente male, a parte il sangue dal naso, che può venire anche per un colpo leggerissimo, e di non averle lasciato nessun segno con la pietra dell'anello.

Aveva una gran paura dei provvedimenti che il Direttore e l'Ispettore avrebbero preso contro di lei. Aveva paura che la famiglia Maffei potesse denunciarla. Ma soprattutto era disperata perché certamente la signora Lucrezia Gardenigo non solo avrebbe fatto ritirare la nipotina dalla sua classe, ma le avrebbe tolto il saluto e avrebbe convinto le migliori famiglie della città a tenere le loro figlie alla larga da quella pazza manesca di Argia Sforza.

Marcella tornò in classe da sola, dicendo che Elisa stava bene, che il sangue le si era subito arrestato, ma che l'infermiera aveva telefonato allo zio Leopoldo che se la venisse a prendere per portarla a casa.

Rosalba e Prisca si lanciarono uno sguardo di trionfo. La carneficina era in arrivo!

### Capitolo decimo
*Dove Elisa scopre di essersi*
*sacrificata inutilmente.*

È proprio vero che non ci si può mai fidare delle promesse dei grandi.

Quando arrivò lo zio Leopoldo, Elisa era stata lavata e pettinata dall'infermiera, che le aveva anche fatto degli impacchi freddi sulle palpebre gonfie dal troppo piangere. Adesso, a parte qualche macchiolina di sangue sul colletto sgualcito, aveva un aspetto assolutamente normale. Le bruciavano ancora le orecchie per gli schiaffi, ma il bruciore non è un male che si possa vedere e che gridi vendetta come un taglio o un livido.

Lo zio Leopoldo la fece sedere in macchina con la testa rovesciata all'indietro e le raccomandò: — Tieniti il fazzoletto premuto sotto il naso finché non arriviamo a casa. Ti è mai capitato altre volte mentre eri a scuola?

— Non mi è capitato! — rispose Elisa indignata. — È stata la maestra. Mi ha picchiata.

— Ti ha picchiata? — C'era una nota d'incredulità nella voce dello zio.

— Mi ha dato tanti schiaffi... Mi ha fatto male...

— Non frignare. Continua. E poi?

— E poi mi ha preso per il collo e mi scuoteva, e mi voleva strangolare... E uno schiaffo mi ha colpito sul naso, e lei non ha smesso nemmeno quando ha visto il sangue... E se non arrivava il Direttore mi avrebbe ammazzata...

— Non esageriamo adesso! Ma si può sapere cosa avevi fatto? Hai rovesciato di nuovo il calamaio?

— No — disse Elisa. — È stato quando Dinosaura... — si ricordò improvvisamente che aveva ancora la tartaruga in tasca e la tirò fuori perché non soffocasse.

— Ma...? Non è la tartaruga di Prisca, quella? Come mai ce l'hai tu?

— È che me l'ero messa in tasca quando...

— Quando cosa?

Insomma, lo zio Leopoldo, quando ci si metteva, era piú abile di un aguzzino austriaco. Riuscí a cavare di bocca a Elisa tutta la verità, compresa la storia delle tabelle, e che aveva preso in prestito il suo cronometro senza permesso.

— Be', se la maestra ti ha dato due ceffoni, te li sei meritati — concluse alla fine del racconto. — Lo sai che io sono contrario alle punizioni corporali. Ma quando una persona è provocata oltre certi limiti, ha molte attenuanti. Quello che non riesco a capire è perché tu e quelle scimunite delle tue amiche abbiate architettato un tiro del genere, e proprio alla vigilia degli esami...

Arrabbiata e offesa, Elisa si chiuse nel mutismo piú assoluto. Se le avesse voluto davvero bene, lo zio Leopoldo l'avrebbe difesa, l'avrebbe consolata, invece di mettersi a farle il processo. Tutte le sue speranze adesso erano riposte nello zio Casimiro.

Sulle scale di casa si frugò di nascosto col dito nel naso cercando di provocare una nuova emorragia, ma senza risultato. Per cui, in mancanza di meglio, cominciò a piagnucolare.

Lo zio Casimiro non era ancora rincasato. La nonna e la tata, quando sentirono cos'era successo, la compiansero molto e dissero che la maestra era una vera strega, e che bisognava denunciare il fatto al Direttore.

— Ma lo sa già! L'ha vista con i suoi stessi occhi mentre mi picchiava. È lui che l'ha fatta smettere...

— Allora sta' tranquilla. Prenderà certamente i provvedimenti del caso — disse la nonna. — Però, tesoro, non riesco proprio a capire per quale motivo tu e Prisca abbiate portato la tartaruga a scuola proprio oggi che veniva l'Ispettore...

Quando Elisa riconobbe la chiave dello zio Casimiro che girava nella serratura, ricominciò a piagnucolare e si preparò a fare una bella scena di disperazione non appena si fossero seduti tutti a tavola.

Ma lo zio Leopoldo non le lasciò il vantaggio della sorpresa.

— Stamattina Elisa le ha prese dalla maestra — annunciò spiegando il tovagliolo e stendendoselo sulle ginocchia. — Sí, lo so che non siete d'accordo sulle punizioni corporali. Anch'io penso che non si debbano picchiare i bambini per nessun motivo, però Elisa si è comportata davvero malissimo. Speriamo che la lezione le serva per il futuro.

Tutto qui? Elisa lanciò uno sguardo lacrimoso sullo zio Casimiro, che quel giorno sembrava molto piú disteso e allegro del solito.

— Mi ha picchiata — disse. — Mi ha dato tanti schiaffi. Mi ha fatto uscire il sangue dal naso.

Lo zio Casimiro la scrutò attentamente. — Hai un ottimo aspetto. Non si direbbe che ti abbia fatto tanto male!

— Ma zio! Avevi detto che se mi torceva un capello...

— ... e tu ti sei comportata malissimo, ha detto Leopoldo. Si può sapere cos'hai fatto?

— Non sono argomenti da trattare a tavola — tagliò corto lo zio Leopoldo.

— Ascolta, Elisa — disse allora lo zio Casimiro — la vera grandezza d'animo si dimostra anche nel sopportare con fierezza e dignità le persecuzioni dei nostri nemici. Ti ricordi quella volta che Kammamuri...

Elisa scoppiò in un pianto dirotto. Si alzò, spinse indietro la sedia, gettò per terra il tovagliolo e corse in camera a gettarsi sul letto.

— Non fare l'isterica! Ti ho detto mille volte che con le lacrime non si ottiene un bel niente — le gridò dietro lo zio Casimiro.

E questo fu tutto quello che si poté ricavare da lui.

### Capitolo undicesimo
*Dove inaspettatamente
interviene lo zio Baldassarre.*

Quando seppero che non ci sarebbe stata nessuna carneficina, Prisca e Rosalba non volevano credere alle loro orecchie. Non che si aspettassero davvero che lo zio Casimiro irrompesse nell'aula armato di scimitarra e urlando e saltando in piedi sui banchi facesse a pezzi la signora Sforza. Ma che venisse a scuoterla per il bavero, a gridarle qualche insulto sanguinoso, a minacciarla. E che andasse a fare un'altra scenata in Direzione, ottenendo di farla cacciare per sempre da tutte le scuole della Repubblica, questo era il minimo che avrebbe dovuto fare, dopo tutte quelle promesse.

— Invece se ne infischia completamente di me! — singhiozzava Elisa. — Se ne sta lí con un sorriso ebete sulla faccia, come se avesse visto la Madonna di Lourdes... È persino andato ad abbracciare lo zio Leopoldo. Adesso filano d'amore e d'accordo come una volta. Sono coalizzati contro di me...

Era offesa a morte con gli zii, che invece di compiangerla, e soprattutto di vendicarla, se ne stavano tranquilli e pacifici a fumare e a chiacchierare nella veranda.

Lo zio Casimiro, quando era andato in bagno a lavarsi i denti, si era messo persino a canterellare, cosa che non faceva da almeno tre mesi.

— Che Ondina abbia cambiato idea e gli abbia detto di sí? — azzardò Rosalba.

Ma Elisa in quel momento se ne infischiava degli amori di quel traditore dello zio. Che andassero al diavolo lui, Ondina, lo zio Leopoldo e tutti quanti!

Un aiuto insperato le arrivò dalle due persone della famiglia sulle quali non aveva fatto alcun conto: lo zio Baldassarre e la nonna Lucrezia.

Lo zio Baldassarre subito dopo pranzo scrisse una lettera durissima al Direttore della Sant'Eufemia, avvertendolo che era sua intenzione ritirare la nipote dalla scuola e che avrebbe presentato immediatamente un esposto al Provveditorato agli Studi della provincia.

E nonostante il parere contrario dello zio Leopoldo, il giorno dopo tenne Elisa a casa, raccomandandole però di continuare a studiare, perché in ogni caso si sarebbe presentata all'esame come privatista.

Il Direttore rispose con un altro biglietto, in cui lo invitava nel suo ufficio per una spiegazione. Lo zio Baldassarre ci andò con Elisa, che il Direttore cercò invano di ingraziarsi pizzicandole una guancia con fare scherzoso.

— La maestra Sforza mi incarica di presentarvi le sue scuse — disse. — È molto stanca e un po' esaurita. Ha lavorato sodo per preparare le bambine al salto della quinta, e poi tu lo sai, Elisa, quanto ci teneva a presentare all'Ispettore delle carte immacolate. L'incidente della tartaruga le ha fatto saltare i nervi. Bisogna capirla, poveretta! Le ho detto di prendersi qualche giorno di riposo. È un'insegnante molto valida. La migliore che abbiamo nella scuola, e sono certo che non accadrà mai piú niente del genere. Se anche voi siete d'accordo, io direi di chiudere l'incidente a questo punto e di metterci una pietra sopra.

— Mi sembra un po' troppo comodo — rispose freddamente lo zio Baldassarre. — Noi non siamo affatto d'accordo, vero, Elisa?

— Non è molto generoso da parte vostra infierire su una degna persona che ha fatto tanto per le bambine e che si è fatta venire l'esaurimento nervoso per il troppo attaccamento al dovere — disse il Direttore. — A ogni modo, perché sappiate regolarvi...

Come un prestigiatore tira fuori un coniglio dal cappello a cilindro, estrasse dal cassetto della scrivania una lettera che porse da leggere allo zio Baldassarre.

Era della signora Panaro, la moglie del giudice. Scriveva a nome di "tutte le altre mamme". Le quali deploravano lo spiacevole incidente dovuto certo a un equivoco e si auguravano che la piccola Maffei non ne fosse rimasta troppo scossa. Nel contempo però rinnovavano la loro stima e la loro fiducia alla signora Sforza, alla quale erano immensamente grate per tutto quello che aveva fatto per le loro figlie. Si sentivano un po' responsabili dell'accaduto, perché se la signora Sforza era arrivata a un tal punto di stanchezza e di fragilità nervosa era stato per il troppo lavoro, e per la vivacità delle loro bambine.

Speravano che la maestra si rimettesse al piú presto in salute e che tornasse nella sua classe, dove le bambine l'aspettavano con ansia, per completare la preparazione dell'esame e finire in mezzo a loro l'anno scolastico. In fondo c'erano le firme delle madri di tutte le Leccapiedi e di gran parte dei Maschiacci, compresa quella della signora Puntoni.

— Perciò vede bene, architetto, che se il Provveditorato ordina un'inchiesta, voi Maffei vi trovereste soli contro tutti gli altri genitori che contano.

— E va bene! — disse lo zio Baldassarre. — Che se la tengano quell'isterica, visto che la trovano cosí preziosa! Io però la mia bambina a scuola non ce la mando piú. La ritiro. Per fortuna manca poco all'esame, e l'anno venturo andrà alle Scuole Medie.

In teoria questa decisione avrebbe dovuto prenderla lo zio Leopoldo, che era il tutore di Elisa nominato dal Tribunale. Ma davanti alla fermezza del fratello maggiore, lo zio Leopoldo non si oppose, tanto piú che in quei giorni era particolarmente svagato, come se avesse altre cose piú importanti per la testa.

Ma il colpo di grazia alla signora Sforza lo dette la nonna Lucrezia, la quale mandò a casa della maestra la sua domestica piú anziana, impeccabile nella divisa da cameriera di una casa signorile, con un biglietto sul quale c'era scritto:

*Egregia signora maestra,*
*lei ha osato colpire con le sue manacce plebee una creatura che non si può difendere, ma nelle cui vene scorre il sangue dei Gardenigo di Pianafiorita. Si ricordi che il sangue non è acqua, e che la mia nipotina in ogni caso le resta infinitamente superiore sotto tutti gli aspetti. Se voi apparteneste a una classe, non dico aristocratica, ma almeno altoborghese, mio marito sfiderebbe il suo a duello per lavare quest'offesa. Ma la gente come voi la si può soltanto far frustare dai propri servi, cosa che vi risparmiamo. Si vergogni!*

*N.D. Lucrezia Gardenigo di Pianafiorita,*
*nata Santomasso di Luni della Campeda*

*P.S. non c'è risposta.*

Quando Prisca, che l'aveva imparata a memoria (sempre grazie al famoso allenamento con i brani dell'esame) gliela riferí, Ines esclamò rapita: — Che bello! Sembra di leggere un biglietto di un fotoromanzo!

La maestra Sforza invece lo prese molto sul serio e ne fu ferita piú che da tutto il resto.

### Capitolo dodicesimo
*Dove Prisca scrive un racconto intitolato*
*"Il fantasma e la cornice".*

*C'era una volta una bambina di nome Editta, che era molto arrabbiata con i suoi genitori, perché le facevano sempre tante promesse e poi non le mantenevano.*
*Cosí decise che non voleva piú avere alcun rapporto con*

274

*loro e si ritirò a vivere sotto un grande letto nella camera degli ospiti, dove non entrava mai nessuno.*

*Era un letto molto antico, di ferro battuto dipinto di nero con quattro palle d'ottone dorato. Aveva un baldacchino con le tende di garza bianca che si potevano aprire e chiudere, ed era molto alto, cosí alto che sotto ci si stava comodi come in una stanzetta.*

*Editta lo arredò con cura, ci portò un materassino del mare per coricarsi, una scatola di cartone che le serviva da tavolo, i suoi libri, i suoi giocattoli, i suoi album da disegno e le matite colorate.*

*Stava lí sotto tutto il giorno e non lasciava entrare nessuno della famiglia, tranne uno zio che si era sempre comportato bene con lei e che si chiamava Redalbasso.*

*Questo zio era anche autorizzato a portarle da mangiare, ma doveva farlo di nascosto, nel cuore della notte, perché Editta aveva promesso ai genitori che per punirli si sarebbe lasciata morire di fame.*

*Lo zio Redalbasso aveva l'ordine di portarle soltanto patate fritte, cotolette, uova sode, crema gianduia, cipolle crude, torrone e sottaceti, che erano i cibi preferiti da Editta.*

*Qualche volta, durante la notte, si sentiva bussare alla finestra. Toc! Toc! Erano le due amiche del cuore di Editta che si erano arrampicate con una fune sino al quarto piano e venivano a farle visita. Editta le riceveva sul terrazzo, che sarebbe stato il letto vero e proprio, col materasso, e siccome era d'estate e c'erano le zanzare, tiravano le tende e se ne stavano là dentro come in una tenda di beduini.*

*Una notte che stavano chiacchierando tranquille nel terrazzo, sentirono un fruscio, fuori, nella stanza. Editta rabbrividí dallo spavento perché sapeva che non poteva essere nessuno della famiglia. Lo zio Redalbasso aveva già portato le vettovaglie e adesso erano tutti addormentati.*

*Poi vide una manina pallida che si infilava fra i teli della tenda e cercava di spostarla. Spalancò la bocca per urlare, ma la sua amica Perla gliela tappò con la mano.*

*«Vuoi svegliare tutta la casa?»*

Perla era una bambina molto coraggiosa e non aveva paura di niente, figurarsi di una manina cosí pallida! La tenda si aprí e agli occhi delle tre amiche apparve il viso di una bambina dai capelli chiari, in camicia da notte e con una coroncina di fiori finti in testa. La cosa strana era che, sebbene avesse occhi, naso, bocca, mani, piedi e tutto il resto, il suo corpo era trasparente e lasciava vedere le cose che c'erano dietro.

«È un fantasma!» capí subito Rebecca, che era la terza amica.

Allora Editta la riconobbe. Era la bambina della fotografia che suo padre teneva sul tavolino da notte. Editta non sapeva chi fosse. Forse una cuginetta morta della quale nessuno le aveva mai parlato. Questo era il momento di chiarire il mistero.

«Chi sei?» le chiese, cercando di controllare la paura, perché era la prima volta in vita sua che faceva conversazione con un fantasma.

«Non lo so» rispose la bambina morta con una vocina triste da spezzare il cuore.

«Come non lo sai? Non è possibile!» protestò Rebecca. «Ci sono molte cose che uno può non sapere, ma non chi è.»

«Sono morta da tanto tempo che me ne sono dimenticata.»

«Questa è bella!» esclamò Perla. «Non ti ricordi neppure il tuo nome?»

«No» disse il fantasma sconsolato.

«È un bel guaio! E come mai ti è saltato in testa di uscire dalla cornice e di venire qui a spaventarci?»

«Be', non mi sembra che vi siate spaventate molto. Non era questa la mia intenzione. Mi annoio tanto su quel tavolo, vicino alla lampada da notte, al bicchiere, alla sveglia, ai libri gialli... Non mi piacciono i libri gialli. Mi fanno paura.»

«Senti questa! Un fantasma che ha paura!» rise Editta.

«Quell'uomo che dorme là dentro...»

"Mio padre" pensò Editta.

«... quell'uomo russa cosí forte che certe volte mi sembra un orco!» disse la bambina trasparente.

«Insomma, sei venuta a cercare compagnia» tagliò corto Perla.

«Sí. Vi sentivo ridere e ho pensato che forse mi avreste voluta a giocare con voi...»

«D'accordo. Però è difficile, se non sappiamo come chiamarti» disse Editta.

«Diamoglielo noi, un nome!» propose Rebecca.

«Oppure sceglitelo tu» propose Perla magnanima. «Come ti piacerebbe chiamarti?»

Il fantasma ci pensò un po' su, poi disse: «Se tu ti chiami Perla, io mi chiamerò come una pietra preziosa: Ametista.»

Fu cosí che Ametista prese l'abitudine di uscire tutte le notti dalla cornice e di andare nella camera degli ospiti (naturalmente solo dopo che lo zio Redalbasso era passato col vassoio della cena). Se c'erano anche le due amiche in visita, giocavano insieme tutte e quattro. Se trovava Editta da sola, se ne stavano a chiacchierare fino all'alba, e cosí diventarono grandi amiche. Qualche volta Editta le insegnava qualcosa della scuola, le guidava la mano sul quaderno, le faceva ripetere le tabelline, perché Ametista era ignorante in un modo incredibile. Forse un tempo era stata una scolara brillante, ma adesso aveva dimenticato ogni cosa.

Un giorno che erano insieme tutte e quattro, Ametista saltò su a dire che si annoiava a stare sempre dentro casa, e che le sarebbe piaciuto uscire e andarsene a spasso per vedere un po' di gente.

«Ottima idea!» approvò Rebecca. «Quando arriva l'alba, invece di tornartene nella tua cornice, uscirai con noi dalla finestra e ti porteremo a fare un giro per la città.»

«E poi» aggiunse Perla che aveva sempre delle idee molto brillanti «verrai a scuola con noi. Ci pensate, un fantasma seduto in primo banco! Alla maestra verrà un accidente!»

Perla, Rebecca e Ametista quel giorno si divertirono un mondo a terrorizzare la gente che, quando si accorgeva di poter vedere le cose attraverso il corpo di una delle bambine, si metteva a gridare e scappava a gambe levate. La maestra, scappando anche lei da quella gran vigliacca che era, cadde *dalle scale e si ruppe entrambi i polsi. Glieli ingessarono, ma non riuscirono ad aggiustarglieli perfettamente, cosí che non poté piú dare schiaffi alle scolare.*

*Se non che, la madre di Editta quella mattina, spolverando in camera da letto, si accorse che la cornice era vuota.*

*"Che strano!" pensò. "Quella fotografia era cosí antica che deve essersi sbiadita completamente.'*

*Perciò prese la cornice e la regalò al parroco, che era venuto a chiedere qualche soprammobile per la lotteria del Santo Patrono.*

*Quando, verso il tramonto, Ametista tornò a casa felice, ma stanca per tutte le cose nuove che le erano capitate, e desiderosa di andare subito a riposarsi al suo solito posto, non trovando piú la cornice fu presa da una grande disperazione.*

*Corse da Editta che nella sua casa sotto il letto stava giocando a dama contro se stessa.*

*«Come faccio, adesso! Come faccio che non posso tornare dentro la mia cornice!» diceva il fantasma piangendo e singhiozzando.*

*«Be', per adesso restatene qua sotto con me» disse Editta porgendole un fazzoletto. «Domani verranno Perla e Rebecca e chiederemo consiglio a loro.»*

*Ma quando le due amiche arrivarono, si misero a guardare Ametista con grande attenzione.*

*«Che strano!» disse Perla. «Oggi mi sembri diversa. Sembri... sembri... Come se fossi diventata piú densa.»*

*«Prima eri trasparente come se fossi fatta d'aria, oppure come una bottiglia di cristallo sottile» disse Rebecca. «Ma adesso sembri fatta di fumo. Oppure come una bottiglia piena di orzata allungata con l'acqua.»*

*Il fatto era che, scomparsa la cornice che l'aveva protetta, ma anche imprigionata per tanti anni, Ametista a poco a poco si stava trasformando. Stava cessando di essere un fantasma e stava diventando una bambina in carne e ossa.*

*Ci vollero tre giorni perché la metamorfosi fosse completa. Adesso Ametista era una bambina viva e vegeta come le altre tre. Però continuava a non ricordare chi era stata nella vita precedente.*

*Questo in realtà non aveva molta importanza, perché alle nuove amiche andava bene esattamente cosí com'era.*

*Rimase a vivere con Editta sotto il grande letto a baldacchino nella stanza degli ospiti e nessuno venne mai a sapere della sua esistenza. Lo zio Redalbasso, alla richiesta di aumentare le dosi dei vari cibi, pensò solo che Editta stava crescendo e che, a vivere nel clima salubre della stanza degli ospiti, le era aumentato l'appetito.*

# GIUGNO

# Capitolo primo
*Dove si parla di una colletta*
*e dell'esame di licenza elementare.*

Elisa non tornò piú a scuola, ma non si preoccupava per l'esame. I brani del programma li sapeva già tutti a memoria da circa un mese, e ogni pomeriggio Prisca e Rosalba venivano a studiare da lei, e insieme portavano a termine il Grande Ripasso Generale.

Il 5 di giugno finirono le lezioni e la scuola chiuse i battenti. Li avrebbe riaperti il 10, quando i bambini delle classi intermedie sarebbero venuti a vedere i quadri con le promozioni e le bocciature e a ritirare le pagelle, e le terze, le quinte regolari e le quarte saltatrici avrebbero affrontato le prove d'esame. Nel caso della IV D si trattava di una semplice formalità, perché agli scolari che facevano anche l'esame di ammissione ci si limitava a far recitare una breve poesia e a chiedere altre due o tre sciocchezzuole.

In quell'occasione Maschiacci, Leccapiedi e Conigli si sarebbero trovati insieme per l'ultima volta, ma solo nell'atrio, perché i Conigli venivano unicamente a vedere se erano stati promossi, e l'anno venturo sarebbero andati in quinta con una nuova maestra e poi avrebbero preso una strada diversa, una specie di scorciatoia che avrebbe consentito loro di cominciare a lavorare a quattordici anni. Per Elisa era anche l'occasione di rivedere ancora una volta, la prima dopo il giorno degli schiaffi, e l'ultima della sua vita (cosí almeno si augurava) la signora Argia Sforza.

Infine il 15 di giugno, ormai in possesso della licenza elementare, Maschiacci e Leccapiedi si sarebbero presentate alla Scuola Media Numero Due per sostenere con professori sconosciuti l'esame di ammissione, e questo non sarebbe stato una formalità, ma un esame vero e proprio.

Il 3 di giugno Prisca arrivò in casa Maffei con un biglietto di sua madre dove c'era scritto che "tutte le mamme" delle saltatrici avevano deciso di fare un regalo alla signora Sforza, per ringraziarla di aver preparato gratuitamente le loro bambine all'esame di ammissione. La signora Panaro, moglie del giudice, aveva già visto nella gioielleria di piazza San Carlo un bellissimo vassoio d'argento che le sembrava proprio adatto e che avrebbe fatto fare a tutte loro un'ottima figura. Il prezzo del vassoio era di 110 000 lire. La nonna Mariuccia era pregata dunque di consegnare a Prisca la sua quota di 5000 lire.

*Mi raccomando, la metta dentro a una busta e gliela fissi in tasca con una spilla da balia, perché c'è il rischio che quella scervellata la perda. Con i miei più affettuosi saluti eccetera eccetera...*

Indignata, la nonna Mariuccia telefonò subito alla signora Puntoni. — Ma scusi, le sembra che dopo il modo vergognoso in cui è stata trattata Elisa, dobbiamo partecipare anche noi alla colletta? Io non ho nessuna voglia di fare un regalo a quella strega — disse.

— Si regoli come crede, signora Maffei — rispose la madre di Prisca in tono seccato — però, se mi permette di darle un consiglio... Io al posto vostro non mi tirerei indietro per una cifra che in fondo non è poi esagerata. Pensi quanto le sarebbe costato far prendere alla bambina lezioni private per tutto l'anno. Ne so qualcosa io, con questa benedetta signorina Múndula, ed è una materia soltanto! Volete che la firma di Elisa non compaia sul bigliettino di accompagnamento del dono? Volete fare la figura dei morti di fame, o peggio, degli avari, davanti a tutta la città?

— Io penso che se mancherà la firma di Elisa, tutti capiranno che non è per via dei soldi, ma per un motivo grave e validissimo — protestò la nonna.

— Quante tragedie per due scappellotti! Ma intanto la bambina ha ricevuto come tutte le altre un'ottima preparazione, ha finito il programma e farà un buon esame. Questo per lei non conta niente? Comunque faccia come vuole. Buonasera.

— Io un regalo a quella lí non glielo faccio! — ripeté la nonna Mariuccia testarda, dopo aver riappeso il microfono.

Ma prima di cena ricevette la visita della consuocera venuta apposta per parlarle del vassoio d'argento. La nonna Lucrezia era del parere che si dovesse prendere parte alla colletta col resto della classe.

— Non per ringraziarla, eh! Ci mancherebbe! Per darle uno schiaffo morale. Per dimostrarle che siamo superiori alle sue meschinerie. E anche per non fare di questa storia un caso di Stato. Per non farci parlare dietro da tutta la città. Diamogliela, questa elemosina, e facciamola finita!

Sia pure motivandolo con ragionamenti diversi, lo zio Leopoldo fu dello stesso parere. E cosí il nome di Elisa fu compreso nell'elenco delle bambine che ringraziavano commosse la signora Sforza per i suoi insegnamenti, anzi, come diceva la canzone "per il tesoro che ci donasti di scienza e bontà".

La vigilia dell'esame di quinta Elisa era un po' agitata all'idea di incontrarsi faccia a faccia con la maestra. Paura non ne aveva, perché sapeva che ci sarebbero stati anche altri due insegnanti, ed era certa che in loro presenza la signora Sforza non avrebbe osato fare o dire qualcosa contro di lei. Ma l'idea di guardarla negli occhi, di parlarle, le faceva venire il batticuore e sudare le mani.

Però a cena lo zio Casimiro le disse: — A che ora ce l'hai questo esame? Quasi quasi mi prendo un giorno di vacanza e vengo ad accompagnarti. Mi vuoi?

— Veramente avevo già pensato di accompagnarla io — interloquí lo zio Leopoldo. — Vuol dire che ci andremo insieme.

— Sei soddisfatta di avere due cosí baldi paladini al tuo

fianco, o ne vuoi anche un terzo? — rise lo zio Baldassarre facendole l'occhiolino.

— Bastano due — rispose Elisa tutta contenta che alla fine gli zii si fossero ricordati che anche lei aveva dei problemi.

L'esame andò nel migliore dei modi. La maestra sembrava un'altra: gentilissima, affettuosa, piena di piccole attenzioni, di sorrisi di approvazione e di incoraggiamento. Piuttosto era Elisa a fare un po' la sostenuta. Ogni volta che lo sguardo le cadeva su quelle due mani bianche e molli, si sentiva bruciare le orecchie.

Ottenne il massimo dei voti, come d'altronde Prisca, Rosalba, Marcella, Fernanda e Simona. La maggior parte delle Leccapiedi ebbe solo dei miseri sei e qualche rarissimo sette. Erano stati gli altri due maestri a impuntarsi, e la signora Sforza aveva avuto un bell'insistere.

— Poverina, questa è una bambina timidissima e davanti agli estranei si confonde. Quest'altra ha appena avuto la varicella. Ma vi assicuro che durante l'anno erano sempre le prime a rispondere.

I due colleghi però non avevano voluto cedere di un punto.

Invece a Rosalba avevano voluto dare dieci in disegno e a Prisca, miracolo dei miracoli, dieci in italiano, e questo era normale, ma *nove*, addirittura *nove* in matematica!

Appena uscita da scuola, Prisca si era messa a correre come una pazza per raccontarlo a Ondina senza perdere neppure un minuto, e aveva fatto le scale cosí in fretta che, arrivata in cima, non aveva piú fiato per parlare. BUM BUM BUM faceva il suo cuore. Ma questa volta batteva di felicità.

## Capitolo secondo
*Dove Prisca cade in una trappola.*

Il 10 di giugno la signora Panaro, moglie del giudice, telefonò alla moglie dell'avvocato Puntoni.

— Il gioielliere mi ha appena mandato il vassoio d'argento, già incartato, in una bella confezione da regalo, molto elegante. Pensavo di mandare Ester a consegnarlo alla signora Sforza questo pomeriggio. Sarebbe poco fine aspettare il risultato dell'esame di ammissione, le pare?

La signora Puntoni disse che era perfettamente d'accordo.
— Naturalmente farò accompagnare la bambina dalla nostra domestica. Però mi sembra che sarebbe piú simpatico se insieme a mia figlia andasse una piccola delegazione di altre scolare in rappresentanza della classe. Ho già telefonato alla signora Mandas per Alessandra e all'ingegner Golinelli per Renata. Mi piacerebbe tanto che la quarta bambina fosse la sua Prisca.

— Ma che pensiero gentile! — si sdilinquí la signora Puntoni. — Prisca ne sarà felicissima. Partiranno tutte insieme da casa vostra, vero? A che ora gliela devo mandare? Alle quattro? Benissimo. E la ringrazio ancora tanto per aver pensato a noi.

— Ma che leccapiedi sei, mamma! — disse Prisca quando sua madre ebbe poggiato il microfono. — Perché le hai detto di sí? Io non ci voglio andare.

— Tu ci andrai, eccome! Invece di essere orgogliosa di essere stata scelta fra tutte le altre! Adesso ti metti anche a fare storie?

— Non ci vado neanche morta.

Invece, come al solito, finí per obbedire. Non è che avesse molte altre scelte. L'unica alternativa era quella di fare una bizza melodrammatica, gettarsi per terra, urlare fino a diventare rauca, fino a farsi venire la febbre. E forse neppure cosí avrebbe funzionato, perché quando la mamma si metteva in testa di farle fare una cosa era ancora piú testarda di lei. Inoltre, se da un lato non aveva nessuna voglia di venire confusa con quelle tre Leccapiedi, dall'altro era curiosa di vedere quali smancerie avrebbero fatto nel consegnare il dono e quali ipocrite idiozie avrebbero detto.

Insomma, fu cosí debole e stupida da lasciarsi convincere e alle quattro si presentò in casa Panaro. Ma scoprí con sorpresa che Ester era ancora a letto per il riposino pomeridiano e che le altre due sceme sarebbero arrivate solo alle cinque e mezzo.

— Ti ho fatta venire prima — le disse la moglie del giudice dopo averla accolta con mille salamelecchi — perché voglio affidarti un incarico molto importante. Una cosa che solo tu puoi fare fra tutte le allieve della signora Sforza.

Prisca, diffidente, le lanciò un'occhiata interrogativa.

— Vieni — le disse la signora, facendola entrare in una stanza arredata con mobili neri, antichi, di quelli con le zampe di leone e le tendine di seta grigia dietro ai vetri. — Questo è lo studio di mio marito. E questa è la sua scrivania, dove scrive le sentenze. Ci pensi? Non sei emozionata all'idea di sederti a scrivere al posto di un giudice?

A scrivere cosa? Prisca continuava a guardarla in attesa di spiegazioni. Qual era questo incarico cosí importante che lei sola fra tutte era in grado di portare a termine?

— Una poesia! — esclamò con entusiasmo la signora Panaro. — Una poesia di ringraziamento dedicata alla maestra. So che all'esame di quinta hai preso dieci in italiano. So che sei bravissima a scrivere versi. Sei celebre in tutta la scuola.

Prisca si rese conto che la signora stava cercando di farla cadere in trappola con tutte quelle lusinghe.

— Solo tu puoi farlo, capisci? Ti ho fatto venire apposta un'ora e mezzo prima delle altre. Adesso ti lascio qui tranquilla con carta e penna. Non è necessario che scriva un poema lunghissimo, come mi dicono che sei solita fare. Basteranno pochi versi, una cosa gentile e graziosa, dettata dal cuore...

— Non sono capace — borbottò Prisca fra i denti.

— Ma va'! Non fare la modesta. Ester mi ha detto che hai delle agende grosse cosí piene zeppe di poesie.

— Ma adesso non ho l'ispirazione... — tentò Prisca come ultima risorsa.

— Be', fattela venire! Hai un'ora di tempo. Poi Ester, che ha una bellissima scrittura, la ricopierà su questa pergamena. Guarda! Ci ho già fatto incidere:

ALLA MAESTRA SFORZA CON AMORE
E RICONOSCENZA, LA SUA QUARTA D.
X GIUGNO 1950.

Ma adesso ti lascio tranquilla. Sono sicura che scriverai una cosa bellissima.

Uscí e chiuse la porta. La trappola era scattata e i suoi denti d'acciaio mordevano cosí forte che era impossibile liberarsi. Prisca non pensò neppure per un attimo di disobbedire. Tanto era baldanzosa e sicura di sé con le persone che conosceva, altrettanto timida diventava con gli sconosciuti.

E inoltre i Panaro non erano degli sconosciuti qualsiasi.

Fin da quando era nata, in casa e nello studio legale del padre e del nonno, Prisca non aveva sentito parlare d'altro che del giudice Panaro, della sua importanza, del suo grande potere in tribunale. Era l'Autorità Onnipotente dalla quale dipendeva in gran parte il destino della famiglia. Che fosse anche il padre di quella scemetta di Ester, che a scuola Prisca non si faceva scrupolo di sbeffeggiare, era un fatto del tutto secondario. Il giudice Panaro era quello che giudicava non solo i delinquenti, ma anche il lavoro di suo padre e di suo nonno. Era quello che mandava la gente in prigione e che avrebbe potuto mandare tutti loro sul lastrico, cioè fuori di casa, poveri e affamati a chiedere l'elemosina per la strada.

Lo stesso modo di fare autoritario della moglie, quel suo non essere neppure sfiorata dal dubbio che qualcuno potesse non obbedirle, contribuiva a paralizzare la volontà di Prisca, eliminandone il piú piccolo slancio di ribellione. Persino l'arredamento dello studio, i mobili scuri, le tende rosso cupo tirate a chiudere fuori il sole pomeridiano, le davano il senso della sua debolezza, della sua impotenza.

C'era poco da fare. Era prigioniera, e il prezzo della sua libertà era quella stramaledetta poesia. Non c'era altro modo di uscirne, quindi tanto valeva mettersi subito al lavoro.

Per fortuna aveva letto una gran quantità di quelle melense composizioni, piene zeppe di falsità e di frasi fatte.

Chiamò a raccolta tutta la sua abilità e il suo allenamento a giocare con le parole, ordinando contemporaneamente al sentimento e alla sincerità di non immischiarsi. Succhiò l'estremità della penna per qualche minuto, poi respirò profondamente e, sentendo un enorme disprezzo per se stessa, cominciò a scrivere, con pochissime esitazioni, e quasi senza cancellature.

*Eravamo ignoranti e ineducate,*
*non sapevamo scrivere o contare*
*quando arrivasti. Ma Tu ci hai cambiate,*
*ci hai trasformate in perfette scolare.*

*Ci insegnasti a percorrere il sentiero*
*del sapere, a distinguere la rosa*
*dalla spina, a distinguere tra il vero*
*e il falso, a ragionare su ogni cosa.*

*Tu ci fosti modello di pazienza,*
*di costanza, di amore e comprensione.*
*Senza bontà non ha valor la scienza.*
*Questa fu la tua massima lezione.*

*Questo è l'insegnamento che ci hai dato.*
*Grazie, Maestra, che ci hai preparato*
*cosí bene all'esame di ammissione!*

Quando ebbe finito di scrivere si sentí un verme. Non c'era una sola briciola di verità in quei versi, a cominciare dai primi due, che erano molto ingiusti nei confronti della buona signorina Sole. Ma cosa ci poteva fare? Se avesse scritto quello che pensava davvero...

*Il Giudice, ignorando ogni clemenza,*
*l'avrebbe tosto mandata in prigione...*

Aprí la porta e chiamò: — Signora! Signora Panaro! Ho finito!

# Capitolo terzo
*Dove Prisca ha una crisi di coscienza.*

La poesia, e la rapidità con cui era stata scritta, riempirono la signora di ammirazione e Prisca ricevette moltissimi complimenti. Nel frattempo Ester si era alzata, lavata e vestita col suo abito piú elegante. Trascinata dall'entusiasmo della madre, invece di trattare Prisca con la solita sgarbata freddezza, le saltò al collo come se fosse la sua migliore amica, poi la sostituí alla scrivania paterna e cominciò a ricopiare l'opera d'arte sulla pergamena, un po' gelosa per non essere capace lei stessa di tanta bravura.

Aveva appena terminato, quando arrivarono Renata e Alessandra, tutte in ghingheri anche loro.

La signora Panaro consegnò solennemente alla domestica il pacco col vassoio d'argento, raccomandandole di tenerlo ben stretto, perché era di grande valore.

— Arrivate al portone della signora Sforza, lo darai da portare a Ester. Tu non salirai in casa, ma aspetterai le bambine sulle scale. La piccola cerimonia che ho preparato è meglio che la facciano da sole.

Spiegò alle bambine che, una volta entrate e salutata la maestra, Prisca doveva svolgere la pergamena e leggere "con sentimento" la poesia. Subito dopo Ester avrebbe offerto il pacco col vassoio d'argento e mentre la signora Sforza lo svolgeva, tutte e quattro avrebbero intonato "Finito è un giorno". Solo che, come aveva supposto Prisca, invece di "un giorno" dovevano cantare "un anno".

Cosí uscirono e si incamminarono, la domestica e le quattro bambine, sotto il sole estivo che, sebbene fossero quasi le sei, faceva ancora tremare l'aria per il caldo.

Man mano che percorrevano le strade quasi deserte, Prisca rimuginava nella testa mille pensieri. Si era immediatamente pentita di quello che aveva fatto: una vigliaccheria, una bassezza imperdonabile. Quale differenza c'era adesso tra lei e la piú vile e strisciante delle Leccapiedi? Le aveva tanto disprezzate durante tutti quegli anni di scuola, per poi ridursi come una di loro, anzi, peggio. Tanto piú doveva disprezzare se stessa, adesso. Perché non si era rifiutata? Perché non aveva resistito alla cortese prepotenza della signora Panaro? Mille volte meglio finire con tutta la famiglia sul lastrico o in prigione che comportarsi come un'ipocrita.

E adesso le toccava anche recitare quella ignobile commedia. Guardare la signora Sforza negli occhi e lodarla, dirle che era buona, sincera, generosa e che era stata per loro un esempio e un modello, quando invece la odiava e la disprezzava, e se c'era qualcuno al mondo a cui non avrebbe voluto somigliare mai e poi mai, quella era lei, la signora Arpia, crudele bugiarda, prepotente, ipocrita, una vera carogna!

Le tornarono in mente gli scatoloni per i poveri e il viso stupefatto di Adelaide con le trecce appena mozzate alla radice, e i suoi poveri tulipani disprezzati. E la lingua insaponata di Iolanda...

Con quella poesia scellerata lei, Prisca, si era messa dalla parte della maestra contro di loro, e le sembrava di vederle, che la guardavano tristi e con aria di rimprovero.

Era certa che quel rimorso l'avrebbe perseguitata per tutta la vita, che le si sarebbe annidato nel cervello come un tarlo, e avrebbe scavato, scavato, senza tregua, togliendole ogni fiducia in se stessa, ogni rispetto, ogni senso di dignità.

Se almeno fosse stato possibile tornare indietro! Ma la domestica dei Panaro emanava la stessa irresistibile autorità dei padroni e la spingeva decisa sulla strada della abiezione.

"Eppure devo trovare il modo di non andarci. Sono ancora in tempo. Ma come? Ma come?" pensava freneticamente.

A un tratto, camminando a testa bassa, vide sul marciapiede una lunga riga che separava due file di mattonelle, e le sembrò all'improvviso che fosse un limite invalicabile, il confine tra il giusto e l'ingiusto, un fiume al di là del quale c'erano solo vergogna e disonore.

E si rese conto, come una gallina davanti alla riga tracciata col gesso, che non poteva assolutamente oltrepassarla come se davanti a lei fosse sorto d'incanto un muro invisibile.

Si fermò di colpo.

— Io non vengo piú — annunciò decisa.

— Come, non vieni piú? — chiese Alessandra meravigliata. — Siamo quasi arrivate.

— Non posso venire — ripeté Prisca.

— Su avanti, cos'è questo capriccio? — disse la domestica severa, stringendola con la mano sulla spalla per spingerla avanti.

Prisca resistette puntando i piedi.

— Ma cosa ti è successo? Ti senti male per caso?

— Sí! (Ecco la scusa che ci voleva!) Mi sento malissimo. Ohi, ohi! Ho il mal di pancia. Mi scappa! Devo correre a casa.

— Be', se ti senti cosí male... — fece dubbiosa la donna. Non sarebbe stato bello precipitarsi dentro l'appartamento della maestra chiedendo come prima cosa del gabinetto. Avrebbe rovinato tutta la solennità della cerimonia.

— Hai ragione. Forse è meglio che torni a casa tua.

Prisca, per rendere piú verosimile la scusa, cominciò a saltellare su un piede e sull'altro.

— E la poesia? Chi la legge la poesia? — chiese Ester, tenendo ben stretta la pergamena.

Prisca avrebbe preferito portarsela via e farla sparire, distruggerla, ma capí che non era possibile.

— Leggila tu. Anzi, dille che l'hai scritta tu.

— Davvero? Davvero posso? — Ester non credeva alle proprie orecchie.

— Sí, certo. A me non importa.

— Non lo dirai a nessuno che l'hai fatta tu?

— A nessuno. Giuro. Croce di ferro, croce di legno.

— Muoviti, se devi andare! — ordinò la domestica raccogliendo il resto del gregge e spingendolo avanti.

Prisca si mise a correre verso casa sentendosi leggera come se si fosse tolta di dosso una montagna. Era cosí felice che si mise a cantare improvvisando:

*Finito è un anno di vero terrore.*
*Finito, chiuso, non tornerà!*
*Mai piú vedremo quell'orrido orrore,*
*quella mostruosa mostruosità.*

Questa sí, che era poesia!

Poi, mentre correva, cominciò ad avvertire un doloretto alla pancia. Prima leggero leggero, localizzato su un fianco, tanto che pensò alla milza e rallentò un po' l'andatura.

Ma il dolore invece di cessare cominciò a crescere, si espanse in tutto l'addome, diventò acuto... Prisca sentí che le budella cominciavano a muoversi, a torcersi come serpenti dentro un sacco... Aiuto! Come punizione della bugia le era venuto davvero una mal di pancia fulminante. Ce l'avrebbe fatta ad arrivare a casa in tempo, prima di coprirsi davanti a tutta la cittadinanza di maleodorante ignominia?

Anche lo stomaco cominciava a brontolare, e un sudore freddo le inumidiva il palmo delle mani, mentre il resto del corpo era bollente.

Vide passare un taxi. Poteva essere la salvezza. Lo chiamò con un cenno. Poi ricordò che come al solito non aveva un soldo in tasca per pagare la corsa.

— Prego, signorinella?

Con enorme sollievo Prisca riconobbe uno dei tassisti di Rosalba. — Mi porti in via Manzoni al sette, per favore.

— Ma ce li hai i soldi per pagare? Fammi un po' vedere.

— Non ce li ho. Ma la prego, la prego, mi porti lo stesso! Sono un'amica di Rosalba Cardano. Può passare alla cassa del negozio...

Il tassista si mise a ridere. — Sali! Ne hai, di fretta tu! Sta bruciando la casa?

Arrivarono appena in tempo. Durante il viaggio Prisca era terrorizzata all'idea di non resistere e di sporcare la tappezzeria dell'automobile.

A casa stette malissimo. Le era venuto anche un febbrone da cavallo. Sua madre per una volta tanto la prese sul serio e mandò a chiamare subito lo zio Leopoldo.

— Sembrerebbe un avvelenamento — disse il dottore. — Cos'hai mangiato negli ultimi giorni?

Prisca non rispose. Si sentiva come uno straccio lavato e strizzato. Non aveva la forza di sollevare la testa dal cuscino. Però era felice. Felice che lo zio Leopoldo si chinasse con tanta amorevole attenzione sul suo letto e le toccasse delicatamente la pancia con la punta delle sue dita fresche. Felice soprattutto di aver avuto la forza, sia pure all'ultimo istante, di strappare i lacci di menzogna e di ipocrisia nei quali, da vigliacca, si era lasciata irretire.

Le venne da ridere, pensando a quello che avrebbe detto Guzzòn Adelaide, a commento del suo breve attacco di "leccapiedaggine". «Per fortuna ti sei liberata in fretta di quel brutto veleno. Hai visto? È finito tutto in m...!»

### Capitolo quarto
*Dove si scopre chi è*
*la bambina della fotografia.*

La mattina dopo, verso le nove, mentre ancora sonnecchiava intontita dal digiuno e da qualche lineetta di febbre, Prisca sentí squillare il telefono in corridoio. Attraverso la porta le arrivò la voce della madre: — No. Sta ancora dormendo. Lo sai che ieri è stata male? Che non è potuta andare nemmeno a portare il regalo alla maestra? Ma diamine, cos'hai di cosí urgente da dirle? Non puoi richiamare tra un paio d'ore?

Subito dopo si affacciò alla porta.

— Sei sveglia? C'è la tua Elisa al telefono, che ti vuole parlare immediatamente. Sembra che l'abbia punta la tarantola. Ha detto che non può aspettare neppure un minuto. Te la senti di venire a rispondere?

Prisca si alzò trascinando i piedi. Si sentiva ancora molto debole e nel corridoio dovette appoggiarsi al muro. Prese il microfono.

— Elisa?

— Prisca! Sapessi! Prisca, tieniti forte! Abbiamo scoperto... Ma lascialo dire a me!... — si sentiva Rosalba che rideva e cercava di toglierle il microfono dalle mani.

Cosa ci faceva Rosalba a quell'ora in casa Maffei? Ah, già! Il Grande Ripasso Generale. Prisca aveva sonno e le doleva la testa.

— Allora? — chiese un po' scocciata.

295

— Abbiamo scoperto chi è la bambina morta... che poi non è morta per niente...

— E chi sarebbe?

— Prova un po' a indovinare.

— Uffa, Elisa! Mi gira la testa. Non farla tanto lunga. Chi è?

— E le assomiglia anche! Come abbiamo fatto a non accorgercene? Ci voleva l'occhio di Rosalba.

— Elisa, se non me lo dici subito metto giú il telefono.

— Io, io! Glielo dico io! — Rosalba era riuscita a impadronirsi del microfono e ci strillò dentro piena di soddisfazione. — Sono stata io a riconoscerla. È Ondina. Ondina Múndula quando aveva nove anni.

Questa poi! Prisca cercò a tentoni una sedia. Non capiva se il capogiro dipendesse dal digiuno o dall'emozione.

— Ma cosa ci faceva una foto di Ondina sul tavolino da notte dello zio Leopoldo?

— Prisca, devi essere forte. Promettimi che non ti metterai a piangere — era di nuovo la voce di Elisa, un po' turbata, esitante. — Prisca, non è colpa di nessuno. Lei non lo ha fatto apposta. Neanche lo sapeva che prima venivi tu...

— Ma insomma!

— Insomma: sono fidanzati già da tre mesi.

— Cooosa?

Se fosse stata un personaggio dei fotoromanzi di Ines, a questo punto Prisca avrebbe dovuto sentire una pugnalata al cuore. Invece, con sua grande meraviglia, si sentí invadere da una gioia profonda, da un senso di completezza. I due esseri che amava di piú al mondo si volevano bene. Cos'altro poteva desiderare dalla vita?

— Hurrà! Quando si sposano? — gridò nel telefono con un allegro entusiasmo che lasciò di sasso le due amiche all'altro capo del filo.

— Il ventisei di questo mese.

— Allora devo guarire in fretta, perché ho promesso a Ondina di reggerle lo strascico.

— Non sei arrabbiata? — chiese Elisa stupita. Aveva temuto di scatenare una terribile scena di gelosia.

— Ascolta il mio cuore — disse Prisca, poggiandosi il microfono sul petto.

Elisa sentí un battito calmo e regolare. Respirò di sollievo. Prisca era davvero imprevedibile. In una circostanza cosí drammatica riusciva a non essere gelosa. Era straordinaria. Era la migliore di tutte. Che fortuna averla per amica!

Nel pomeriggio Prisca aveva ancora la febbre alta, cosa che non impedí alle due amiche di andarla a trovare per raccontarle bene tutto. Anche Ines fu ammessa alla riunione, e naturalmente si portò dietro Filippo, al quale però degli amori di Ondina e dello zio Leopoldo importava molto poco, tanto che dopo cinque minuti si addormentò.

La storia invece non era di quelle che fanno addormentare e le due ascoltatrici la seguirono con grande interesse.

La cosa piú incredibile era che nessuno in casa Maffei, neppure Elisa che lo osservava con tanta attenzione, neppure lo zio Leopoldo che era stato con i suoi consigli l'origine di quella rinuncia, si fosse accorto che lo zio Casimiro improvvisamente aveva smesso di fumare. E che era stata quella rinuncia, non la gelosia, a renderlo cosí inquieto e rabbioso, cosí aggressivo verso il fratello cardiologo, autore di tante prediche contro il fumo.

— E lo sai perché non ha avuto nessuna reazione il giorno che la maestra mi ha picchiato? — spiegò Elisa. — Perché non aveva voglia di compiere nessuna carneficina? Perché proprio quel giorno aveva ceduto e si era rimesso a fumare. Si sentiva cosí felice, rilassato, in pace con il mondo, che un litigio era l'ultima cosa di cui aveva voglia!

Quando Elisa ebbe finito di raccontare, Ines sospirò: — Che romantico! Sembra un racconto mensile di "Grand Hotel"! Di quelli che già dal titolo capisci che c'è da piangere.

— Hai ragione — osservò Rosalba. — Un titolo adatto potrebbe essere "Fratelli rivali ovvero l'equivoco".

— Prisca, perché non provi a scriverlo su una delle tue agende? — propose Elisa piena d'entusiasmo.

— Appena sarò guarita — promise l'amica.

Ma non guarí tanto presto. La febbre non voleva calare.

— Non c'è alcun virus. Solo una grande debolezza, come se avesse subito uno stress nervoso — diceva lo zio Leopoldo.

— Ma non farmi ridere. Che stress vuoi che si possano avere a nove anni? Secondo me ha mangiato di nascosto chissà quale porcheria, e deve ancora smaltire l'indigestione — rispondeva la madre di Prisca, con l'aria di quella che si intende di bambini pestiferi molto più dei dottori.

Il giorno in cui le compagne fecero la prima prova dell'esame d'ammissione, Prisca era ancora a letto con la febbre. Lo zio Leopoldo le aveva proibito nel modo più assoluto di uscire di casa.

— Perderò l'anno! — si disperava Prisca.

— Be', non sarebbe poi un gran male se frequentassi ancora un anno di Elementari. Non hai ancora compiuto dieci anni.

— Ma se ho già fatto l'esame di quinta! Alle elementari non mi ci vogliono più. E poi perderei Elisa e tutte le mie compagne!

— Calmati. Se ti agiti tanto la febbre ti sale, lo sai. Ai primi di luglio c'è una sessione di recupero per quelli come te. Si chiama appunto sessione ammalati. E se starai ancora male potrai tentare l'esame a settembre. Vedrai che in un modo o nell'altro, questo autunno sarai anche tu alle Medie.

Ma Prisca piangeva così forte che per cercare di calmarla lo zio Leopoldo le promise che le avrebbe mandato Ondina a farle compagnia.

Ondina venne, e la sua presenza fu come una ventata di fresco e di profumo in una stanza chiusa. Attraverso il velo delle lacrime Prisca la guardava e la trovava più bella che mai. Capiva perfettamente come lo zio Leopoldo se ne fosse potuto innamorare. Lei al suo posto avrebbe fatto lo stesso.

Per prima cosa Ondina le disse che era arrivato il momento di darle del tu. Incoraggiata Prisca cominciò a chiacchierare senza freni, e finì per confessarle che all'inizio il mal di pancia se l'era inventato per non andare dalla maestra. — Ma subito dopo mi è venuto sul serio, come se con quelle parole l'avessi chiamato. Che strano, vero?

— Mica tanto. Evidentemente il tuo corpo era d'accordo con i tuoi pensieri e ha voluto procurarti un alibi perfetto. Adesso però sarebbe il caso di smetterla. O forse, sotto sotto, non vuoi nemmeno fare l'esame di ammissione?

Prisca si mise a ridere. Certo che lo voleva fare. E voleva guarire subito, anche. — Se no, chi ti reggerà lo strascico?

Poi Ondina volle sapere come mai Prisca odiava tanto la maestra. — Forse perché ha picchiato la tua amica del cuore? Va bene, ha esagerato. Elisa però si è comportata molto male, mi ha detto Leopoldo. L'ha provocata in tutti i modi possibili. Dio solo sa perché, visto che di solito è una bambina cosí tranquilla.

— Io lo so — si lasciò scappare Prisca. E cosí dovette raccontare di Iolanda e di Adelaide, del registro delle ingiustizie e di tutto il resto.

Ondina, che prima la stava ad ascoltare divertita e faceva commenti scherzosi, a questo punto si fece seria seria.

— Povera Prisca — disse alla fine — in che brutto mondo ci tocca vivere, nonostante tutti i bei discorsi sulla democrazia degli amici di Baldassarre Maffei! Sai, anch'io, da piccola, sono stata una bambina povera. Hai visto i miei genitori. Adesso, col mio lavoro, si sono messi benino, però ti sarai accorta che non somigliano affatto ai tuoi nonni, alla signora Gardenigo, ai genitori delle tue amiche...

— E vivevi anche tu in un magazzino senza finestre? — chiese Prisca. — Con un buco per terra come gabinetto e il coperchio per non fare uscire i topi!

— No. Non eravamo poveri a quel punto. Mio padre lavorava. E poi, non c'era ancora stata la guerra... Ma soldi ne avevamo pochi pochi, e le mie amichette non andavano a scuola. Restavano a casa a sorvegliare i fratellini, oppure a sette, otto anni, andavano già a lavorare da una sarta o da una modista, oppure a fare le sguattere in qualche casa signorile.

— E tu?

— E io ho avuto una grande fortuna. Anzi, tre. Il fatto di avere un padre ambizioso, di essere figlia unica, e di incontrare una maestra gentile e intelligente che mi ha aiutata moltissimo, anche quando ero già alle Medie, e persino alle Superiori. Non sono tutte come la tua signora Sforza, per fortuna!

— Però chissà quante altre ce n'è in giro come lei! — disse Prisca.

— Chissà?... — le fece eco Ondina.

## Capitolo quinto
*Dove Prisca scrive un racconto intitolato:*
*"Fratelli rivali ovvero l'equivoco".*

*Questa non è una storia inventata come le altre, ma è tutta vera, dalla prima all'ultima parola.*

*C'erano una volta due fratelli che si chiamavano Leopoldo e Casimiro. Leopoldo era il maggiore ed era un uomo bellissimo, cosí affascinante che tutte le donne, quando lo vedevano, non potevano fare a meno di innamorarsi di lui. Lui però di queste donne se ne infischiava e cosí non si era mai sposato. Di mestiere faceva il cardiologo.*

*Casimiro invece faceva l'ingegnere, e non era bello nemmeno la metà di Leopoldo. Non aveva nemmeno la barba ed erano le donne che si infischiavano di lui. Non aveva mai avuto un'ammiratrice in tutta la sua vita. Però era contento lo stesso perché leggeva sempre i libri dei pirati della Malesia e si consolava immaginando che un giorno forse avrebbe incontrato la bellissima Marianna, detta la Perla di Labuan, e allora sí che si sarebbe preso una bella rivincita contro quelle stupide!*

*Un giorno Casimiro andò a fare una supplenza all'Istituto Tecnico e conobbe una bellissima professoressa di matematica che rispondeva al romantico nome di Ondina, e di cognome si chiamava Múndula, che è una parola ondulata anche lei. Ondina aveva i capelli rossi ed era bella come il mare al tramonto. Quando invece si arrabbiava era bella come un mare in tempesta, con tutte le onde arricciolate.*

Come la vide, Casimiro pensò: *"Ma questa fanciulla è anco-ra piú bella della Perla di Labuan, piú bella della Vergine Sacra dei Thugs, piú bella di Surama!"* Si dimenticò dei suoi libri di pirati e si innamorò di Ondina.

Lei però, quando lo venne a sapere, gli disse: «Preferisco che restiamo buoni amici.» E cosí fecero, anche se Casimiro senti-va un gran male al cuore.

Avendo un fratello cardiologo, si fece visitare, e Leopoldo gli disse: «Non è niente. Non vale la pena di ammalarsi per una donna che non ci vuole. Io però, se fossi in te, smetterei di fu-mare, perché il fumo danneggia il cuore molto di piú di un amore infelice.»

A Leopoldo però era venuta la curiosità di vedere almeno una volta questa donna crudele che faceva soffrire tanto il suo povero fratello. Dài e dài, riuscí a farsela presentare. E anche lui, come la vide se ne innamorò. Ma non voleva fare la caro-gnata di rubarla al povero Casimiro, quindi non disse niente e decise di dimenticarla.

Ondina però, come tutte le altre donne, non aveva potuto resistere al fascino del bellissimo cardiologo, e anche lei se n'era innamorata. Ma, vedendolo cosí indifferente, pensò che anche lei, come tutte le altre, non aveva avuto fortuna. Cosí adesso erano in tre a soffrire. Due in silenzio e uno, Casimiro, con grande abbondanza di gemiti e di sospiri.

Bisogna sapere che i due fratelli avevano una nipote, e che questa nipote aveva due amiche: una scrittrice e una pittrice, e che la scrittrice era innamorata anche lei del bellissimo Leo-poldo, ma era troppo giovane per pensare di fidanzarsi. Prima doveva fare ancora moltissime cose, tra le quali il salto della quinta elementare, e siccome non era tanto brava in matema-tica, la mandarono a ripetizione sapete da chi? Proprio da Ondina!

Passò il tempo. Ondina amava e soffriva in silenzio, perché pensava che Leopoldo avesse un cuore freddo e insensibile. Leopoldo amava e soffriva in silenzio, perché era convinto che Ondina se ne infischiasse di lui cosí come si infischiava di Casimiro.

*Casimiro invece, all'insaputa degli altri due, si era rimesso a leggere i libri di pirati e piano piano stava dimenticando Ondina, che al paragone con la Perla di Labuan gli sembrava adesso una donna senza molte attrattive. Però non aveva dimenticato il consiglio del fratello a proposito delle sigarette, e aveva deciso di smettere di fumare, cosa che lo rendeva molto nervoso.*

*Intanto la passione di Ondina per Leopoldo cresceva, e un giorno la bellissima fanciulla si fece coraggio e andò nell'ambulatorio dell'affascinante cardiologo con la scusa di farsi visitare. Gli disse che aveva il cuore a pezzi, e di chi era la colpa. Leopoldo, a questa inaspettata dichiarazione arrossí, perché era molto timido, e rispose: «Anch'io ti amo, Ondina adorata. Ti amo dal primo giorno che ti ho vista, e ti voglio sposare. Ma come la mettiamo col povero Casimiro? Io non ho il coraggio di dirglielo, specialmente adesso che è cosí nervoso e sembra arrabbiato con me, anche se non gli ho fatto niente.»*

*Cosí decisero di non rivelare subito il segreto del loro amore, ma di aspettare che Casimiro si tirasse un po' su di morale.*

*Quello fu il giorno in cui Ondina ruppe l'uovo della scrittrice, che però era una creatura generosa e magnanima e la perdonò immediatamente.*

*Leopoldo desiderava tanto avere una fotografia della sua bella da tenere in camera e da baciare quando ne sentiva la nostalgia (in quei casi diceva, come la sua mamma Mariuccia quando il marito era soldato: «Passione, passione! Averla di ciccia e baciarla di cartone!»). Ma aveva paura che se Casimiro, che abitava con lui, l'avesse vista, avrebbe capito tutto e si sarebbe disperato ancora di piú. Allora, pur di avere qualche cosa, rubò alla sua vecchia ex infermiera una fotografia di Ondina da piccola e se la mise in camera. E cosí facendo dette un grandissimo dolore alla sua nipotina, che non sapeva niente dei vari innamoramenti e credeva che quella bambina fosse un'altra nipotina sua rivale. Guardate un po' quanti equivoci solo per non voler dare un dispiacere a quel bel tipo di Casimiro, che nel frattempo di Ondina se n'era bell'e dimenticato!*

*Quando Ondina seppe della foto si arrabbiò e disse a Leopoldo: «Stupido! Ma non ti sei accorto come mi assomiglia? Conservala subito dentro a un cassetto, che se la vede tuo fratello capisce tutto.»*

*E Leopoldo obbedí. Ma la nipote e le sue amiche intanto avevano ricevuto delle false notizie per cui credevano che la foto fosse di una bambina morta e si erano messe a pregare per la sua anima. Evidentemente queste preghiere fecero effetto, perché un bel giorno Casimiro decise che a smettere di fumare proprio non ci riusciva, comprò una stecca di sigarette e disse a Leopoldo: «Mi dispiace, signor cardiologo, ma preferisco avere un po' di mal di cuore e vivere allegramente, piuttosto che godere di un'ottima salute, senza potermela godere sul serio perché, dannazione, io sono come Yanez, che prima della battaglia campale doveva sempre fumare l'ultima sigaretta.»*

*Leopoldo allora gli chiese: «Ma non era a causa di Ondina che soffrivi tanto?»*

*«E chi ci pensa piú a quella!» rispose con indifferenza Casimiro, fumando come un turco.*

*Allora Leopoldo, contentissimo, gli confessò tutto, e il fratello gli disse: «Congratulazioni! Se vuoi, per dimostrarti che non me ne importa proprio niente, ti farò da testimone alle nozze.»*

*Rassicurato, lo zio Leopoldo disse a Ondina di farsi fare una bella fotografia artistica e, in attesa di averla, tirò fuori dal cassetto quella di lei da bambina.*

*La nipote dei due fratelli e le sue amiche erano all'oscuro di questi ultimi avvenimenti, e continuavano a pregare per la povera bambina morta. Se non che, già da alcuni mesi la pittrice aveva deciso di fare un ritratto di Ondina, perché la trovava un soggetto molto artistico, e perciò aveva cominciato a osservarla con attenzione, e aveva riempito il suo album di schizzi dei suoi occhi, delle sue orecchie, il naso, la bocca e tutti gli altri lineamenti.*

*Quel giorno, per caso, andò a trovare la sua amica e vide la foto che era ricomparsa sul tavolino da notte. «Ma che bambina morta d'Egitto!» esclamò. «Questa è Ondina Múndula!*

*Non ve ne eravate accorte? Guardate le orecchie! Solo lei le ha attaccate alla testa in questo modo buffo!»*

*E cosí anche quel mistero venne svelato. Alla fine di giugno Ondina e Leopoldo si sposarono. Fu una bellissima cerimonia, anche se faceva un caldo maledetto e tutti gli invitati sudavano e le signore avevano il vestito di seta appiccicato e si vedevano tutti i rotoli di ciccia. Ondina aveva un vestito molto elegante, con un lungo strascico. Glielo reggevano la nipote di Leopoldo e la sua amica scrittrice, ma non riuscirono a impedire che Casimiro ci inciampasse e finisse ruzzoloni giú dall'altare.*

*Tutti piangevano di commozione. Piangevano, e sudavano, e si asciugavano, e una certa Antonia, che non era tra gli invitati, ma stava in cucina a preparare il rinfresco, diceva: «Le stagioni non sono piú quelle di una volta. Qui, se non si sbrigano ad arrivare, mi si sciolgono tutti i gelati.»*

*Gli sposi partirono in viaggio di nozze, e anche Casimiro partí, con la mamma, la nipote e un altro fratello di nome Baldassarre, che fin qui non abbiamo nominato perché in tutta questa storia si era fatto i fatti suoi e non era mai intervenuto neppure per fare commenti, anche se era il fratello maggiore. Andarono nella loro casa di campagna e sono ancora là.*

*La scrittrice fece l'esame di ammissione alle Scuole Medie alla sessione ammalati, e fu promossa con la media del nove. Subito dopo partí per il mare con la sua famiglia e con la sua adorata tartaruga Dinosaura. E adesso si sta godendo le vacanze in attesa di iscriversi alle Scuole Medie.*

— Quando Elisa e Rosalba l'hanno raccontata, quel giorno che eri a letto con la febbre, sembrava molto piú drammatica e romantica — protestò Ines restituendo l'agenda a Prisca. — Come l'hai scritta tu, sembra quasi una storia da ridere.

— Cosa ci posso fare? Mi è venuta cosí — rispose Prisca senza offendersi.

Conservò l'agenda nella sacca da spiaggia, si mise ai piedi le pinne ed entrò in acqua. Dinosaura, che stava mangiando un ciuffo d'erba all'ombra dell'automobile, smise subito e si avviò per raggiungerla, arrancando sul terreno irregolare. Quell'anno Ines aveva avuto un'idea ancora piú brillante, e invece di metterle una targa di cerotto, le aveva scritto l'indirizzo di casa direttamente sul guscio con lo smalto delle unghie. — Se non fa male a noi cristiani, vuoi che faccia male a una bestia cosí dura?

La scritta, d'un bel rosso brillante, si vedeva da lontano.

Mentre la tartaruga stava per raggiungere la sabbia Filippo, che adesso aveva due anni e camminava da solo con gran velocità, le tagliò la strada, bloccandola col piedino nudo. — Guga, Guga! — La prese, la sollevò all'altezza del viso e sporgendo le labbra, cercò di baciarla sul muso. Dinosaura, che aveva i suoi buoni motivi per non fidarsi di lui, si ritirò completamente dentro il guscio. Allora il bambino, trotterellando, la portò verso la riva. Ma invece di farle fare un bel tuffo in acqua, la poggiò sulla sabbia umida e ci si sedette sopra.

Prisca faceva il morto nell'acqua limpida come cristallo e strizzava gli occhi per guardare il cielo, diviso esattamente a metà dalla striscia bianca di un aeroplano.

# Indice